# LA VIE DE L'AME PENDANT LE SOMMEIL

## Récits de voyages
## hors du corps

Peter Richelieu

*Editions Vivez Soleil*

## L'IMPRESSION EN COULEUR

Nous avons choisi d'imprimer les textes de nos livres
avec une encre de couleur, malgré le surcoût
que cela représente, dans le but d'éviter
la surintellectualisation qu'entraîne
le noir-blanc et favoriser l'harmonie
entre le cerveau gauche
(responsable de la logique rationnelle)
et le cerveau droit
(facultés intuitives et imaginatives).
Nous voulons ainsi faciliter une lecture
plus globale et plus gaie
tout en contribuant à développer
votre potentiel de santé
physique et psychique.

Illustration : "Augusta" Arlette Salvia Petit
Graphisme : Patrick Leroy
Photocomposition : Roger Chappellu
Traduction et mise en page : Béatrice Petit

Titre original : A soul's journey
Copyright © Thorsons Publishing Group Ltd
of Denington Estate, Wellingborough
Northamptonshire NN8 2RQ, England

Copyright © 1991 Editions Vivez Soleil SA
32 av. Petit Senn - CH - 1225 Chêne-Bourg / Genève
ISBN : 2-88058-072-2

*Ce livre est dédié*
*à tous ceux qui cherchent.*

« De même qu'un homme enlève de vieux habits pour
en mettre de nouveaux, celui qui s'incarne rejette les
anciens corps pour en prendre des nouveaux. »
*Bhagavad Gita*

# Introduction de l'Editeur

Le livre de Peter Richelieu répond à une question que tout le monde se pose : que se passe-t-il pendant que nous dormons ?

La qualité du récit et les informations dont il est très riche permettent au lecteur de cesser de considérer le sommeil - et aussi la mort - comme une chute dans le néant. L'aspect multidimensionnel de la vie humaine est clairement présenté.

Nous menons donc tous une double vie ! Pour la plupart, nous n'en sommes pas conscients. Les aventures que vit l'auteur de l'autre côté du sommeil, et dont il a la faculté de se souvenir à l'état de veille, nous dévoilent l'extrême variété des mondes spirituels. L'émerveillement devant l'extraordinaire déploiement des phénomènes de la vie remplace alors les idées préconçues. Les portes de la prison de l'intellect ne peuvent que s'ouvrir.

Cet émerveillement est l'un des meilleurs moyens de développer en soi une attitude de reconnaissance et de compréhension qui est l'un des facteurs clé de la santé sur tous les plans. La maladie et le malheur sont les filles de l'ignorance. Le grand mérite de ce livre est de la dissiper par rapport à un sujet d'importance essentielle.

Ce livre ne vous empêchera certainement pas de dormir, mais gageons que vous porterez chaque soir un intérêt tout nouveau à votre départ pour le pays du sommeil !

Les Editions Vivez Soleil

# Préface

*La vie de l'âme pendant le sommeil* se lit comme un véritable roman d'aventure psychique et ne peut qu'inciter le lecteur à tenter le même voyage, en s'entourant de toutes les précautions requises.

Je reprendrai ici quelques-uns des points qui m'ont le plus frappé, dont l'enracinement de la peur animale, la peur de la mort chez l'homme; et surtout j'apprécie la réponse que l'auteur lui donne, la seule valable : c'est l'amour qui en triomphera, « l'amour parfait chasse la peur ».

A propos du karma, je voudrais citer Sri Aurobindo, qui écrit dans *Renaissance et karma* : « Appelons donc le karma... le mouvement organique ici-bas de l'Infini... L'action du karma suit et reprend bien des lignes potentielles de l'esprit dans les myriades de sa houle, bien des vagues et des courants de force du monde qui se combinent et s'affrontent; c'est le processus de l'Infini créateur; c'est la voie longue et multiforme de la progression de l'âme individuelle et de l'âme cosmique dans la Nature... »

Et il est vrai qu'à donner libre cours à notre imagination, comme le suggère Peter Richelieu, nous pouvons aller par tous les mondes en suivant de multiples courants d'une Force qui évolue, mais qui aussi involue selon des mouvements d'ascension et de descente dans le temps, et aussi hors du temps, comme le dit l'auteur.

Plus loin, Sri Aurobindo écrit : « La vraie sanction du bien et du mal n'est pas la bonne fortune pour l'un et la mauvaise fortune pour l'autre, mais ceci : les bonnes actions nous mènent vers une nature plus haute qui, à la longue, est soulevée au-dessus de la souffrance, les mauvaises actions nous tirent vers la nature inférieure qui tourne toujours dans un cercle de souffrance et de mal. »

J'ajouterai un mot sur les plans décrits qui, dès lors qu'ils sont non matériels et deviennent des plans de conscience de plus en plus subtils, ont des frontières de plus en plus minces et des tendances accrues à l'interpénétration; le plan astral est pénétré par le physique et, à l'autre extrémité, par le mental. Mais ce même monde astral pénètre lui aussi dans le physique d'un côté et dans le mental de l'autre, ce qui complique singulièrement le voyage. Quoi qu'il en soit, je rejoins l'auteur lorsqu'il rappelle que plus on s'élève, plus on approche du monde des créateurs, des artistes et des chercheurs.

Naturellement, on se sent facilement des ailes à lire ce livre et il est bon de se laisser emporter au gré du guide, à partir du moment où celui-ci est tout à fait sûr; mais on n'oubliera pas que le plus important, si l'on tient à son intégrité physique et mentale, c'est tout de même de rentrer dans la maison physique qu'est le corps.

La place manque ici pour décrire correctement le karma dans sa diversité et sa complexité, mais on ne saurait le limiter à un système de redistribution de récompenses et de punitions dont la référence serait seulement morale; les voies du karma ne sont pas fixes et les relations de cause à effet évoluent elles aussi avec le degré de conscience de l'être pour aboutir à une découverte des voies supérieures du karma.

Je souhaite bonne route au lecteur.

Kiran Vyas

*Après des années d'expérience en Inde, en particulier dans l'ashram de Sri Aurobindo à Pondichéry, Kiran Vyas a fondé à Paris le centre Tapovan, Centre de Yoga et de Culture Indienne.*

# LA VIE DE L'AME
# PENDANT LE SOMMEIL

Un document convaincant sur ce qui attend l'esprit
humain après la mort, qui a aidé beaucoup de gens
à ne plus avoir peur de mourir.

# Introduction

Bien que je ne sois pas un écrivain et que je ne me targue d'aucun don ni expérience dans ce domaine, ce livre est donné au monde sans aucune excuse de ma part, car j'obéis aux ordres de ceux qui doivent être obéis.

La partie du livre qui retiendra l'attention du plus grand nombre de lecteurs est celle qui commence au chapitre 4. Pour les personnes qui n'ont aucun souvenir de leur vie et leurs activités durant le sommeil, cette partie renfermera de nombreuses idées totalement nouvelles. Comme, parmi celles-ci, beaucoup appellent des explications, je conseille aux lecteurs de résister à la tentation de parcourir rapidement les chapitres préliminaires pour arriver plus rapidement à cette seconde partie. Ces chapitres d'introduction, écrits sous forme de causeries faites par un gourou indien, sont tellement riches en informations vitales qu'ils contiennent la clé non seulement de la suite du livre, mais aussi de ce qui arrive à chacun d'entre nous à un moment ou un autre. Ceux qui les liront lentement avec attention, et qui se référeront souvent à eux, en retireront les informations de base permettant une meilleure appréciation du récit qui suit.

En consignant mes expériences, je ne les ai pas embellies. Si elles aident certains d'entre vous à comprendre le plan de la vie et ainsi les rassurent, si elles vous donnent un aperçu de la nature de l'évolution et vous fournit une raison de faire des animaux vos amis - elles n'auront pas été écrites en vain.

Peter Richelieu

# *Prologue*

C'était le 7 juillet 1941; je pensais toujours à un télégramme que j'avais reçu du Bureau de la Guerre à Londres trois jours auparavant, me disant que Charles, mon cher jeune frère, avait été tué pendant un combat au-dessus de l'Angleterre. Il n'avait que vingt-trois ans; un peu plus d'un an auparavant, il avait rejoint la RAF et obtenu le grade de pilote. Bien sûr, nous étions fiers de lui - quel homme de vingt et un ans, en pleine santé et désireux de faire quelque chose pour le vieux pays, ne souhaiterait rejoindre la RAF ? Naturellement, nous savions que la vie d'un pilote était précaire, mais nous n'avions pas vraiment l'impression que quelque chose pouvait lui arriver. C'est une attitude fréquente vis-à-vis de ceux que l'on aime et Charles et moi avions toujours été plus proches l'un de l'autre que ne le sont habituellement deux frères, malgré nos dix ans d'écart.

Je me souvenais de la fois où il nous avait fièrement annoncé qu'il avait abattu son premier avion ennemi. Le choc provoqué par la nouvelle de sa mort était rude et, pour la première fois de ma vie, je me sentais amer face au Tout-Puissant, ce bienveillant Créateur dont on parle d'un ton patelin. Comment pouvait-il être bienveillant s'il permettait que l'innocent soit tué ?

J'avais été élevé dans la religion catholique, quoique pas de manière très stricte, et j'avais pris beaucoup de choses pour argent comptant, comme le font les chrétiens. La religion faisait partie de la vie et, certains jours, on devait lui accorder du temps; à d'autres moments, on ne pensait pas beaucoup à ce qu'un chrétien, un disciple du Christ, était censé faire. Et voilà que je réfléchissais à ces questions pour la première fois; je n'avais pas envie d'aller à l'église - et encore moins chez un prêtre. Je ne voulais pas prier; pourquoi faire ? Dieu m'avait pris ce que je possédais de plus cher au monde. Je ne maudissais pas Dieu, mais j'en arrivais presque à le haïr. Un ami me dit que Charles était mieux loin de cette guerre, que l'au-delà était certainement un endroit plus agréable pour l'instant que ce monde-ci, et que je devrais être reconnaissant. Mais je n'étais pas reconnaissant; je m'étais tellement réjoui de revoir son visage plein de vie et d'entendre son rire chaleureux lors de son prochain congé - que nous avions projeté de passer ensemble. Tout d'un coup, l'avenir paraissait un grand vide.

C'est dans cet état d'esprit que j'étais assis, ce matin inoubliable, il y a quelques semaines - le jour où *il* vint. Maintenant, avec le changement qui a eu lieu en moi, cela paraît s'être passé dans une autre existence; pourtant je peux me rappeler chaque détail et je me les rappellerai jusqu'à ma mort. Je vais tenter de raconter l'histoire exactement telle qu'elle s'est passée, mais si le récit semble décousu, vous me pardonnerez, car je n'ai jamais écrit d'autre histoire avant celle-ci et ne le fais que parce que je désire que d'autres soient réconfortés comme je l'ai été.

Vers onze heures ce matin-là, on frappa un coup à ma porte et mon domestique me dit qu'il y avait dans le hall un homme qui voulait me voir. « Quel genre d'homme ? » demandai-je. Sa réponse fut : « Un homme étrange, maître, je suppose qu'il vient pour mendier. » Je demandai au garçon de descendre s'enquérir de ce que voulait cet individu et de revenir m'en informer. A son retour, il dit que l'homme avait un message qu'il ne pouvait remettre qu'à moi. Avec quelque irritation, je lui ordonnai par conséquent de le faire monter.

Quoique j'aie vu cet homme très souvent depuis ce jour-là, je trouve encore difficile de le décrire - mais je vais faire de mon mieux. Il était petit, mince, avait environ quarante-cinq ans et portait une barbe. Il était sans erreur possible natif de l'Inde du Nord, bien que sa peau fût presque aussi blanche que la mienne. Il était vêtu d'un simple costume indien, d'une couleur si indéfinissable qu'à première vue il semblait sale, mais après avoir l'avoir examiné de plus près, on s'apercevait qu'il était d'une propreté parfaite. Il était chaussé de sandales et portait un turban.

Je demandai au domestique de sortir et invitai mon visiteur à s'asseoir. Il s'assit, non pas sur la chaise que je lui indiquai, mais sur le tapis, jambes croisées. C'est alors que je remarquai l'expression bienveillante de ses yeux, qui semblaient renfermer une sagesse venue du fond des âges. Jusque-là, il n'avait pas dit un mot.

« Bien, dis-je, que puis-je faire pour vous ? »

Il sembla surpris par la question et mit quelques secondes à répondre. « *Vous m'avez envoyé chercher* », déclara-t-il enfin.

Ce fut trop pour moi et je répliquai : « Que voulez-vous dire par là ? Je ne vous ai encore jamais vu, comment pourrais-je vous avoir envoyé chercher ? Allez, dites-moi ce que vous voulez, car j'ai du travail à faire. »

« *Vous m'avez envoyé chercher* », répéta-t-il; mon expression devait montrer ma surprise, car il sourit et continua : « Ne venez-vous pas de perdre votre frère ? N'est-il pas exact que vous vous posez beaucoup de questions au sujet d'une Providence cachée, que vous accusez d'être l'instrument qui vous a enlevé votre frère ? Pourquoi lui devait-il être enlevé et pas les autres ? A quoi bon croire en Dieu, si vous ne pouvez l'interroger et obtenir de lui les réponses à ces questions si importantes pour vous ? Ces trois dernières nuits, pendant votre sommeil, vous avez rêvé que vous parliez avec votre frère. Vous *avez* parlé avec lui; vous lui avez posé ces questions et beaucoup d'autres, durant ces heures de sommeil capricieux. Je suis la réponse à ces questions. Je suis le messager qui a été envoyé pour que ces problèmes s'éclaircissent pour vous. Le Christ n'a-t-il pas dit : " Demandez et il vous sera donné;

frappez et on vous ouvrira." Vous avez demandé - vous avez frappé, et il ne dépend maintenant que de vous d'obtenir les réponses que vous avez si souvent réclamées. »

« Certes, je souhaite entendre les réponses à mes questions, dis-je, mais qui êtes-vous et comment puis-je savoir si vous êtes capable de me révéler ce que je veux connaître ? Vous êtes un homme de chair comme moi, vivant, et pourtant vous dites que vous connaissez mon frère, que vous lui parlez, que vous m'avez entendu lui poser les questions que j'ai effectivement posées. Est-ce de la magie ou suis-je en train de rêver ? Convainquez-moi, si vous le pouvez. Vous trouverez en moi un bon auditeur, pas très crédule je le crains, mais comme vous semblez savoir déjà tellement de choses à mon sujet, je vais écouter ce que vous avez à dire. »

Il répondit : « Je crains qu'il faille un certain temps pour que vous compreniez tout, mais si vous êtes disposé à prendre ce temps, je viendrai chez vous une heure ou deux par jour, jusqu'à ce que mon récit soit terminé. Je ne peux vous promettre que vous serez convaincu par tout ce que j'ai à vous dire, mais je vous garantis du moins que vous serez plus heureux que maintenant; pour cette simple raison, votre temps ne sera donc peut-être pas entièrement perdu. Est-ce qu'onze heures chaque matin vous convient ? »

Je dis : « Oui, oh oui », me demandant dans quoi je m'étais engagé, mais me disant en même temps que je pourrais me débarrasser de lui après le premier jour, si je venais à découvrir une supercherie.

Je cherchai comment prolonger la conversation, mais il était déjà parti. Il n'y avait plus personne, bien que je n'aie pas entendu la porte s'ouvrir ni se fermer. Je commençai à me demander si j'avais rêvé toute cette scène ou si mon cerveau finissait par être un peu dérangé à cause des soucis et du manque de sommeil. J'appelai même mon serviteur et lui demandai s'il avait réellement fait monter un homme chez moi; comme il acquiesçait, je lui demandai s'il l'avait vu partir, mais il me dit que non et affirma résolument que nul n'aurait pu quitter ma chambre et être sorti par la porte du bungalow sans qu'il l'eût vu. Sa réponse n'arrangeait rien et je continuai à me demander si j'avais rêvé, car je ne croyais pas vraiment le domestique quand il disait avoir fait entrer l'homme. Je décidai d'attendre le lendemain : il avait fixé onze heures, et j'allais être dans ma chambre à cette heure-là, pour voir s'il viendrait ou non.

Assez curieusement, je dormis cette nuit-là comme je n'avais plus dormi depuis que j'avais reçu le télégramme fatal; lorsque je me réveillai le lendemain matin, j'avais l'impression de m'être entretenu avec Charles et de lui avoir parlé de mon visiteur. Dans mon rêve, Charles n'avait pas l'air surpris du tout et je me réveillai avec la certitude que mon ami indien reviendrait comme prévu. Je décidai de lui demander dès son arrivée comment il faisait pour sortir sans être ni vu ni entendu.

Je suppose que ma porte devait être entrebâillée, car à onze heures précises, une voix agréable s'éleva à mes côtés dit : « Eh bien, voulez-vous toujours avoir les réponses à vos questions ? » Je ne l'avais pas entendu venir, mais, curieusement, je me sentis si rassuré par sa présence que je répondis : « Certainement, je suis prêt. » Sans autre formalité, il s'assit sur le sol, je me calai dans mon fauteuil, et il commença à me raconter l'histoire la plus surprenante que j'aie jamais entendue - une histoire que maintenant encore je ne comprends pas tout à fait, mais qui revêtit les accents de la vérité dès le premier mot, une histoire qui, je le sens, aura ces accents pour d'autres personnes qui la liront.

Durant les jours qui suivirent, nous fîmes peu de conversation. Il venait comme il l'avait fait le premier jour; il parlait parfois pendant une heure, parfois plus longuement, et quand il en avait fini pour la matinée, il joignait les paumes de ses mains à la manière orientale et s'en allait. Je pense qu'il sentait quand j'en avais assez, quand mon cerveau, ébranlé par d'étranges faits, avait atteint un stade où il ne pouvait plus en absorber davantage. J'avais remarqué qu'il s'arrêtait quelquefois brusquement et quittait la pièce sans un mot d'adieu, pour revenir le lendemain matin et, sans autre préambule, se remettre à parler comme s'il venait juste de finir la phrase par laquelle il avait achevé son discours de la veille.

# Chapitre premier

« Je ne suis pas venu vous convertir à une nouvelle foi ou une nouvelle philosophie. Je ne suis pas envoyé vers vous par celui qui est mon Maître pour vous donner des réponses aux questions que vous vous posez présentement. Je ne peux que vous parler des faits fondamentaux de la vie, dans l'espoir que cela vous donnera les bases d'une connaissance sur lesquelles vous pourrez bâtir votre propre philosophie. Je vous aiderai également à acquérir une expérience pratique vous permettant d'explorer par vous-même. La majorité des choses que je vous dirai vous sembleront inhabituelles mais, au cours de nombreuses vies, j'ai beaucoup étudié et trouvé des preuves qui m'ont convaincu de la véracité de certains faits. Je ne désire pas que vous preniez les éléments que je vous donne pour des faits ou pour la réalité, car vous ne pourrez les accepter que lorsque vous serez à même de les connaître dans votre propre conscience.

« Un ancien adage du seigneur Bouddha, fondateur de la religion qui porte son nom, illustre mon point de vue. Un jour, l'un de ses disciples vint vers lui et dit : "Seigneur, qui dois-je croire ? L'un me dit ceci et l'autre cela, et tous deux me paraissent persuadés d'avoir raison." Le seigneur Bouddha répondit : "Mon fils, ne crois pas ce que disent les autres, pas même moi, le seigneur Bouddha, à moins que cette chose ne parle à ton bon sens. Et même alors, ne la crois pas, mais traite-la comme une hypothèse raisonnable jusqu'à ce que tu puisses la prouver par toi-même."

« Tout d'abord, j'esquisserai pour vous à grands traits le chemin appelé évolution et vous décrirai

comment cette chose indéfinissable nommée vie coule
à travers les règnes de la Nature.

« De la source de vie, je ne peux vous donner
aucune idée. Je ne connais et n'ai jamais rencontré personne qui en soit capable. Mais quelle importance ?
Tous les hommes pensants s'accordent sur le fait qu'il
doit exister une puissance créatrice derrière l'univers;
que nous voyions cette Puissance comme un dieu personnel ou simplement comme le pouvoir créateur ne
paraît pas être d'une grande importance. Beaucoup se
représentent encore volontiers Dieu comme un vé-
nérable vieillard avec une barbe, figure idéalisée se
fondant sur les qualités les plus élevées que chacun
puisse imaginer, mais avec des pouvoirs illimités et une
compréhension de la justice inégalée parmi les hommes. Qui peut dire qu'une telle idée est insensée ?
Beaucoup s'en satisfont, mais elle n'a en fait pas de
fondement, car aucun homme sur terre ne peut parler en
connaissance de cause ni de la création de l'univers, ni
de cette chose appelée vie.

« Bien que nous ne puissions analyser la vie, nous
pouvons entrer en contact avec elle. Qui n'a vu un animal ou un être humain vivant à un moment donné et
mort à la minute suivante ? Que s'est-il passé durant
cette minute ? Une chose est certainement sortie du
corps que l'on voyait en action auparavant, laissant derrière elle la chair immobile qui, quand on la regarde,
semble commencer à se désintégrer et retourner à la
Terre Mère. Nous pouvons donc reconnaître la vie
comme un fait, bien que nous ne soyons capables ni de
la comprendre, ni de la créer de la même manière que
nous créons tant d'autres choses en cette époque des
lumières. L'esprit de l'homme a produit de multiples
aides synthétiques pour seconder la Nature, mais n'a
pas synthétisé la vie.

« Le monde scientifique nous dit que la vie est
présente dans les quatre règnes de la nature - minéral,
végétal, animal et humain. Il n'est pas nécessaire de
nous dire que la vie existe dans les règnes animal et
humain - nous pouvons le voir par nous-mêmes - mais il

est plus difficile de croire qu'elle existe aussi dans les règnes végétal et minéral. Des sources dignes de confiance nous disent que même les rochers sont vivants et que, quand la force vitale s'en retire, ils commencent à se désagréger; avec le temps ils se décomposent et retournent à la poussière, tout comme le fait un corps humain - sauf que le processus dure plus longtemps. Il est certainement plus facile pour nous d'accorder la vie aux végétaux qu'aux minéraux, car quand ils sont arrachés du sol, source de vie dans leur cas, nous les voyons se flétrir et mourir; au bout d'un certain temps, ils deviennent poussière, comme le font toutes les choses vivantes quand la force vitale leur est retirée.

« Certains philosophes vont encore plus loin et affirment que la vie est présente également dans un règne supplémentaire, qu'ils appellent le royaume supra-humain : lorsque l'homme a conquis le royaume humain, son évolution ne se termine pas brutalement, mais continue vers le haut, toujours plus haut, jusqu'à ce qu'il finisse par rejoindre la source où il est né, un nombre d'âges incalculable avant celui-ci, si incalculable qu'aucun homme n'a jamais été capable de l'estimer. Ils affirment en outre que la vie est une progression, comme le sont toutes choses dans la nature, et que son but est l'expérience; qu'elle engrange et récolte au cours de sa progression à travers les règnes de la nature, depuis sa forme la plus basse jusqu'à la plus haute, qui peut être qualifiée d'Homme Parfait ou "homme devenu parfait".

« Il nous faut ensuite considérer la différence entre la vie telle qu'on la trouve dans le règne minéral et la vie telle que nous la connaissons dans les règnes animal et humain. Son essence est sans aucun doute la même, car, comme je l'ai dit, l'origine de toute vie est divine, mais elle est très différente dans son expression. Lorsque la vie débute, sous la forme des différents minéraux, elle n'a pas d'individualité dans le sens où nous l'entendons au niveau humain. La force vitale, après avoir acquis l'expérience qu'elle devait acquérir dans les types inférieurs de minéraux, passe dans les formes supérieures; elle passe ensuite dans les formes inférieures, puis dans les formes supérieures des végétaux. Tout ceci prend des milliers d'années - selon le mode de calcul du temps sur cette planète - mais ce n'est que lorsque la vie passe du règne végétal au règne animal que toutes sortes de divisions apparaissent. A ce stade, il n'y a pas encore d'individualité, mais seulement une conscience de groupe ou âme-groupe, commune à tous les animaux d'une même espèce, les manoeuvrant et les dirigeant de l'extérieur. Quand la force vitale passe dans le royaume humain, un esprit ou ego habite chaque corps individuel et dicte les pensées et les actions de chaque homme. A ce stade de l'évolution, l'âme-groupe a une influence sur les races - mais non sur les individus, qui ont désormais leur libre arbitre.

« Par rapport aux animaux, l'homme est un super-animal, tout comme par rapport à l'homme, un homme parfait est un super-homme. Il est triste de s'apercevoir que ce super-animal est enclin à se comporter vis-à-vis de ses jeunes frères avec cruauté plutôt qu'avec compassion et compréhension - ce qui semble d'ailleurs être la principale cause de souffrance à laquelle ils soient soumis. Si l'homme ne tuait que pour se nourrir, comme le font les animaux, ou parce que sa vie est menacée par un animal sauvage, cela pourrait être considéré comme conforme aux lois de la nature; mais il torture les animaux de différentes façons pour que la gente féminine puisse se parer de fourrures et de plumes; il tue pour ce qu'il appelle le "sport" quand, en humanité distinguée, il pratique son "art" sans égard aux souffrances qu'il peut causer à ceux qui ne sont pas aussi bien armés que lui. Toute cette cruauté irréfléchie crée la *peur* qui, de toutes les émotions, est celle qui retarde le plus l'évolution. La peur du super-animal apparaît dans les formes inférieures de la vie animale et continue à travers ce règne jusqu'à ce que les animaux entrent en contact avec l'homme dans la vie domestique; la peur qui était née dans les stades primitifs est alors lentement, mais sûrement, remplacée par l'amour. Jusqu'à ce moment, la progression des animaux sur le chemin de l'évolution est lente.

« Je vais vous retracer le passage de la force vitale à travers le règne animal. Essayez de vous représenter la force de vie comme l'eau d'un canal s'écoulant lentement; elle est limitée des deux côtés par les berges et donne donc l'impression d'avoir un but bien précis. Ce courant n'est pratiquement pas différencié tant qu'il passe à travers les règnes minéral et végétal, mais un changement distinct survient lorsqu'il émerge du canal, c'est-à-dire lorsqu'il passe dans le règne animal.

« Le règne animal est une structure complexe de différents niveaux d'évolution, depuis les microbes et les vers, en passant par les animaux sauvages de la jungle, jusqu'aux animaux domestiqués par l'homme. En traversant le règne animal, la force vitale acquiert la coloration de l'expérience. Elle prend la forme, par exemple, de myriades de têtards. La force vitale était contenue dans les larves produites par une grenouille; au bout d'un certain temps, elle émerge en plusieurs milliers de têtards. Ceux-ci naissent pour entrer en contact avec la vie et acquérir de l'expérience, qui colorera l'eau, claire jusque-là. De nombreux têtards meurent dans l'enfance, n'atteignant jamais leur destinée de grenouille; l'on peut dire que ces unités d'eau retournent à leur âme-groupe pratiquement pas colorées. Quelques-uns deviennent des grenouilles, mais à cause d'un manque de nourriture ou pour mille autres raisons, leur vie sera courte et, lorsqu'elle touche à sa fin, les unités d'eau comprenant ces jeunes grenouilles retournent à leur âme-groupe, colorées seulement par les petites expériences de désagrément ou de souffrance liées à la cause de leur mort. D'autres vivent plus longtemps et, à un moment, entrent en contact avec la vie humaine. La grenouille apprend à craindre ses bourreaux, à les fuir, à se cacher quand c'est possible et à éviter le contact avec eux. Puis elle meurt; soit d'une mort naturelle, due dans la majorité des cas au hasard, soit à cause de la cruauté irréfléchie du règne humain ou d'une attaque par l'un de ses ennemis naturels, tels que les serpents. Quand les unités d'eau comprenant ces fragments de vie retournent à leur groupe, leurs expériences colorent l'eau - qui au départ était claire - de nombreuses couleurs exprimant les diverses formes de souffrances. C'est l'ensemble des expériences de toutes les unités, une fois mélangées, qui colore ce groupe, car aucune de ces unités n'a une identité séparée, chacune étant une partie de l'âme-groupe dans sa totalité.

« Après une vie ou deux à ce stade de l'évolution, la force vitale, avec l'ensemble de ses expériences en tant qu'eau, passe au niveau supérieur. Au lieu de dizaines de milliers de têtards, elle se divise par exemple en quelque chose comme dix mille unités de rats ou de souris. Le rat naît avec la peur de l'être humain et de ses ennemis naturels, du fait que l'eau est colorée par la peur qui a été ramenée des vies passées au stade antérieur. Dans cette série d'existences, la peur continue à grandir. Dans sa première vie, le rat, par d'amères expériences, apprend à éviter l'homme à tout prix, à travailler de nuit, quand l'homme est moins terrifiant que de jour; et s'il parvient à vivre jusqu'à un bel âge, c'est certainement grâce à sa ruse et sa maîtrise des méthodes destinées à circonvenir ses ennemis naturels. »

Réfléchissant encore aux derniers mots de mon visiteur, je levai les yeux : la pièce était vide. Je restai assis un moment, tranquillement, et essayai de saisir l'essentiel de ce qu'il avait dit; au bout d'un certain temps, beaucoup de choses me revinrent. Au début, je ne cherchais pas à savoir si je le croyais ou non; cela ne me semblait pas important. Tout était tellement nouveau - mais j'y trouvais un intérêt indiscutable; bien que fatigué, je commençais déjà à attendre le lendemain, car j'étais sûr qu'il reviendrait.

Le lendemain, j'étais assis à mon bureau, les yeux fixés sur la porte; j'avais décidé de le guetter pour voir s'il ouvrait la porte ou passait à travers. Mais si j'attendais quelque chose de surnaturel, je fus déçu car, à onze heures précises, la porte s'ouvrit sans bruit, de la manière ordinaire, et il me salua, comme je m'y attendais, en disant simplement : « Bien, êtes-vous prêt à en entendre davantage ou vous ai-je ennuyé hier ? » Il fut sans doute satisfait de ma réponse, car il reprit là où il s'était interrompu.

« Le niveau d'évolution de la force vitale atteint dans les animaux sauvages est aussi éloigné de l'humble ver que celui-ci du monde végétal. Les animaux vivent selon les lois naturelles, qui sont "la survie du plus fort", et le mot clé du règne animal est l'autoconservation. Les animaux les plus faibles sont tués pour servir de nourriture; la peur liée à la survie colore leurs expériences depuis le jour où ils naissent jusqu'à celui où ils meurent, que leur mort soit naturelle, due à un animal plus fort ou à la balle d'un chasseur. Ne devrait-on pas s'étonner que l'instinct prédominant chez *tous* les animaux sauvages soit la peur ? Peur de l'animal plus fort qu'eux et peur du super-animal appelé homme.

« Les âmes-groupes vivent de nombreuses vies dans les corps des animaux sauvages, parce que, lors de telles incarnations, elles apprennent les importantes leçons de l'instinct de conservation et la nécessité de travailler pour survivre, car l'obtention de nourriture devient pour chaque animal une tâche quotidienne qu'il ne peut jamais négliger. Durant les périodes où la nourriture est rare, son instinct le pousse à chercher de nouveaux pâturages et à apprendre l'adaptabilité, ce qui sera très utile à l'âme quand le temps viendra pour elle de devenir une entité humaine séparée. L'instinct maternel apparaît pour la première fois à ce stade de la vie de l'âme-groupe.

« Je vous en ai suffisamment dit pour que vous compreniez que les animaux sauvages représentent le sommet de la spirale des vies vécues par l'âme-groupe dans le règne animal, car lorsque celle-ci est prête à poursuivre son évolution, elle habite des corps qui l'amènent de plus en plus près du règne humain, auquel elle doit s'adapter au cours des temps.

« A l'état sauvage, les éléphants, les ânes et les buffles se battront farouchement pour ne pas être capturés par l'homme; une fois pris, ce n'est qu'apprivoisés par la gentillesse qu'ils sont complètement domestiqués et disposés à mettre leurs capacités naturelles au service du progrès humain. Mais même après des années de captivité, il est rare qu'ils soient réellement domestiqués. Cependant, dans les vies suivantes, ils naissent pratiquement en captivité, et donc le cadre de leur naissance leur apprend à perdre un peu de la peur naturelle que les vies passées avaient créée en eux. Dans ce groupe, le plus évolué est le bétail, car il est souvent nourri en étable durant les mois d'hiver; on admet généralement qu'il n'y a pas de meilleure façon de gagner la confiance d'un animal et de déraciner sa peur naturelle à l'égard de l'homme que de lui donner de la nourriture.

« Lentement mais sûrement, un peu de cette peur de la race humaine s'atténue et l'âme-groupe est prête à aborder sa dernière étape dans le monde animal, celle des animaux réellement domestiques - le cheval, le chien et le chat. L'âme-groupe qui, au départ, était partie chercher de l'expérience sous la forme de dix mille têtards, s'est progressivement divisée en un nombre de parties de moins en moins important, jusqu'à ce que, dans les dernières étapes du règne animal, elle ne se divise plus qu'en deux parties - en deux chevaux, deux chiens ou deux chats.

« Quand l'âme-groupe a évolué jusqu'au stade où elle se divise par moitié, elle est domestiquée et est parvenue à comprendre l'homme tel qu'il est réellement. Son individualisation en tant qu'ego humain séparé devient possible. Le nombre de vies devant encore être vécues par l'âme-groupe dépend entièrement de l'être humain auquel les animaux sont attachés. Si l'un des deux propriétaires de ces chevaux, chiens ou chats, n'aime pas les animaux et les traite avec hostilité ou cruauté, la peur qui avait été presque déracinée durant les vingt dernières vies reviendra en partie et d'autres vies devront encore être vécues avant que l'individualisation puisse se faire. Je le répète et j'insiste : si les gens se rendaient compte combien il est important pour eux de se faire des amis de tous les animaux domestiques et de jouer leur rôle pour les aider à comprendre l'homme, cette dernière étape serait atteinte beaucoup plus rapidement que ce n'est souvent le cas.

« S'il vous plaît, comprenez ceci clairement : *aucune âme-groupe ne peut s'individualiser en une âme humaine avant que la peur de la race humaine n'ait été surmontée.* L'amour n'est pas une émotion appartenant seulement au royaume humain; dans sa forme la plus haute, il inclut toute la nature. Par conséquent, le rôle de l'homme dans l'évolution de l'animal est à comprendre dans le sens réel de la phrase "l'amour parfait chasse la peur", car, sans une aide compréhensive, la progression de l'animal sur le chemin de l'évolution peut être retardée pour un temps illimité.

« Comment l'individualisation s'effectue-t-elle ? Elle peut se faire en une ou deux années environ - par la voie soit du cœur, soit de la tête, ce qui dépend du type de l'animal. On peut dire qu'un chien passe le plus fréquemment dans le royaume humain grâce à l'amour et/ou au sacrifice. Souvent un chien est tellement dévoué à son maître ou à sa famille d'adoption que, en cas de danger, il oublie complètement son instinct de conservation et sacrifie sa vie pour sauver celle de son maître ou d'un membre de sa famille. Mais il n'est pas essentiel qu'un chien ait fait le sacrifice suprême de sa vie pour que l'âme-groupe puisse s'individualiser; lorsqu'elle a appris toutes les leçons qu'elle devait apprendre dans le règne animal et que toutes ses peurs de la race humaine ont été déracinées, ce serait une perte de temps pour elle que de continuer à s'incarner dans la forme animale. Sa destinée est alors ailleurs et un transfert vers une nouvelle sphère d'existence, plus éclairée, a donc lieu.

« La première incarnation dans un corps humain ne se fait pas nécessairement dans un corps aussi peu développé que le type humain le plus bas que l'on trouve sur terre. Souvent le nouvel ego, ayant acquis beaucoup d'expérience durant ses dernières vies passées dans le règne animal - en particulier s'il a renoncé à sa propre vie pour sauver celle d'un homme - a droit à un corps humain légèrement au-dessus du type le moins développé.

« Un cheval s'individualise de la même manière qu'un chien - grâce à une extrême dévotion à son maître. On raconte souvent l'histoire de chevaux faisant un effort extrême s'ils y ont été poussés, pour retomber morts une fois l'effort fait.

« Tandis qu'un chien ou un cheval passe dans le règne humain grâce à la dévotion et/ou au sacrifice, un chat gagne le droit à devenir une entité supérieure en apprenant à comprendre l'homme. Autrefois, de nombreux philosophes disaient qu'un chien et un cheval progressent par la dévotion, tandis qu'un chat emploie la ruse, première lueur de la faculté de raisonnement.

« Nous pouvons voir l'exemple d'éléphants entraînés à servir l'homme et de singes vivant dans des jardins zoologiques, qui visiblement se qualifient de ce point de vue et qui, dans des environnements exempts de peur, utilisent leur cerveau; on peut donc dire qu'ils peuvent ainsi, dans une certaine mesure, comprendre les façons de faire de l'homme. Les animaux qui échouent dans une vie comme animaux domestiques, entrent dans le type de corps humain le plus bas connu dans le monde. D'un autre côté, les âmes-groupes de chiens très évolués évitent la forme inférieure de vie humaine et naissent dans des corps de types humains plus évolués - probablement comme membres de tribus qui, depuis des générations, ont servi l'humanité.

« Avant d'enchaîner sur les premières vies dans la race humaine et ses différences considérables avec la vie dans le règne animal, il me faut mentionner le cas de l'animal qui s'individualise en être humain tout en continuant à occuper un corps animal. Le transfert de la sphère animale à la sphère humaine doit avoir lieu quand le bon moment est arrivé - quand toute peur est

partie et quand le côté amour a été suffisamment développé. Dans le cas où un chien, qui est la moitié d'une
âme-groupe, meurt de mort naturelle et où la seconde
moitié de l'âme-groupe, un autre chien, reste en vie
mais n'a plus de leçon à apprendre, ce chien devient un
être humain à tous points de vue, sauf en ce qui concerne la forme. Vous avez sans aucun doute connu des cas
où, à la fin de sa vie, un chien paraissait "presque
humain", où il semblait comprendre presque tous les
mots que vous lui disiez et où sa mystérieuse compréhension de vos pensées et de vos actes faisait songer à
une intuition au-delà de ce que vous imaginiez possible
pour un animal. Un tel chien est en fait un "chien humain" : animal en ce qui concerne la forme, mais
humain en ce qui concerne l'intelligence, capable de
raisonner et de prendre des décisions dont il serait seul
responsable.

&laquo; La principale différence entre un être humain et
un animal est la faculté de raisonnement - et avec elle le
don du libre arbitre. Un homme connaît la différence
entre juste et faux; dès ses premières vies en tant qu'être
humain, il peut prendre ses propres décisions, tandis
qu'un animal doit obéir aux lois du monde animal. Un
animal vit instinctivement et, sorti des limites de
l'instinct, ne peut pas penser. Un homme peut choisir le
mauvais chemin, même s'il sait qu'il est mauvais et
opposé aux forces de progrès qui dirigent le monde;
mais un animal doit toujours agir comme l'y pousse son
instinct - telle est la Loi. &raquo;

Une fois de plus, je ne vis pas mon visiteur partir,
car mon esprit était trop plein de ces étranges idées. Je
décidai de noter tout ce que je pouvais me rappeler de
ces deux exposés et conclus que je prendrais des notes
sténographiques de tout ce qui me serait dit à l'avenir.

# Chapitre II

« Vous avez donc noté ce que je vous ai dit; c'est bien. »

De nouveau ce jour-là, je n'avais pas vu entrer mon professeur, car j'étais en train de parcourir les notes que j'avais prises.

« Oui, répondis-je, mais comment savez-vous ce que j'ai fait ? »

« Vous me l'avez dit vous-même la nuit dernière, quand vous dormiez et que vous étiez hors de votre corps, répliqua-t-il.

« Je ne vous propose pas de vous expliquer comment vous m'avez dit, la nuit dernière, que vous aviez décidé de garder un rapport complet de mes exposés. Quand j'aurai terminé mes visites, vous comprendrez tout si clairement que vous serez capable de répondre vous-même à de telles questions. »

Il était enthousiasmé par ma décision de prendre des notes et me dit qu'il serait très heureux d'ajouter quelque chose à mon compte rendu des deux jours passés. Je remarquai qu'il ne changeait pas le moindre mot de ce que j'avais écrit, mais qu'il passait un peu de temps à remplir les blancs que j'avais laissés quand je ne me souvenais pas exactement des faits.

« Je vous ai dit - vous vous en souvenez - que la dominante du règne animal était l'instinct de conservation. Celle du règne humain est très différente, puisqu'elle est le sacrifice de soi. Bien que ce soit là l'exigence essentielle de toute vie humaine, ceux qui cherchent à découvrir les secrets du chemin de l'évolution doivent comprendre d'autres lois. Celles-ci, évidemment, diffèrent de celles qui gouvernent les animaux et pourtant, l'homme non évolué est plus un animal qu'un homme dans les premières années de sa vie. Bien qu'il se soit débarrassé de sa peur de la race humaine, les habitudes apportées du règne animal, où il prenait ce qu'il pouvait selon les capacités de son cerveau ou de sa force physique, persistent toujours.

« La première loi importante à l'oeuvre dans le règne humain est celle de la réincarnation. Cette loi affirme qu'un ego, une fois individualisé, revient encore et encore s'incarner dans un corps physique humain jusqu'au moment où il a appris, en expérimentant tous les types d'environnement, toutes les leçons qui peuvent être apprises dans les conditions de vie physiques. Quand la force de vie évolue à travers les règnes minéral et végétal, cette loi existe dans une certaine mesure, mais n'est pas très apparente. Elle existe également dans le règne animal, de façon tout aussi limitée, car il n'existe pas encore d'entités séparées; mais elle se développe durant la période d'évolution suivant l'individualisation de l'ego dans le règne humain.

« La seconde loi importante, valable pour les humains mais non pour les animaux, est celle du karma - que l'on appelle souvent loi de cause à effet. A partir du moment où l'âme-groupe devient un ego séparé, cette loi commence à opérer. Elle décrète que toute pensée, parole ou action émanant de l'homme *doit* produire un résultat défini - bon ou mauvais - et que nous devons assumer ce résultat dans nos vies au niveau physique. Cela n'est en rien injuste car, comme le dit l'enseignement chrétien : "vous récolterez ce que vous avez semé."

« Selon la loi du karma, un acte égoïste de votre part, causant à une autre âme une souffrance non exprimée, produit une unité de mauvais karma qui doit être remboursée par votre propre souffrance, due à une action similaire faite de la main d'une autre personne, dans cette vie ou dans une vie à venir. De la même manière, un acte bon de votre part signifie que vous avez gagné une unité de bon karma, ce qui pourra avoir deux types de conséquences : soit vous liquiderez une unité de mauvais karma faite par vous - le bon compensant le mauvais -, soit vous recevrez une même quantité de bonté en provenance d'une source différente. Quand un nouvel ego entame ses vies humaines, le nombre de ses actions, pensées et paroles inadéquates ou mauvaises excède naturellement de loin celui des bienveillantes; si la loi fonctionnait à la lettre, l'homme mènerait une vie de misère et de souffrance perpétuelles, dues entièrement à ses propres actions, pensées et paroles, chacune d'entre elles produisant son juste résultat. Une telle vie serait intolérable et impossible à vivre; pour les jeunes âmes, le suicide deviendrait rapidement habituel. Une méthode plus humaine est adoptée : au cours d'une seule vie, aucun homme n'est censé souffrir davantage qu'il ne peut le supporter; les unités de mauvais karma produites par lui dans cette vie par inexpérience, qui n'ont pas été payées ou annulées par des unités similaires de bon karma, sont suspendues pour être acquittées dans des vies futures. Le résultat de cet arrangement, qui peut être comparé à un découvert en banque, est que, durant les premières deux cents incarnations ou davantage, l'homme ajoute continuellement à ce découvert. Mais, ce faisant, il crée ce que nous appelons la voix de la conscience. Comme cette petite voix est produite par les expériences que l'ego glane dans ses différents corps, elle n'est pas encore à l'oeuvre de façon appréciable avant de nombreuses vies.

« Voici un exemple : un homme non évolué, connaissant peu de choses sur les manières humaines mais beaucoup sur celles du monde animal, désire posséder un objet appartenant à quelqu'un d'autre. Son instinct animal est de prendre par la force ce qu'il désire. S'il est assez fort, il tente de le faire; un combat s'ensuit, ayant pour résultat la mort d'un autre être humain. Les lois régissant les hommes entrent alors en vigueur; le meurtrier est arrêté, jugé et condamné à mort. Le réservoir de connaissances, qui existe au niveau mental supérieur, note le résultat d'une telle action et, dans une vie *future*, quand le même homme dans un corps différent souhaite posséder un objet appartenant à un autre, il est averti par la voix de l'expérience, sa conscience, que s'il tue son ennemi, il subira le même sort par la main de l'Etat. Ainsi, progressivement, s'élabore le réservoir de connaissances, chaque événement majeur des différentes vies étant enregistré afin de devenir un avertissement dans une vie à venir. Grâce à cette simple explication, il est facile de comprendre qu'un homme ayant une conscience sensible qu'il écoute est certainement une vieille âme, car il ne pourrait avoir une conscience efficace s'il n'avait fait beaucoup d'expériences dans des vies passées, au cours desquelles s'est édifiée sa conscience ou réservoir de connaissances.

« Pendant peut-être deux cents vies, chacune d'entre elles produit plus d'unités de mauvais karma que de bon. Certaines de ces unités sont remboursées pendant la même vie au travers de la souffrance et de l'infortune, mais ce qui est bon est reporté sur le découvert. Lorsque l'ego devient plus évolué (réellement plus évolué), le bon sens lui enseigne que la méchanceté lui amène des troubles, tandis que la bonté et les bonnes actions ont pour résultat le bonheur et un grand nombre d'amis. Il évolue ainsi jusqu'à un stade où le nombre d'unités de mauvais karma produites dans une seule vie est dépassé par le nombre d'unités de bon karma gagné par de bonnes actions : c'est une étape très importante dans le développement d'un homme, car, à partir de ce point, il commence à devenir un membre utile et valable de la société. Dans toutes ses vies futures, avant que la nouvelle incarnation ne commence, un petit pourcentage de son découvert lui est remis pour qu'il le rembourse dans cette vie-là, et ce quota *doit* être liquidé, en plus de toute unité de mauvais karma produit dans cette même vie. Des actes positifs de bonté lui apporteront beaucoup de bonheur et l'aideront le long du chemin.

« On peut considérer que toutes les lois naturelles se raccordent les unes aux autres, plutôt qu'elles ne ressemblent aux pièces d'un jeu de patience. Ma tâche est de vous présenter les pièces de ce puzzle, avec lesquelles vous pouvez apprendre à faire un tableau. Pour que vous compreniez comment les membres du royaume humain peuvent acquérir toute l'expérience qui leur est nécessaire, je voudrais que vous acceptiez les propositions suivantes.

« 1. L'homme est un ego ou âme et, au cours de son évolution depuis le stade non développé, celui du sauvage, jusqu'à celui d'homme parfait, il doit utiliser trois véhicules de conscience ou corps. Ceux-ci sont connus sous les noms de mental ou corps mental; de corps astral ou émotionnel; et de corps physique, ce dernier étant celui dans lequel vous et moi fonctionnons et qui est visible à l'oeil humain.

« 2. Nous utilisons ces trois corps lorsque nous fonctionnons dans les trois états de conscience, qui sont : le plan mental, le plan astral et le plan physique.

« 3. Le foyer de l'ego, autour duquel ces corps sont enroulés, est la partie supérieure du monde mental, connue sous le terme de niveau causal.

« Lorsque l'ego quitte le niveau causal pour une nouvelle incarnation, il doit avoir ces trois corps. Visualisez l'ego comme un homme nu, se préparant à revêtir ses trois enveloppes ou corps. Le corps à la texture la moins dense est le corps mental; l'ego le crée à partir de la matière dont est constitué le monde mental et s'en entoure : il peut être comparé aux sous-vêtements. Le type de corps mental que reçoit chaque homme est fonction de son développement mental à la fin de sa dernière incarnation; le corps mental d'un homme non évolué est donc évidemment très différent de celui d'un être évolué, d'une vieille âme, ayant vécu de nombreuses vies et acquis beaucoup d'expérience. L'ego s'entoure ensuite d'un véhicule légèrement plus grossier, fait de la matière du monde astral. Ce corps se trouve au sommet ou à l'extérieur du corps mental et son type est lui aussi en accord avec le développement émotionnel de l'homme. Le corps astral peut être comparé à un costume. Un corps plus grossier et plus dense est maintenant nécessaire; pour l'obtenir, il faut se le procurer par des moyens physiques, sur le plan physique. En d'autres termes, une femme, avec l'aide d'un homme, doit concevoir un enfant. Ce nouveau corps physique correspond également aux mérites de l'homme, au karma qu'il a créé dans des vies antérieures. Le corps physique correspond au pardessus.

« Ainsi, tout homme que vous voyez au niveau physique est, en réalité, porteur de ces trois corps superposés, mais à cause de la densité du corps extérieur, le corps physique, il est impossible de voir les deux autres. Quand un homme meurt, il abandonne simplement le corps physique - son pardessus. Lui-même est toujours là, vêtu de ses corps astral et mental; l'astral étant le plus dense, il se retrouve à l'extérieur, et le mental est en-dessous de l'astral. Avant de vous expliquer ce qui se passe réellement après la mort, il faut que je vous en dise un peu plus sur ces trois corps.

« Le corps physique, celui que nous voyons tous avec nos yeux, est composé de matière physique très dense, mais il existe également une partie moins dense de ce corps, appelée le double éthérique (dans l'ancienne Egypte, on le connaissait sous le nom de Ka), qui joue un rôle très important, aussi bien durant la vie qu'à la mort de notre véhicule physique. Ce n'est pas un corps dans le sens ordinaire du mot, c'est-à-dire que vous ne pouvez vivre en lui, comme vous pouvez le faire dans votre corps physique; vous ne pouvez pas le voir, à moins d'avoir développé la forme de clairvoyance inférieure appelée la vision éthérique.

« La matière dont est composé ce corps éthérique entoure également nos nerfs. Il existe en électricité un concept selon lequel le courant ne passe pas le long du fil, mais le long d'un revêtement de matière éthérique qui l'entoure. Cela est vrai également pour les phénomènes nerveux du corps; les influx nerveux ne courent en fait pas le long du cordon blanc du nerf physique, mais le long d'un revêtement de matière éthérique qui l'entoure; par conséquent, si le nerf physique perd ce revêtement, nous n'avons plus aucune sensation. C'est ce qui se passe quand on emploie un anesthésique. Si l'anesthésie est locale, la matière éthérique qui transmet la sensation s'éloigne légèrement du nerf en question; le nerf blanc est toujours là, facile à voir; pourtant, s'il est coupé, le patient ne sent rien. Quand on donne un anesthésique général beaucoup plus puissant pour une opération majeure, nécessitant que le patient soit inconscient et insensible durant un temps assez long, la matière éthérique se retire presque entièrement du corps dense. Si elle se retire entièrement, le patient meurt; c'est ce qui arrive parfois avec des patients sous anesthésie. La dose étant un peu trop importante dans les cas en question, la matière éthérique qui s'est retirée ne peut plus revenir.

« La matière éthérique, dont la texture est arachnéenne et très élastique, est une partie très importante du corps physique et a en outre une autre fonction : celle de liaison ou de lien entre les corps physique et astral durant le sommeil. Quand vous, l'ego, vous vous détachez de votre corps physique couché sur le lit, une corde de matière éthérique attachée à votre corps astral, mais dont la masse principale reste dans et autour du corps physique, s'étire pendant que vous voyagez dans toutes les régions du monde que vous souhaitez; aussi loin que vous alliez, ce lien physique avec votre corps sur le lit demeure. Quand l'heure arrive pour le corps de se réveiller, un S.O.S. est envoyé le long de cette corde éthérique vers vous, où que vous soyez, et vous devez revenir à votre corps physique et rentrer en lui; puis "vous réveiller" et continuer à accomplir vos tâches sur ce niveau.

« Lorsque vient le sommeil, vous, votre ego, glissez hors de votre corps physique au moment où il perd conscience; vous êtes vêtu de votre corps astral et vivez dans le monde astral, dans les conditions du plan astral. Vous êtes libre d'aller où vous voulez, laissant votre corps physique sur le lit, où il se repose et reprend des forces pour le travail du lendemain. Seul le corps physique limité a besoin de repos, de même qu'il a besoin de nourriture et de boisson régulières pour le maintenir en bonne santé et en vie; vous, l'ego, n'avez pas besoin de repos. Dans votre corps astral, vous vous déplacez très facilement et pouvez voyager à n'importe quelle distance. La force de gravité n'existe pas au niveau astral, vous glissez sans faire la différence entre la terre et la mer que vous traversez, car vous n'êtes affecté ni par l'une ni par l'autre. La distance que vous pouvez couvrir durant les courtes heures où votre corps physique se repose est plus ou moins illimitée; si je vous dis que vous pouvez faire le tour du monde en deux minutes et demi environ, cela vous donne une idée de la vitesse qui peut être atteinte.

« Le corps astral, composé d'une matière beaucoup plus fine que le corps physique, s'enroule autour de l'ego pendant sa descente vers l'incarnation. Il remplit ce que nous appelons le corps causal, qui forme un ovoïde de brouillard lumineux. Mais le corps physique, étant plus dense, a une très forte affinité pour la matière astrale qu'il attire près de lui, de sorte que nous avons une reproduction de la forme physique au centre de cet ovoïde. A ce niveau, le corps astral est tout aussi reconnaissable par son aspect que le corps physique, sauf qu'il est construit de matière plus fine. Quand le corps physique meurt, le corps astral n'a plus besoin de s'adapter et il a donc tendance à rester exactement comme il était au moment où le corps physique a cessé de vivre; il ne grandit plus. Il n'est en effet pas un véhicule avec des organes, des os, de la chair et du sang comme le corps physique, mais plutôt un corps de brouillard.

« Durant sa vie, un homme a l'occasion de séjourner dans les conditions du plan astral chaque fois que son corps est endormi, mais en fait, seul l'homme dont le niveau d'évolution est au-dessus de la moyenne profite pleinement de ces opportunités. La jeune âme, ou l'ego non évolué, sort bien sûr de son corps pendant le sommeil - elle ne peut s'en empêcher - mais son intelligence (son corps mental) n'est pas suffisamment développée pour lui fournir la somme de connaissances nécessaire à la pleine utlisation de toutes ses facultés. C'est pourquoi elle reste habituellement près de son corps endormi, attendant l'appel pour y rentrer quand ce corps a dormi assez longtemps et souhaite se réveiller - elle ne peut donc jamais s'habituer aussi bien qu'un ego plus âgé aux conditions du plan astral. Lorsqu'un homme de ce type meurt et n'a plus de corps physique, il a l'impression d'être dans un monde tout à fait étranger. Parfois, immédiatement après la mort, il désire intensément retrouver la vie physique qu'il connaissait, mais il ne peut rien faire pour cela - car lorsque la matière éthérique s'est entièrement retirée d'un corps physique, elle ne peut y retourner.

« La mort du corps physique survient de nombreuses manières : par maladie, quand le corps ne peut plus fonctionner correctement; par le grand âge, quand il est épuisé; par des accidents, dans lesquels les parties vitales du corps ont été irrémédiablement endommagées. Dans tous ces cas, la partie éthérique du corps physique a été obligée de sortir de la partie dense parce que le corps dense ne peut plus accomplir ses fonctions normales et que le double éthérique ne peut pas vivre sans lui. Quand l'homme meurt et que son coeur cesse de battre, le double éthérique ressent une peur extrême et s'enroule à l'extérieur du corps astral, dans lequel l'homme se tient, puisqu'il a été contraint de sortir du corps physique au moment de la mort. La partie éthérique du corps physique sait que la mort de la partie plus dense signifie la mort pour elle aussi et, dans son désir de continuer à vivre, elle s'accroche au corps astral, espérant ainsi survivre plus longtemps. Par un effort de volonté, l'homme peut facilement se débarrasser de cette gêne. Jusque-là, il reste suspendu entre les deux mondes de conscience; il ne peut plus fonctionner sur le plan physique puisqu'il a perdu son corps physique et il ne peut pas encore fonctionner correctement sur le plan astral, parce que la matière éthérique qui s'accroche l'empêche de voir et d'entendre correctement.

« Les hommes qui meurent en ayant peur de la mort refusent souvent de faire l'effort de volonté nécessaire que les amis les accueillant de l'autre côté leur indiquent; ils restent accrochés aux particules de matière physique dans l'espoir de continuer leur existence physique, celle-ci étant la seule qu'ils *connaissent*. Bien entendu, il ne sert à rien de résister, car tôt ou tard il leur faut renoncer et faire l'effort de volonté que j'ai mentionné - résister à l'inévitable a pour seule conséquence qu'ils restent suspendus entre les deux mondes pour un temps beaucoup plus long que nécessaire. Un homme qui a acquis quelque connaissance sur la mort en étudiant ce sujet durant sa vie se libérera d'un coup de cette entrave et reprendra sa vie sous ce que je pourrais peut-être nommer des conditions astrales permanentes. Je dis "permanentes", parce que maintenant qu'il a perdu son corps physique et n'en aura pas d'autre jusqu'à ce que le temps soit mûr pour lui de se réincarner et de passer une autre courte période dans le monde physique, il vivra dans les conditions du plan astral tant de jour que de nuit. Dès que l'effort de volonté pour se débarrasser du double éthérique est fait, la matière éthérique tombe et commence à se désintégrer de la même manière que le corps physique dense se désintègre, mais tandis que la désintégration du corps physique peut prendre des mois ou des années, sa partie éthérique, étant beaucoup plus fine et légère, retourne à la poussière presque immédiatement. Détaché de son corps physique, l'ego, vêtu de son corps astral, fonctionnera dans ce corps aussi longtemps qu'il restera dans le monde astral.

« Le monde astral est le monde des émotions et des illusions; il est composé d'une matière plus fine que tous les gaz que nous connaissons et qui peut varier en densité. Le corps astral est le véhicule des émotions, qui sont produites par des vibrations de la matière astrale; celles qui sont considérées comme émotions supérieures - amour, gratitude, altruisme, etc. - apparaissent à la vision clairvoyante comme des vibrations de la matière la plus fine, tandis que les émotions inférieures - avidité, envie, jalousie, amour égoïste (proche de la passion), orgueil, etc. - apparaissent comme des vibrations de la matière relativement plus grossière - ou dense. Un homme est, avant sa mort, comme il sera après sa mort, moins son corps physique et les limitations du monde physique. Ses vertus et ses vices restent les mêmes, mais, en raison de la nature fluidique du corps astral, ils deviennent des forces de grand bien ou de grand mal. Un sentiment de léger antagonisme au niveau physique devient de la haine pure, avec des résultats déplaisants pour les deux parties, tandis qu'un sentiment de douce affection sur le plan physique attirera un déversement réciproque d'amour qui produira une surprenante atmosphère d'harmonie et de paix. Le monde astral étant le monde de l'illusion, ni le temps ni le travail ne sont nécessaires comme dans le monde physique; tout - vêtements, nourriture, etc. - est produit par la pensée. La vie peut y être comparée à de longues vacances. Nous pouvons nous consacrer à tout ce que nous désirons vraiment faire et nous adonner à nos violons d'Ingres à coeur joie. Il n'y a pas de limitations nous empêchant d'acquérir davantage de connaissance, telles que le manque de temps pour étudier, une vue faible ou un corps fatigué - rien dans le monde astral ne peut fatiguer.

« Pendant que notre corps physique dort, nous fonctionnons dans nos corps astraux au niveau astral et y rencontrons des amis et des connaissances qui sont morts; il est donc ridicule de tenter d'oublier ces personnes durant la journée, car elles sont autour de nous, la seule séparation étant la limitation de notre conscience. A beaucoup d'égards, il est regrettable que si peu de gens se souviennent de ce qu'ils ont fait pendant la nuit; s'ils en étaient capables, ils seraient beaucoup moins perturbés par cet état appelé mort - et les fausses rumeurs qui circulent au sujet de l'enfer et de la damnation éternelle n'auraient pas plus d'effet sur eux que la peur de l'ogre sorti des contes de fées des enfants n'affecte le lecteur adulte.

« Très peu de gens se rendent compte que, dans le monde physique, l'homme moyen passe la majeure partie de son temps à travailler dans un bureau, un magasin ou aux champs, ou à quelque occupation qu'il n'aurait pas choisie si elle ne lui était pas nécessaire pour gagner de l'argent afin de se nourrir, boire et se vêtir - lui-même comme ceux qui dépendent de lui. Il vaut peut-être mieux ainsi : si davantage de gens en prenaient conscience, nous serions tous extrêmement mécontents; ce serait un obstacle à notre évolution qui produirait partout des perturbations. Seuls quelques rares heureux peuvent gagner leur vie en faisant ce qu'ils aiment le plus. Un peintre ou un musicien, même si on lui laisse une fortune, continuera à travailler parce que, généralement, son travail fait partie de lui et devient son plaisir.

« Je vais vous donner les grandes lignes des conditions du plan astral. Pour l'homme qui, durant sa vie, ne pensait pas à grand-chose d'autre que les affaires, la vie après la mort sera plutôt sombre au début, en particulier s'il aimait l'argent pour l'argent. L'argent est une chose purement physique et sans utilité sur le plan astral. Ce type d'homme devra développer quelque autre intérêt s'il veut être réellement heureux dans l'autre monde.

« Si un homme était passionné de musique durant sa vie, il le sera également après sa mort et trouvera de nombreuses occasions de satisfaire les aspirations qu'il avait été incapable de satisfaire auparavant. S'il le désire, l'amoureux de musique peut passer tout son temps à écouter la plus belle musique que le monde puisse produire. La distance n'est plus une limitation; il peut écouter un opéra à Londres, puis, à peine une minute plus tard, un concert à New York ou en Australie. Il peut rencontrer les grands musiciens du passé - à moins qu'ils ne soient déjà réincarnés; il peut voir les puissantes formes-pensées produites dans la fine matière du monde astral par la musique jouée sur le plan physique. Même si, pendant sa vie, il était incapable de jouer d'un instrument, il peut maintenant créer de la musique en imagination. Sur le plan physique, beaucoup de gens peuvent imaginer de beaux passages de musique, mais sont incapables de les exprimer par manque de technique. Sur le plan astral, tous ces gens sont réellement à envier, car leurs penchants naturels les poussent vers des activités ne dépendant pas uniquement des conditions du plan physique.

« Tous les chefs-d'oeuvre du monde sont à la disposition de l'amateur d'art, qu'ils se trouvent dans des galeries d'art ou des collections privées. Parmi eux, nombreux sont ceux qui ont toujours souhaité aller à Rome. Pensez aux délicieuses heures qu'ils passeront là-bas, seuls, à dévorer les oeuvres d'art. Ils peuvent rencontrer les artistes du passé, qui n'ont pas nécessairement cessé de s'intéresser à leurs oeuvres parce qu'ils sont morts. Loin de là : ils créent maintenant de merveilleuses formes-pensées, car ils n'ont plus besoin de pinceaux ni de toiles pour exprimer leur art. Celui-ci constituait leur unique moyen d'expression dans le monde physique, mais, après la mort, les formes-pensées qu'ils créent sont exactement l'équivalent de nos tableaux, tout aussi visibles et beaucoup plus belles. Ici-bas, de nombreux artistes constatent qu'ils sont toujours insatisfaits de leur oeuvre lorsqu'ils l'ont terminée, même si le monde applaudit leur génie. Ils disent souvent : "Si seulement je pouvais exprimer sur la toile exactement ce que peint mon imagination... Mais je n'y arrive jamais tout à fait." Sur le plan astral, les tableaux créés sont exactement ce que l'artiste ressent; les créations de leur imagination sont plus belles là-bas que les plus beaux tableaux que l'on puisse trouver dans le monde. Les amoureux de livres vivent également une période heureuse, car les bibliothèques du monde entier sont accessibles à leur regard.

« Prenez comme exemple de ce qui arrive après la mort le sort d'une personne vivant entièrement tournée vers le plan physique. Je ne veux pas dire par là qu'elle est mauvaise ou a tous les vices. Au contraire, c'était probablement un homme très populaire durant sa vie, toujours entouré par une horde d'amis et généralement bien considéré par tous. Ses plaisirs consistaient sans doute à bien vivre, fréquenter les théâtres, les spectacles de danse, etc., bref les mille et une choses qui constituent la vie d'un citadin actif. Il réussissait dans les affaires et était considéré comme un époux modèle, mais toute sa vie - travail et plaisir - dépendait de choses physiques, celles que l'on peut obtenir sur le plan physique. Les gens de ce type sont nombreux, comme chacun peut le voir autour de lui.

« Après la mort, un tel homme va probablement s'ennuyer à l'extrême et ne trouvera pratiquement rien à faire. Il ne tardera pas à se rendre compte que créer des formes-pensées de bons dîners et de tractations d'affaires compliquées devient une manière très insatisfaisante de tuer le temps, lorsqu'il n'y a pas de résultats concrets. Il n'obtient pas la satisfaction physique à laquelle il était habitué après un bon dîner arrosé de vins choisis, bien qu'il puisse imaginer et même apprécier le goût des plats et des boissons auxquels il était habitué sur terre. Il lui est impossible de ressentir après avoir bu de l'alcool ce qu'il ressentait durant sa vie, quelle que soit la quantité bue, et l'impression de réplétion qui suit un bon dîner physique est totalement absente du repas "astral". Il ne tire pas non plus beaucoup de satisfaction d'une affaire qu'il a réussie en imagination, puisqu'il est incapable d'utiliser l'argent ainsi gagné : sur le plan astral, rien ne peut être ni acheté ni vendu. Il peut créer des formes-pensées d'autant de milliers de pièces d'or qu'il le désire, mais qu'en faire ? Rien ! Il peut être comparé à un naufragé sur une île déserte, entouré de trésors, qui auraient une valeur inestimable s'il pouvait les transporter dans un pays civilisé, mais qui n'ont aucune utilité dans un lieu où il n'y a ni acheteurs ni quoi que ce soit à acheter. L'homme sur l'île déserte a un avantage sur celui qui vit sur le plan astral, dans la mesure où il peut être secouru et retourner alors dans son pays avec sa fortune nouvellement trouvée. L'homme "mort" n'a pas un tel espoir, car lorsqu'il revient vers ce plan, c'est en tant qu'enfant, sans autre possession que l'expérience acquise dans ses vies antérieures, expérience que son moi supérieur a stockée dans le réservoir de connaissances et que, au fur et à mesure de son évolution, il est de plus en plus capable de rapporter sur le plan physique. Cet homme dans le plan astral ressent le même insatisfaction dans ses sports habituels. Jouait-il au golf ? Dans sa nouvelle vie, il peut toujours jouer au golf s'il le souhaite, mais il s'en fatigue bientôt, car chaque balle va exactement dans le trou qu'il imaginait au moment où il l'a frappée. Chaque partie jouée est une partie parfaite, jamais différente de la précédente. Chaque coup réussit automatiquement, car il crée une forme-pensée de ce qu'il souhaite faire et la matière fluidique astrale produit une forme qui correspond exactement à la pensée exprimée par son esprit. Vous pouvez facilement imaginer qu'un tel jeu devient vite ennuyeux et qu'il est différent des jeux du plan physique, où un jour il jouait comme un maître et le lendemain n'était guère meilleur qu'un lapin. L'incertitude, qui faisait le charme du jeu, n'existe plus au niveau astral.

« Considérez l'homme à qui l'on a enseigné tout au long de sa vie que le feu de l'enfer et la damnation éternelle sont le lot de ceux qui ne correspondent pas à la norme de perfection exigée. Après la mort, sa difficulté à se débarrasser de telles pensées lui cause de nombreux malheurs. Il est continuellement torturé par la pensée qu'on le trompe, bien qu'on l'assure de la fausseté de telles croyances. Jusqu'à ce qu'il parvienne à s'en défaire, il sera incapable de s'installer dans sa nouvelle vie, où il y a pourtant tellement à voir et à apprendre.

« D'autres sont malheureux parce que, lorsqu'ils regardent leur vie physique depuis ce niveau supérieur, ils prennent conscience du nombre de chances qu'ils ont gaspillées. Cette prise de conscience peut avoir différentes conséquences. Certains sont envahis par les remords; d'autres, plus sensibles, se mettent dans l'esprit de ne plus laisser passer de telles occasions dans leur prochaine vie. Par exemple, un homme s'est occupé d'une femme et d'une grande famille avant sa mort. Il n'a pas pris les dispositions adéquates pour eux et se fait du souci sur la façon dont ils s'en sortiront. C'est très naturel, mais malheureusement, c'est aussi très stupide. Ayant abandonné son corps physique, il n'a plus de responsabilités au niveau physique. Se faire du souci ne peut aucunement apporter de l'aide pratique et réagit sur ceux qui restent en les rendant plus déprimés que nécessaire. Il ajoute à leur trouble au lieu de le diminuer et la solution au problème ne peut venir que lorsqu'il comprend que ceux qu'il a laissés derrière lui sont des egos séparés, vivant leur propre karma, et que les épreuves qu'ils traversent sont des occasions de rembourser un peu du mauvais karma qui doit être éliminé durant cette vie.

« Dans ce monde, certaines personnes se font du tort en s'inquiétant pour des choses sur lesquelles elles n'ont aucun contrôle ou en étant pessimistes pour l'avenir - toujours persuadées que le pire va arriver. Après la mort, elles restent pareilles; elles continuent à être déprimées et à rayonner la dépression partout où elles vont. Elles continuent malheureusement à se regrouper comme elles le faisaient sur le plan physique et à croire ce qu'elles croyaient auparavant, bien que le mensonge soit en fait étalé devant leurs yeux. Tôt ou tard, elles vont être amenées à comprendre leur stupidité par ceux qui cherchent sans cesse des occasions d'aider de tels tristes cas; le nouvel enseignant doit combler le vide qu'il a créé en enlevant ce qu'il condamnait. Pour cela, il doit offrir quelque chose de plus raisonnable et de plus réconfortant - quelque chose qui explique non seulement le présent, mais aussi le passé et le futur.

« Ne repoussez jamais une idée parce qu'elle vous paraît étrange; considérez plutôt tous les aspects de la question et tirez vos propres conclusions. Votre mental risque d'être désorganisé pendant un certain temps, mais dans ce chaos vous pouvez trouver la lumière, la lumière dirigeant vos pas sur le chemin qui finira par vous conduire à la connaissance et à la sagesse de l'homme parfait. Débarrassez-vous des idées de revanche ou de punition. Il n'y a ni revanche ni punition, mais il y a résultat, cause et effet, et la Loi est aussi active dans les mondes supérieurs qu'ici-bas dans le plan physique. Nous serons de l'autre côté de la mort comme nous vivons et comme nous sommes maintenant, et notre vie là-bas sera conditionnée par les pensées dont nous nous sommes entourés ici-bas. Intéressons-nous intelligemment aux choses élevées, à la science, l'art, la musique, la littérature et les beautés de la nature, à tout ce qui n'est pas purement physique; alors, dans le monde voisin, nous mènerons une vie heureuse et notre situation nous permettra d'apprécier des occasions qui seraient sans utilité pour nous si nous ne nous y étions pas préparés par notre vie ici-bas. »

# Chapitre III

« Hier, j'ai commencé à vous donner un bref aperçu des conditions qui existent sur le plan astral - et je vais continuer sur ce sujet aujourd'hui.

« Selon la théorie de la grande Eglise de Rome, résumée de manière très sommaire, le méchant, après la mort, tombe immédiatement et sans espoir dans un enfer éternel; tandis que les vrais grands saints vont directement au paradis. L'homme ordinaire, ni très bon ni très mauvais, a besoin d'un séjour plus ou moins long dans un état intermédiaire - appelé purgatoire - où il paie ses fautes. Comme je vous l'ai dit, il n'existe rien de comparable à un enfer éternel - il ne peut en exister pour la simple raison qu'une cause finie ne peut jamais produire de résultat infini - et ceux qui passent sur le plan astral avec cette peur dans l'esprit vivent des débuts difficiles. L'affirmation concernant les grands saints est légèrement plus fondée, car il existe un stade appelé le monde des cieux, et il est très possible que quelques rares grands saints traversent rapidement le monde intermédiaire, l'astral, et passent directement dans le monde mental pour y continuer leur évolution. Pour la grande majorité des gens, la question d'aller soit au paradis soit en enfer ne se pose pas; leur mode de progression est de traverser les deux conditions, la plus basse des deux étant connue comme purgatoire. C'est avec le purgatoire que je commencerai aujourd'hui.

« La doctrine catholique romaine du purgatoire, état intermédiaire dans lequel les fautes sont éliminées par un processus assez pénible - symbolisé par le fait d'être brûlé dans le feu de l'enfer - comporte une grande part de vérité, mais est entièrement privée de sa dignité

par la ridicule théorie des indulgences, suggérant que
l'homme peut s'acheter la possibilité d'éviter ce stade
incommode sans apprendre les leçons auxquelles ce
stade est destiné. Evidemment, ceci n'est pas possible;
des fortunes ne pourraient influer sur ce qui arrive à un
homme après la mort. L'argent peut l'aider à contourner
les lois du plan physique pendant sa vie, mais une fois
qu'il a quitté ce monde, l'argent a perdu sa valeur et une
telle dépense faite pour lui par ses amis et relations restés
dans le monde est du gaspillage. Il m'a toujours semblé
ridicule de suggérer que l'argent puisse modifier une loi
de la nature. Vous ne pouvez pas changer la loi de la
gravité en lui proposant de l'argent, ni tourner la loi de la
justice divine en la soudoyant avec des cierges, des priè-
res et des offrandes.

« Ce purgatoire, comme on l'appelle, pas tout à fait
à tort puisque l'épuration et l'amélioration tiennent une
grande place à ce stade de conscience, se trouve dans les
plans inférieurs du monde astral - dans cette partie où
l'homme passe presque immédiatement après la mort.
C'est la région où il est purgé des désirs inférieurs aveu-
glants qui le lieraient indéfiniment à son corps de désir.
L'évolution requiert qu'il monte vers les régions supérieures; pour ce faire, il lui faut traverser les sphères où il
doit souffrir de la même manière qu'il a fait souffrir les
autres dans sa vie physique - par la malhonnêteté, la
cruauté, etc. Avec le temps et la souffrance, il apprend
l'importance de l'honnêteté, la justice, la tolérance, etc.,
et peut alors aller plus loin. Dans son incarnation suivante,
il renaîtra libre de tout péché - bien que la tendance à
succomber aux mêmes désirs soit toujours là - et toute
mauvaise action qu'il commettra sera due à son libre
arbitre. Un homme continue son chemin jusqu'à ce qu'il
ait appris par des expériences purgatives amères qu'il
doit pratiquer la tolérance et faire le bien aux autres sans
tenir compte de la façon dont il est traité en retour. Certaines lois éternelles ont été établies et nous devons nous
efforcer de les comprendre en tant que telles. S'il n'y
avait pas de lois naturelles, nous nous retrouverions bientôt en plein chaos, avec rien sur quoi compter; mais il y

a les lois de la nature et ces lois sont l'expression de la volonté divine.

« Je vais essayer d'expliquer ce qui se passe dans le purgatoire en vous donnant quelques exemples : on cite toujours en premier, parce qu'il est le plus facile à comprendre, le cas de l'homme qui s'est adonné en excès à la boisson - *l'ivrogne*. Nous savons tous ce que peut être cette malédiction; nous connaissons tant de cas où un homme a brisé sa vie, laissé mourir de faim sa femme et ses enfants et même commis des crimes innombrables uniquement pour satisfaire son besoin impérieux des sensations procurées par la boisson. S'il ne buvait que pour étancher sa soif, il n'aurait plus le désir de boire après sa mort - la soif, comme la faim, sont inconnues dans le monde astral - en fait l'origine du désir n'est pas la soif, mais *le désir d'une certaine sensation agréable*. Après la mort, le désir qui l'a poussé durant sa vie à ces terribles extrémités sera plus fort que jamais, mais comme il a perdu son corps physique, il n'a plus la possibilité de le satisfaire. Le désir n'appartient pas seulement ou même principalement au corps physique, il appartient au véhicule du désir et en est l'une des fonctions. Les autres noms du "plan astral" sont "plan du désir" et "plan émotionnel". Dans ce plan, désirs et émotions ne sont pas dilués; la pleine puissance d'un désir y déchire un homme qui, dans son corps physique, n'avait perçu environ qu'un centième de sa puissance réelle. Personne ne peut nier que cet homme souffre, mais personne ne peut dire non plus qu'il est puni. Tout ce qui est arrivé a été amené par la loi de cause à effet; il est en train de récolter ce qu'il a semé; il ressent le résultat de son action durant sa vie - mais il n'est pas puni. Il a fait naître en lui un désir et, par conséquent, il souffre; la durée de ses souffrances peut bien lui sembler une éternité, même si en réalité ce n'est que quelques jours, semaines ou mois. Il ne peut satisfaire son désir en imagination que de façon très limitée. Il peut créer des formes-pensées de boisson et s'imaginer en train de boire. Il peut même imaginer le goût du liquide, mais il ne peut pas produire le résultat, c'est-à-dire la sensation qui le poussait à boire durant sa vie. Ce qu'il peut faire et qui se rapproche le plus de cette sensation, c'est d'aller dans des lieux où les gens boivent et s'enivrer, en fait, avec les émanations d'alcool, ce qui ne lui procure que très peu de satisfaction. Il ne peut pas en retirer grand-chose, mais c'est déjà mieux que rien et c'est le maximum qu'il puisse avoir, maintenant que son corps physique n'est plus.

« Nous avons donc là le cas d'un homme qui, s'il racontait ses expériences, dirait certainement qu'il a été jeté en enfer. Pas éternel bien sûr, mais suffisamment long et pénible pour lui faire penser à cette période comme à une éternité. Le problème est que personne ne peut réellement aider un tel homme; c'est-à-dire que personne ne peut empêcher cette expérience d'arriver. La seule chose que l'on puisse faire est d'expliquer prudemment ce qui se passe et la raison de tout cela, car il doit continuer à souffrir jusqu'à ce qu'il s'en sorte ou s'en débarrasse. Tôt ou tard il prend conscience et cette étape du purgatoire se termine.

« Ensuite, prenez le cas d'un *avare* qui amasse son or sur terre et le cache de façon à être le seul à pouvoir le trouver. Pensez au plaisir qu'il tirait, pendant sa vie, à rendre visite à son magot et à ramasser les pièces d'or ou les billets, les laissant glisser de ses doigts les uns après les autres et les laissant retomber sur le tas qu'il a fait. Imaginez-le hurlant de joie : "Tout est à moi, à moi, personne n'y touchera que moi !" Puis pensez à ce que seront les sentiments d'un tel homme lorsqu'il verra, depuis le niveau astral, le magot découvert et probablement dépensé inconsidérément par ceux qui ont eu la chance de le découvrir. Bien qu'il reste certainement attaché à la cachette très longtemps après sa mort, il ne peut rien faire. Il a probablement essayé d'influencer les chercheurs pour qu'ils s'éloignent; aucun doute qu'il a fait tout ce qui était en son pouvoir pour leur faire perdre la trace, mais il ne connaît aucun moyen de communiquer avec eux, sauf lorsqu'ils dorment et sont donc temporairement à son niveau. Dans la plupart des cas, les chercheurs ne se souviennent pas du tout de telles conversations et ne sont donc pas influencés par ses efforts. Une fois de plus, personne ne punit cet homme, et pourtant il souffre de ses émotions incontrôlées de *cupidité* et *d'avidité*. Il doit s'éloigner des choses purement physiques s'il veut trouver le bonheur.

« Un autre cas très commun est celui de l'homme extrêmement *jaloux* qui pense qu'il est amoureux de quelqu'un, alors qu'en réalité tout ce qu'il veut est posséder cet individu, corps et âme, pour ses gratifications personnelles. Un homme qui aimerait réellement serait sûrement reconnaissant de voir l'objet de son amour recevoir admiration et attention de la part d'autres personnes, mais le jaloux ne l'est pas. Ayant été jaloux durant sa vie, il reste jaloux après la mort, se torturant indéfiniment et inutilement en surveillant sans cesse les approches des autres hommes vers l'objet de son supposé amour, les haïssant et essayant de toutes les manières de les influencer, mais en vain. Personne ne punit de telles personnes pour leur jalousie ; ils moissonnent simplement les résultats de leur propre sottise sous l'effet incontrôlable de la loi du karma - ou loi de cause à effet. La seule façon de les aider est la méthode intellectuelle : il faut leur donner des conseils, essayer de leur montrer la stupidité de leurs agissements et leur expliquer que la seule chose nécessaire pour trouver la paix est d'éliminer de leur amour *l'égoïsme* et de comprendre que personne ne peut posséder un autre ego, corps et âme, quel que soit le degré où ils souhaitent le faire.

« Un autre exemple et j'en aurai fini avec le purgatoire. Un homme d'affaires qui un jour ruina l'un de ses concurrents, répondit à la critique de l'un de ses amis que les traitements rudes étaient bons en affaires, que son concurrent avait appris la manière dure et qu'à long terme la leçon ne serait pas perdue pour lui. Après quelques années, l'homme brisé se releva - il réussit en fait même beaucoup mieux que celui qui l'avait ruiné au début de sa vie. L'homme impitoyable affirma à plusieurs reprises que c'était là la preuve qu'il avait eu raison - cette manière dure de traiter un concurrent constituait en réalité une bénédiction déguisée. Puis il ne pensa plus à l'incident de toute sa vie.

« Ce fut très différent lorsque l'histoire toute entière lui fut montrée dans ce qu'on appelle purgatoire. Là, il vit le petit homme, après qu'il l'eut ruiné, retourner chez lui où il raconta son infortune à sa femme. Il lui fut également montré que le fils de cet homme, qui commençait sa carrière à l'université, dut y renoncer et prendre le premier travail venu - celui d'humble clerc. Le père recommença, et, comme je l'ai dit, devint riche au bout d'un certain temps, mais c'était trop tard pour aider son fils. Que se passa-t-il pour celui-ci ? Rendu amer par le coup que le destin lui avait joué, au lieu de se faire une place dans sa nouvelle sphère d'activité et d'en tirer ce qu'il y avait de mieux, il s'associa à de mauvais compagnons, tenta de faire de l'argent rapidement par des moyens malhonnêtes et finit en prison, ce qui brisa le coeur de sa mère et causa sa mort. L'histoire, vue dans toute son ampleur, est une tragédie majeure et vous pouvez facilement imaginer la souffrance de cet homme d'affaires impitoyable lorsqu'il découvrit que sa cupidité, si irréfléchie à l'époque, causa non seulement la ruine temporaire d'un petit concurrent, mais aussi la mort d'une femme et la ruine professionnelle d'un jeune homme.

« De l'autre côté, nous voyons les résultats pleins et complets de toutes nos actions; peu d'entre nous ne souffrent pas à ce spectacle et ne font pas le voeu d'agir différemment dans leurs vies futures. Ce changement de point de vue est ce que le purgatoire est censé produire; une fois que notre regard a changé, notre expérience du purgatoire est terminée. Si nous apprenons à fond ces leçons, nous pouvons être sûrs qu'après nos vies futures, notre passage dans la partie inférieure du monde astral ne sera que peu allongé par des expériences semblables à celles que j'ai racontées. Nous n'avons pas besoin d'apprendre une leçon plusieurs fois et, si notre caractère en est modifié, nous évitons beaucoup de difficultés et de temps de souffrance dans l'avenir.

« Tout comme les expériences astrales de l'homme moyen et l'homme en-dessous de la moyenne sont en accord avec le genre de vie qu'ils ont vécue sur terre, celles de l'*intellectuel,* l'homme au-dessus de la moyenne, sont également en correspondance avec son mode de vie. De tels hommes passent plus rapidement du niveau inférieur aux niveaux supérieurs du monde astral, où ils peuvent non seulement continuer le travail expérimental auquel ils s'intéressaient, mais également rassembler autour d'eux des étudiants ayant les mêmes goûts. On voit fréquemment de tels rassemblements; le scientifique avec son grand groupe d'étudiants, le mathématicien avec son groupe plus petit, trouvent tous deux que le monde astral est plus favorable au travail que le monde physique, car l'espace à quatre dimensions peut être étudié et même expérimenté. L'artiste a son groupe de disciples essayant d'imiter son talent, de même que le musicien; ce dernier est maintenant réellement heureux, car il a la possibilité d'écouter non seulement la musique du monde, mais encore la musique de la nature, depuis celle de la mer et du vent jusqu'à celle des sphères - car *il y a* une musique des sphères, *il y a* un chant ordonné lorsque les planètes décrivent leurs puissantes orbites dans l'espace. De la musique et des couleurs sont reliées au vaste cosmos, mais pour l'instant nous comprenons aussi peu la gloire de la vie cosmique que la fourmi qui rampe comprend notre vie avec ses nombreuses activités. Un musicien peut rencontrer les grands anges de la musique, car il y a des anges qui vivent pour la musique, qui s'expriment dans et par la musique, pour lesquels la musique est ce que la parole est pour nous. Vous en apprendrez davantage sur leurs activités plus tard.

« Une infinité de joies attendent *l'homme spirituel*, celui qui a médité profondément sur des sujets élevés. Durant sa vie, il a dû compter sur la foi et ses capacités de raisonnement, maintenant il peut prouver la réalité de nombreuses théories qu'il a étudiées dans le monde, et l'on peut facilement imaginer la joie et la paix que cette connaissance lui apporte; il a lutté dans l'obscurité et maintenant, dans une certaine mesure, il a trouvé la lumière.

« Le philanthrope qui durant sa vie a eu une pensée, un objectif en vue - aider ses frères humains - a peut-être la plus grande chance de tous, car il est enfin libre de consacrer la totalité de son temps à aider et réconforter ceux qui ont besoin de ses services. S'il se charge de la tâche qui consiste à aider ceux qui viennent de passer de l'autre côté, il trouvera du travail à chaque minute de sa vie astrale. En temps de guerre, les besoins sont grands à ce niveau, car les ignorants sont nombreux et les aides rares. Ceux qui se sont préparés pour un tel travail et qui saisissent cette occasion en or gagnent alors beaucoup de bon karma.

« C'est pourquoi je vous enjoins de chercher la connaissance, non pour vous tout seul, mais parce qu'avec cette connaissance vous serez capable d'assister votre frère en détresse, de prendre part à ce grand dessein de l'évolution et être - ce que tout être pensant devrait être - un guide et un aide pour l'ignorant. »

« Je vais aborder aujourd'hui l'une des parties les plus agréables de ma description du monde astral : je vais parler des enfants - après tout, les enfants ne constituent-ils pas un monde par eux-mêmes ? Il suffit de passer Noël avec une famille sans enfant pour réaliser la différence que font leurs voix joyeuses et leurs jeux bruyants lors de la plus grande de toutes les fêtes; sans eux rien n'est pareil, la maison paraît morte et le monde vide de toute joie. Le rire des enfants est la chose la plus merveilleuse du monde, celle qui manque le plus à ceux qui l'ont adoré dans le passé, lorsqu'ils s'aperçoivent que le temps a passé et que les joyeux drilles de la nursery se sont noyés dans le chaudron géant de l'humanité adulte. C'est comme si les enfants étaient les seuls êtres réellement naturels dans le monde humain - les seuls qui comprennent le plaisir.

« Ceci est dû au fait qu'étant revenus sur terre récemment, ils sont encore si proches de l'existence merveilleuse du monde paradisiaque qu'ils restent en contact avec la vie à son niveau le plus élevé, la vie qui est une avec le royaume de la nature, la pays des fées - cet univers des beautés dont ne parlent et ne rêvent plus les êtres matériels que nous semblons tous devenir lorsqu'en grandissant, nous nous flétrissons sous le pinceau des conventions et de la "respectabilité". Il en est de même dans le règne animal. Les lionceaux sont délicieux quand ils sont bébés; à leur naissance, ils ne connaissent pas la peur, car ils arrivent directement du monde astral où celle-ci n'existe pas pour eux. Au bout de quelques mois à un an, leur instinct - qui fait partie de l'âme-groupe à laquelle ils appartiennent - apparaît, car leur peur et leur antagonisme vis-à-vis de la race humaine s'affirment et ils ne peuvent plus être considérés comme des animaux domestiques inoffensifs.

« On considère d'habitude que rien n'est aussi triste pour un enfant que d'être enlevé à un stade quelconque de son développement, en particulier quand il émerge de l'enfance pour passer dans la "période intéressante" qui commence vers l'âge de trois ans. Le moment où un enfant cesse d'être un enfant n'est pas fonction de l'âge; certains perdent leurs manières enfantines dès qu'ils entrent à l'école, d'autres restent des enfants jusque vers dix ans. Ceux qui ne connaissent même pas la théorie élémentaire de l'évolution jugent toujours la mort d'un enfant inutile, car naturellement ils se demandent pourquoi des parents doivent souffrir ainsi et quelle est l'utilité d'une vie qui se termine si vite. Ceux qui étudient l'évolution comprennent qu'un enfant est un individu descendu dans le plan physique pour acquérir de l'expérience - pour mener à bien sa destinée. S'il meurt jeune, il acquiert peu d'expérience et il ne lui faudra pas beaucoup de temps pour l'assimiler une fois qu'il aura quitté le monde physique; il est donc probable que l'enfant mort jeune reviendra rapidement vivre une autre vie. Cela ne veut pas dire qu'il perd tout ou souffre en quoi que ce soit de cette mort précoce. Si l'homme moyen voulait seulement faire le petit effort nécessaire pour acquérir cette connaissance, combien le monde serait plus heureux !

« Quand un bébé approche du passage dans l'autre monde, il faudrait toujours célébrer la cérémonie du baptême. Ce rite rend l'enfant membre d'une fraternité sainte, l'entoure d'une protection bien précise et le met en contact avec un certain type de vibrations et d'influences qui empêchent le mal d'approcher de lui.

« Lorsque les enfants passent dans le monde astral, ils ont une vie merveilleusement heureuse grâce à l'absence de restrictions. Ils ne manquent jamais d'attention, car de nombreuses mères passées de l'autre côté sont désireuses et impatientes de s'occuper d'un enfant mort alors qu'il était bébé. Quand elles vivent au niveau astral, elles ont le même sentiment maternel que lorsqu'elles vivaient dans le monde physique. La pauvreté, le manque de nourriture, le froid, n'ont pas de place dans les pensées de la mère astrale. Elle n'a plus besoin de dormir et a donc beaucoup de temps à consacrer à l'enfant qu'elle adopte. Outre le plaisir de s'occuper de lui et de l'amuser, elle peut commencer son éducation, l'introduire aux beautés de ce monde sous ses diverses formes. Un tel enseignement peut laisser des marques à l'enfant et le pousser à se tourner vers le côté artistique de la vie dans sa prochaine incarnation. Outre les mères nourricières, qui sont *toujours* disponibles, il y a une vaste armée d'assistantes astrales également prêtes à piloter un nouvel arrivant durant les premiers stades de sa nouvelle vie.

« Comme l'adulte, l'enfant n'est pas transformé par son passage dans ce monde nouveau. Beaucoup d'êtres sont très désireux de l'aider dans ses jeux, en particulier les esprits de la nature, dont le rôle est important dans ses jeux sur le plan astral. Pensez à l'enfant imaginatif qui s'entoure, toujours en imagination, des merveilles existant dans les royaumes décrits par ses livres de contes de fées. Dans le monde astral, l'enfant ne devra pas se contenter de chimères. Dès qu'une chose est imaginée, elle apparaît et il la voit, car la matière du monde astral est moulée par la pensée - la chose est là comme l'enfant l'imagine. Au lieu d'être assis dans une vieille baignoire avec une paire de cannes en guise de rames, l'enfant qui désire se promener sur une rivière n'a qu'à penser à la rivière, à imaginer le bateau et les rames, et ils sont à sa disposition. L'enfant qui aime imiter les héros de fiction n'a qu'à s'imaginer fortement sous les traits du héros pour ressentir aussitôt les qualités de son caractère. Le corps astral plastique est moulé dans ce moule et, pour un temps, l'enfant devient totalement ce qu'il imagine. Il devient Hermès aux souliers ailés, Jason dirigeant le vaisseau Argo ou Robin des Bois, le héros de la forêt de Sherwood. Quoi qu'il pense, il le devient; quand il est fatigué de cette personnification, il n'a qu'à penser à quelque chose d'autre et le corps astral plastique obéit à son ordre. Vivre parmi les personnages de son imagination est une merveilleuse éducation pour un enfant, car il apprend par cette méthode beaucoup de choses qui seraient impossibles dans les conditions du plan physique.

« Nous connaissons tous l'enfant qui pose sans arrêt des questions : souvent nous nous sommes trouvés dans l'embarras, parce qu'il est impossible de donner une réponse qui soit comprise par un auditeur n'ayant que le cerveau non développé et l'intellect élémentaire d'un enfant. Parfois nous allons jusqu'à gronder l'enfant et cherchons à le décourager de poser des questions. Nous ne voulons pas empêcher sa progression; nous sentons simplement qu'une fois de plus, nos réponses sont tellement inadéquates qu'il vaut mieux laisser la question sans réponse plutôt que donner une impression fausse. Dans les conditions du plan astral, tout est différent. On peut montrer à l'enfant la réponse à sa question en faisant flotter une image devant ses yeux. Un modèle vivant (car il est vivant aussi longtemps que notre pensée est concentrée dessus) est un grand progrès par rapport à un discours.

« L'on peut se demander : son père et sa mère, ses amis et ses compagnons de jeu ne manquent-ils pas à l'enfant ? Non, pour la raison suivante : chacun passe ses heures de sommeil dans le même monde que l'enfant mort. Le père et la mère qui pleurent parce qu'ils pensent avoir perdu un enfant s'aperçoivent qu'ils peuvent le revoir quand ils dorment et sont hors de leur corps physique; ils peuvent parler, jouer avec lui, continuer son éducation, etc. Ils sont capables, pratiquement, de reprendre les choses là où ils les ont laissées sur terre, mais hélas, ils ne se souviennnent de rien lorsqu'ils se réveillent le matin. Après la mort, l'enfant est invisible aux parents ordinaires - à tous ceux qui n'ont pas développé la clairvoyance - tandis que les parents ne sont jamais invisibles à l'enfant. Il peut toujours les voir (le double astral de leur corps physique) et souvent, quand les parents pleurent la mort d'un enfant, celui qui est mort se tient à leurs côtés, essayant de toutes les manières possibles de communiquer avec eux. A ces moments-là, l'enfant trouve les parents très bornés et stupides, car il ne ne se rend pas compte que, bien qu'il puisse les voir, eux ne peuvent pas le voir.

« Une question souvent posée est celle-ci : les enfants grandissent-ils lorsqu'ils sont dans le monde astral ? Il est toujours difficile de répondre à cette question; si on la pose à l'enfant, il répond habituellement : "Oui, j'ai beaucoup grandi." Comme je vous l'ai dit, le corps astral ne grandit pas après la mort, et bien que l'enfant se développe mentalement et apprenne davantage, son corps reste comme il était au moment de la mort. La croissance n'est nécessaire qu'au niveau physique; à partir de la naissance, le corps grandit progressivement jusqu'à ce qu'il atteigne son plein développement, à moins que le sujet ne meure, auquel cas la croissance s'arrête automatiquement. Comme le corps astral n'a plus de corps physique auquel s'adapter, il cesse également de grandir. Quand l'enfant dit qu'il a grandi, cela signifie qu'il "pense" qu'il a grandi; le corps astral plastique répond immédiatement à cette pensée et devient plus grand pour un temps; mais aussitôt que la pensée est abandonnée, le corps revient à sa taille réelle ou habituelle. Il n'y a là rien de mystérieux; c'est seulement l'effet des lois de la nature et la matière supérieure répond à ces lois aussi bien que l'inférieure.

« J'ai vu un jour un exemple intéressant de la manière dont les choses se passent selon les personnes : c'était un cas où un homme et sa femme étaient morts ensemble dans un accident de la route. Dix ans auparavant, ils avaient perdu une petite fille âgée de cinq ans. L'homme, qui avait étudié l'occultisme, s'attendait à voir sa fille exactement telle qu'elle était de son vivant; il la prit donc dans ses bras comme il en avait l'habitude à son retour du bureau. La femme, qui ne s'était jamais penchée sur ces questions, ajouta naturellement les années écoulées depuis la mort de l'enfant et s'attendit à être accueillie de l'autre côté par une jeune fille de quinze ans. Elle ne fut pas déçue; elle vit une grande fille au visage et aux yeux attirants, correspondant à ce qu'elle avait si souvent imaginé que sa fille deviendrait en grandissant, et elle s'exclama en la voyant : "Comme tu as grandi ! Tu es presque une femme maintenant." Le mari, connaissant un peu les particularités de la matière astrale plastique, ne fut pas du tout surpris et ne gâcha pas le plaisir de sa femme en lui expliquant qu'elle voyait en réalité une forme-pensée créée par elle, dans laquelle se trouvait l'ego de leur fille qu'ils n'avaient plus vue - sauf durant leur sommeil - durant les dix dernières années. Cet exemple montre que, bien qu'en réalité les individus ne grandissent pas dans le plan astral, les illusions s'avèrent tout à fait satisfaisantes pour ceux qui ne peuvent accepter ce fait ou le trouvent trop difficile à comprendre; elles ne font de mal à personne.

« Avant d'en terminer avec mes remarques sur la vie des enfants au niveau astral, laissez-moi vous donner un exemple pour vous montrer comment la mort prématurée d'un enfant peut lui apporter des bénéfices considérables - ce qui est généralement le cas. Deux personnes, mariées mais pauvres, désiraient un enfant. Il leur naquit un fils, qui ne vécut que deux ans. Cette perte rendit les parents fous de chagrin; rien ni personne ne semblait pouvoir les consoler. La vie, qui auparavant leur avait semblé presque parfaite, était désormais vide et désolée; l'atmosphère de leur maison était extrêmement déprimante. Avec le temps, leur souffrance s'atténua, mais la blessure était toujours là, et chacun aggravait encore les choses en considérant le sujet comme clos, ne devant jamais être mentionné - ce qui leur faisait broyer d'autant plus de noir au fond de leur coeur. Cet enfant qu'ils avaient tous deux aimé, dont ils avaient imaginé l'avenir, leur avait été enlevé; grande était leur peine et grand leur sentiment de frustration d'avoir été traités ainsi par un créateur soi-disant bienveillant.

« Ce chagrin eut des conséquences différentes sur les deux personnes : tandis que la femme continuait à accomplir ses tâches domestiques et priait pour pouvoir un jour concevoir un autre enfant, l'homme se jeta de toute son âme dans les affaires, sentant à juste titre que travailler dur lui ferait oublier son grand chagrin. Cinq ans après la mort du premier enfant, la femme mit au monde un autre fils et leur joie fut parfaite. Il s'avéra que ce second fils était le même ego qui leur avait été enlevé cinq ans auparavant. Grâce au dur travail que le père affligé avait accompli dans ses affaires, les ressources matérielles de la famille étaient devenues florissantes; quand le temps fut venu de mettre l'enfant à l'école, la situation du père lui permit de donner à son fils une éducation de premier ordre - cinq ans plus tôt, les ressources matérielles ne l'auraient pas permis.

« Le résultat de cette mort apparemment inutile fut tout d'abord que la mari et la femme s'acquittèrent d'un bon nombre d'unités de karma grâce à leurs souffrances, et ensuite que l'enfant, qui avait acquis le droit de recevoir une bonne éducation par ses actions dans sa vie antérieure, avait dû se retirer de son premier corps et attendre pendant cinq ans le second, pour renaître ensuite dans la même famille. L'ego de l'enfant ne souffrit pas du tout de ces événements; il accumula beaucoup d'expérience grâce aux occasions qu'il rencontra dans son second corps. Naître quelques années plus tard ne représente rien dans le schéma de l'évolution, mais ces quelques années font souvent toute la différence en ce qui concerne les conditions familiales du plan physique, ce qui peut avoir de grandes conséquences pour les ego nés dans cet environnement.

« Je résume. Il n'est généralement nécessaire pour un homme de revenir dans la patrie de l'ego - le niveau mental supérieur - que s'il a vécu dans le monde physique pendant un certain temps. Pour y parvenir, il doit traverser le monde astral, y vivre, puis abandonner son corps astral et enfin, dans son corps mental, consolider au niveau mental toutes les expériences mentales et les efforts intellectuels qu'ils a accomplis dans sa dernière vie. Ceci étant fait, il abandonne également son corps mental et il ne reçoit pas de nouveaux véhicules mental et astral avant que le temps ne soit venu pour lui de se réincarner. Je mentionne ces faits maintenant pour que vous compreniez qu'une vie courte sur le plan physique signifie souvent que l'enfant, ayant pas ou peu d'expérience à consolider après son existence physique, retourne sur le plan astral pour quelques années seulement et y reçoit un nouveau corps physique reprenant les mêmes corps astral et mental qu'avant sa récente courte vie sur le plan physique.

« Comme vous commencez à le constater, l'évolution est un processus lent; nous la comprendrions plus facilement si nous pouvions voir l'ensemble du schéma au lieu des petites parties dont la plupart d'entre nous ont un aperçu durant leur vie au niveau physique.

« J'ai beaucoup de choses à vous dire concernant la vie sur le plan astral; je vais vous donner l'occasion de poser toutes les questions que vous souhaitez sur les points que vous ne trouvez pas tout à fait clairs. Et, avant de poursuivre, je vous propose de tenter une expérience, à laquelle - je suppose - vous aurez très envie de participer. La nuit dernière, j'ai reçu la permission de mon Maître, qui est l'un des grands adeptes ou hommes parfaits participant au gouvernement de cette planète, de vous donner la possibilité de découvrir par vous-même certains éléments dont je vous ai parlé ces derniers jours. C'est mon Maître qui m'a envoyé vers vous à l'origine.

« Je vous propose de vous rendre sur le plan astral; si vous faites exactement ce que je vous dirai, je pense pouvoir vous aider à vous rappeler une grande partie de ce vous verrez et ferez pendant que vous serez hors de votre corps. Demain matin, je ne vous rendrai pas visite comme les autres jours. Vous pouvez passer la matinée à relire les notes que vous avez prises lors de mes causeries ces six derniers jours. Rafraîchissez votre mémoire de tous les détails possibles, car vous aurez besoin de vous souvenir d'une grande partie de ce que je vous ai dit si vous voulez tirer des bénéfices de le chance que je me propose de vous offrir, dans l'espoir qu'elle vous permettra de mieux comprendre beaucoup de choses qui, pour l'instant, ne sont pas claires pour vous.

« Il vaut mieux que vous ne mangiez pas de viande aujourd'hui et demain, et que vous ne touchiez pas à l'alcool. Je sais que vous mangez habituellement très peu de viande et que vous buvez rarement de grandes quantités d'alcool, mais une quantité infime d'alcool suffirait pour ajouter à mes difficultés, car mon travail sera d'imprimer dans les cellules de votre cerveau, lors de votre retour à votre corps physique, que vous devez vous souvenir de vos activités hors de votre corps. Cette expérience ne réussira peut-être pas parfaitement, mais nous allons faire une tentative et, puisque mon Maître en a accepté l'idée, je ne doute pas qu'Il m'aidera dans ce sens. Demain soir, prenez votre dernier repas à sept heures; puis allez dans votre chambre après le diner et soyez prêt à vous coucher à neuf heures quarante-cinq. J'ai ici un comprimé que vous prendrez en vous couchant, car il vous permettra de dormir jusqu'à dix heures, heure à laquelle j'arriverai. Avant de vous endormir, essayez de vous représenter à quoi vous ressemblez couché sur votre lit. Pour cela, la méthode la plus simple est d'imaginer que, juste au-dessus de votre lit, à la place du plafond, se trouve un immense miroir. Une fois couché, que verriez-vous dans ce miroir ? Voilà l'image que je voudrais que vous ayez dans l'esprit lorsque vous vous endormirez, car c'est ce que vous verrez dès que vous serez déconnecté de votre corps physique.

« Au début, vous serez peut-être tellement surpris par ce qui vous apparaîtra être vous couché sur le lit (tandis que votre moi véritable regardera votre corps physique) que, instinctivement, vous aurez un peu peur; cette peur peut vous faire revenir précipitamment dans votre corps couché sur le lit et provoquer votre réveil. Je vous signale d'avance ce à quoi vous pouvez vous attendre, espérant ainsi éviter que cela ne se produise. Quoique vous sortiez de votre corps toutes les nuits, vous ne vous souvenez de rien parce que vous n'êtes pas conscient de sortir; j'essaie maintenant de faire en sorte qu'il n'y ait aucune rupture de conscience entre votre endormissement et le moment où vous vous *rendez compte* que vous vous détachez de votre corps physique. J'essaierai de vous aider à maintenir cette continuité de conscience, depuis le moment de votre endormissement jusqu'à votre retour dans votre corps le lendemain matin. Vous n'aurez alors aucune difficulté à vous rappeler et à décrire en détails tout ce que vous avez fait dans votre corps astral durant les heures où votre corps physique était couché sur le lit. Sans cette continuité de conscience, vous ne vous souviendriez que de peu de choses ou d'aucune, ne rapportant qu'un fragment d'un ou de plusieurs événements, que vous qualifieriez probablement de rêve. La plupart des rêves sont des fragments de ce que les gens ont fait durant leur sommeil, souvent distordus par les cellules du cerveau. Il n'est jamais facile de se rappeler correctement chaque détail et il faut des années d'étude, de concentration et de pratique pour accomplir quelque chose avec des résultats parfaits. C'est pourquoi je ne peux garantir que vous vous souviendrez de tout, même si vous êtes aidé par mon Maître. Si, par chance, vous réussissez parfaitement, vous ne devrez pas être déçu si vous vous apercevez - ce qui est probable - qu'à d'autres occasions, vous serez incapable au réveil de rapporter quoi que ce soit.

« Maintenant je vais vous quitter; nous nous retrouverons demain soir. Après-demain, je ne vous verrai pas non plus, parce que je voudrais que vous notiez tous les souvenirs de vos expériences astrales. Nous en discuterons quand je vous reverrai en chair et en os dans trois jours, à l'heure habituelle. Ayez confiance en vous et tout ira bien. »

# *Chapitre IV*

Dans les instructions que j'avais reçues, il était dit que je devais noter tout ce dont je me souviendrais des événements de la nuit passée - ce qui s'avéra plus facile à dire qu'à faire, car je peux vous annoncer d'emblée que l'expérience réussit à tous points de vue. Je ne sais si je me suis rappelé tout ce qui s'est passé - j'espère que mon professeur me le dira aujourd'hui - mais je me suis rappelé tant de choses que j'ai dû mettre très attentivement de l'ordre dans mes pensées pour tout noter.

C'était une sombre nuit sans lune; j'allai me coucher à neuf heures quarante-cinq suivant les instructions, pris le comprimé qui m'avait été donné et me concentrai pour imaginer ce que je verrais dans un miroir situé au-dessus de mon lit. J'ai un petit réveil français à côté de mon lit; j'y tiens beaucoup, car il coûtait une petite fortune quand je l'avais acheté à un étudiant sans argent de Cambridge. Il sonne les quarts d'heures et les heures avec une douce note argentée qui ne m'a jamais réveillé ni dérangé dans mon sommeil. Je l'entendis sonner dix heures moins le quart, car c'est à ce moment-là que je pris mon comprimé. Ce ne fut que lorsque j'entendis le premier des quatre carillons argentins annonçant les quatre quarts d'heures précédant la sonnerie de dix heures qu'il me sembla sentir quelque chose de très inhabituel se passer dans mon corps. Quelque chose en lui semblait relâché et je ressentis ce que je ne peux décrire que comme un mouvement de glissement - c'était, je suppose, moi me glissant hors de mon corps physique - car avant que le réveil n'ait commencé à sonner ses dix coups, je me retrouvai suspendu dans l'espace, regardant mon corps couché sur le lit, exactement comme on me l'avait prédit - sauf qu'au lieu de toucher le sol, j'étais à une trentaine de centimètres au-dessus (ce ne fut véritablement que plus tard que je le compris). Lorsque je me rendis compte que j'étais en-dehors de mon corps, mon coeur parut palpiter, mais je ne peux pas dire que j'étais réellement effrayé et je n'avais en tout cas nullement le désir de revenir précipitamment. Dire que j'étais surpris serait un peu faible; j'étais excité, j'étais ému, j'avais également un semblant de peur, une peur de l'inconnu, de l'inhabituel.

A mon grand étonnement, il faisait aussi clair qu'en plein jour ! Ce fut ma première prise de conscience de la lumière qui règne partout et toujours au niveau astral, et bien que j'aie eu du mal à noter ses caractères sur le moment, je découvris par la suite que c'était une lumière bleu-gris; si vous pouvez imaginer une pièce aux premières lueurs de l'aube - en beaucoup plus clair - vous aurez une idée de l'aspect de ma chambre. J'entendis un rire joyeux derrière moi, qui très curieusement ne me fit pas sursauter. Je me retournai et découvris Charles avec exactement la même apparence que lorsque je l'avais vu pour la dernière fois. Il s'amusait visiblement de ma surprise et de mon expression incrédule; je voyais sur son visage souriant toutes les bonnes vieilles rides que je connaissais si bien dans le passé. Automatiquement, je lui serrai la main, et je m'aperçus que sa poignée de main était aussi ferme et et aussi réelle que d'habitude. Mon ami indien, que je n'avais pas remarqué jusque-là, mais qui se trouvait également dans la pièce, dit : « Oui, il est réel, comme je vous l'avais dit, et du fait que vous utilisez pour l'instant le même type de corps que lui, il est aussi réel pour vous que vous pour lui. » Ma joie de voir Charles était si grande que je dus bien passer une minute ou deux à lui serrer la main, à le prendre par les épaules, tout en m'assurant qu'il était réellement là - "en chair et en os", comme j'aurais eu envie de le dire. Je trouvai surprenant que le corps astral ne soit absolument pas physique et n'ait ni chair, ni os, ni tissus, tout en ressemblant au corps physique pour ce qui est des traits. Cependant, Charles était suffisamment réel pour moi et je me mis à lui poser mille et une questions, comme l'on fait avec une personne que l'on aime et que l'on n'a pas vue depuis un certain temps. Je voulais savoir comment il allait, ce qu'il faisait, s'il était heureux, etc., et lorsqu'il put placer un mot, il déclara tranquillement : « Ne t'inquiète pas, je vais très bien et je prends du bon temps, comme tu le verras par toi-même. » Je fis la remarque qu'il portait encore l'uniforme. « Oh, vraiment ? », répondit-il, disant qu'il n'avait pas pensé à ce qu'il portait. Mon ami indien expliqua alors que je voyais Charles avec son uniforme parce qu'il le portait la dernière fois où je l'avais vu; inconsciemment, j'avais donc créé une forme-pensée de lui en uniforme et la matière astrale plastique avait immédiatement répondu à ma pensée. Il me dit également que même si Charles avait pensé à ce qu'il portait avant de me voir, je ne l'aurais pas vu habillé comme il l'avait imaginé, à moins qu'il ne me l'ait indiqué. Je l'aurais vu habillé comme *moi* je l'avais imaginé.

Mon ami indien me demanda alors ce que je souhaitais faire. Charles suggéra de commencer par un dîner astral et me demanda si j'aimerais aller au grill du Trocadéro, qui était l'un de nos lieux favoris lorsque nous étions ensemble en Angleterre. Naturellement j'acquiesçai, me demandant comment nous allions procéder, mais ayant vu Charles vivant - très vivant en fait - je sentais que rien n'était impossible. « Viens, allons-y », dit Charles, qui commença à quitter la pièce. Je voulus ouvrir la porte; immédiatement Charles tira ma jambe à travers elle. Il m'expliqua que, sur le plan astral, il me faudrait m'habituer à passer à travers les portes sans me soucier de les ouvrir et, bien que cela paraisse étrange, je m'aperçus que c'était vrai, car la porte ne présenta aucun obstacle à mon passage. Comme ma chambre est au premier étage, je commençai à descendre les escaliers de la manière habituelle. Je remarquai que Charles, qui me précédait, n'utilisait pas du tout les escaliers, mais flottait simplement vers le bas, à une trentaine de centimètres environ au-dessus d'eux - et je me rendis compte que je pouvais en faire autant. Cette façon de flotter était une sensation étrange au début, mais l'absence de gravité - cette force à laquelle nous sommes tellement habitués au niveau physique - m'apparut rapidement comme un grand avantage auquel on s'adapte sans peine.

Nous progressions à ce qui semblait être une très grande vitesse. J'avais Charles d'un côté et mon ami indien de l'autre. Je demandai à Charles comment il faisait pour se diriger vers l'Angleterre; il répondit que l'on apprend rapidement à trouver son chemin. Nous survolâmes le port, à environ dix mètres au-dessus de la mer. Je regardai autour de moi et vis les lumières de Colombo disparaître dans le lointain, puis en l'espace de quelques secondes nous ne vîmes plus rien du tout. Il était difficile de distinguer réellement les lieux que nous survolions, car nous les dépassions presque aussitôt que nous les apercevions à l'horizon. A part cela, on avait à peine l'impression de se déplacer à une vitesse surprenante, car il n'y avait pas de vent debout comme à grande vitesse dans le monde physique. Il semblait n'y avoir aucune résistance et je découvris par la suite que c'était effectivement le cas, car la matière astrale a une texture si fine que la traverser à une vitesse qui doit être terrifiante, comparée à celles auxquelles nous sommes habitués ici, ne produit aucun effet particulier.

En à peu près le même temps qu'il m'a fallu pour décrire ce voyage, nous approchâmes d'une terre, que Charles me dit être la "vieille Angleterre". Il me dit qu'il avait pris un trajet assez direct : il était inutile de faire des détours, puisque la terre et la mer sont équivalentes pour voyager dans les conditions astrales. Lorsque nous atteignîmes l'Angleterre, que je reconnus lorsque nous ralentîmes pour descendre au-dessus de Douvres, je fus fasciné par la facilité avec laquelle nous nous déplacions. Il est difficile d'en parler dans un langage ordinaire, mais si vous imaginez que vous êtes capable de voyager à la vitesse que vous souhaitez, simplement en exprimant une pensée dans ce sens, cela vous donnera une idée du processus. Nous étions remontés à l'approche de la terre et maintenant nous flottions quelques mètres au-dessus des petites maisons londoniennes.

Nous avions quitté Ceylan peu après dix heures - ce qui correspondait à cinq heures trente en Angleterre.

Nous descendîmes au niveau de la rue lorsque nous fûmes au-dessus de Hyde Park. Je savais qu'il faisait encore jour car rien n'était éclairé, mais la lumière du monde astral était exactement la même ici qu'en Orient durant la nuit. J'en fis la remarque et on me dit que, le corps astral n'ayant jamais besoin de repos, il n'y a ni nuit ni jour au niveau astral. Ce fut l'une des premières différences intéressantes entre les deux mondes qui me marqua. Charles me suggéra de parcourir Oxford Street et Regent Street, pour voir quelle impression cela faisait de se promener dans son corps astral. La promenade dans Oxford Street, où je n'étais pas allé depuis 1939, juste avant le début de la guerre, fut réellement surprenante. La rue était pleine de monde, comme on pouvait s'y attendre à ce moment de la journée; bien qu'il y eût beaucoup de passants sur les trottoirs, cela ne nous dérangeait pas; nous passions *à travers* les corps physiques de ceux qui allaient en sens inverse de nous. Il n'est pas tout à fait correct de dire que nous n'avions pas conscience de passer à travers eux : nous avions en fait l'impression de traverser un petit nuage de brouillard; pendant un moment, il nous enveloppait, puis, quand nous en sortions, tout autour de nous redevenait clair. Ce brouillard ne gênait pas du tout notre progression, mais nous le sentions; de même, quand nous entrions en contact avec un autre corps astral, nous le percevions faiblement, bien qu'il ne nous gêne en aucune façon. Dans le monde, j'avais souvent vu une personne frissonner et dire, en guise de plaisanterie, que quelqu'un marchait sur sa tombe. Je sais maintenant que cette sensation devait avoir été provoquée par le contact de son corps physique avec une entité astrale qui - bien que la texture de la matière astrale soit trop fine pour interférer avec le corps physique qu'elle traverse - laisse une légère impression.

Songeant que mon ami indien, avec ses vêtements orientaux, devait paraître un peu étrange dans cet environnement, je lui en fis la réflexion. Il répliqua : « Apparemment, vous ignorez que j'ai changé de vêtements; si vous me regardez maintenant, vous me verrez habillé de la même manière que les Européens qui nous entourent. »

Je le regardai : c'était exact. Son turban avait disparu et, comme sa péau était presque aussi blanche que la nôtre, il ressemblait plutôt à l'un de ces étudiants indiens que l'on voit souvent à Londres. Je le voyais comme il s'imaginait lui-même parce qu'il me l'avait dit. Il expliqua que l'on apprenait vite à changer de vêtements en fonction des circonstances; le corps astral plastique obéit immédiatement à la pensée, même en ce qui concerne la façon dont il est constitué.

Je dis que j'aimerais entrer à Selfridges; nous passions justement devant à ce moment-là. Personne ne s'y opposant, nous entrâmes et je me dirigeai vers le rayon des livres. J'avais toujours été attiré par les livres; je pris l'un des derniers parus et le feuilletai. Ce faisant, je remarquai qu'il ne manquait pas sur l'étagère dont je l'avais tiré et demandai pourquoi. On me dit que ce que je tenais dans la main était la forme-pensée du livre qui m'intéressait, le livre physique sur l'étagère n'ayant pas été déplacé. C'était une sensation surprenante ! Je me promenai dans l'immense magasin vide - à cette heure de l'après-midi, il était naturellement fermé au public - et j'entendis très distinctement l'horloge d'une autre partie du magasin sonner six heures. Que de choses s'étaient passées durant la demi-heure écoulée depuis que j'étais sorti de mon corps physique à neuf mille kilomètres d'ici ! Mes compagnons semblaient très amusés par l'intérêt que je montrais pour tous ces phénomènes. Charles appréciait visiblement son rôle de guide, comme nous aimons tous montrer à un ami un nouveau pays, ce que nous faisons souvent dans "l'Orient mystérieux" où les grands paquebots amènent des amis de chez nous pour leur première visite.

Charles dit qu'il voulait me donner un aperçu des dégâts causés à Londres par les raids aériens. Il m'emmena dans divers endroits, tels que St Paul, où visiblement de nombreux Londoniens avaient souffert de ces terribles bombardements. Il fallait survoler les principaux bâtiments de la ville pour bien voir les dégâts, mais, dans notre corps astral, cela ne présentait aucune difficulté. Tandis que nous marchions dans une rue, Charles me dit :

« Viens »; immédiatement il flotta au-dessus du ruban de la circulation. Je le suivis très facilement; exprimant en pensée le souhait d'en faire de même, je me retrouvai à côté de lui, survolant gracieusement et aisément la population de la métropole londonienne. Il suggéra de jeter un coup d'oeil sur notre maison du Warwickshire, que je n'avais pas vue depuis plusieurs années, et en ce qui sembla n'être que quelques secondes, il m'avait amené au bon endroit. Je lui demandai comment il pouvait trouver si facilement son chemin, alors qu'il ne vivait dans le plan astral que depuis un temps relativement court. Il me dit qu'il s'était fait de nombreux amis de l'autre côté, qui avaient été très heureux de le mettre au courant des différentes particularités, et qu'en outre son travail de pilote de la RAF lui avait beaucoup appris sur les déplacements à vol d'oiseau.

Le spectacle de la rivière Avon serpentant à travers le joli paysage du Warwickshire était charmant et nous atterrîmes bientôt à côté de l'endroit où se trouvait notre ancienne maison. Comme je connaissais bien ce lieu, même si, depuis le temps que je ne l'avais plus vu, de nombreuses petites maisons avaient poussé dans le voisinage ! La maison était toujours pareille, ainsi que la pelouse de devant et celle de derrière, qui étaient restées telles qu'elles étaient lorsque Charles et moi y jouions durant notre enfance. Je me demandai qui vivait là maintenant; la maison avait été vendue après la mort de mon père, parce qu'il n'avait pas laissé suffisamment d'argent à ma mère pour qu'elle puisse la garder et que moi, l'aîné, j'avais émigré en Orient. J'y pénétrai - je commençai à avoir conscience qu'une porte fermée était sans importance - et vis d'étranges personnes occupant les pièces que nous avions aimées dans le passé. C'était peut-être stupide, mais ils me semblaient être des intrus et, avec des meubles différents, l'atmosphère de la maison avait complètement changé.

Nous ne restâmes pas longtemps et retournâmes bientôt à Londres. C'était tout à fait passionnant d'être au centre de Piccadilly Circus, là où les bouquetières se tenaient en temps de paix, mais sans la statut d'Eros qui avait été enlevée pour qu'elle ne soit pas endommagée. La foule était toujours là, les bus et les taxis continuaient leur rondes normales; la seule différence évidente était le nombre d'hommes et de femmes en uniforme. Il semblait y avoir davantage de gens en uniforme qu'en civil, ce qui me rappela que l'Angleterre n'était pas seulement un pays en guerre, mais aussi un pays où tout homme ou femme valide était censé prendre part à la défense de son pays bien-aimé.

Il était presque sept heures lorsque Charles suggéra d'aller dîner au grill du Trocadéro. Nous y entrâmes et vîmes que presque toutes les petites tables le long du mur étaient déjà occupées. Mon ami indien annonça alors qu'il me laisserait aux bons soins de Charles pendant le dîner, parce qu'il avait un autre travail à faire, et qu'il nous rejoindrait plus tard. M'assurant que Charles était très capable de m'initier à ce type d'amusement sur le plan astral, après avoir lancé un cordial « Bon appétit ! », il nous quitta.

Charles m'expliqua l'un des points très importants à comprendre quand on prend un repas ou des boissons astraux dans un restaurant existant au niveau physique et non dans un restaurant créé au moyen de l'imagination ou de la pensée. Il dit qu'il n'était jamais prudent de s'asseoir à une table existant réellement au niveau physique : comme nous sommes invisibles, les gens qui entrent voient la table libre, mais ne nous voient pas; ils s'y assoient donc, ce qui est légèrement gênant. Ils ne sentent pas notre présence, mais il nous arriverait la même chose que lorsque nous passions "à travers" la foule dans la rue. Quand une personne physique s'assied *sur* la chaise que *vous* occupez avec votre corps astral, vous allez naturellement sentir quelque chose, et bien que ce ne soit pas vraiment désagréable, ce n'est pas non plus tout à fait agréable. On peut éviter ce problème, dit-il, en produisant en pensée une table pour son groupe dans un endroit où, physiquement, il n'y a pas de table. Il le fit aussitôt, puis me pria de m'asseoir.

Il me dit que, par la pensée également, il allait produire un serveur qui *nous* apparaîtrait exactement comme les autres serveurs que nous regardions aller et venir pour leur travail, mais que ce serveur ne serait pas visible pour les autres occupants du Trocadéro. Il le fit, et aussitôt je vis un serveur s'approcher de notre table et demander ce que nous voulions boire, exactement comme si nous avions été des membres ordinaires du monde physique. Charles commanda un Xérès sec et moi un whisky-soda, car il me dit que l'interdiction de consommer de l'alcool durant les deux jours précédant mon expérience ne comptait pas ici. On nous apporta nos boissons et je trouvai à la mienne exactement le goût auquel je m'attendais. Charles me dit que si je n'avais pas goûté au whisky dans le monde, je n'aurais jamais pu en apprécier le goût sur le plan astral; je trouvais donc nécessairement au liquide astral ce que je pensais être le goût du whisky. Il me raconta qu'un jour, alors que mon ami indien faisait son instruction, il lui demanda de boire quelque chose et commanda pour lui-même un verre d'eau; il expliqua à Charles qu'il était inutile pour lui de commander du whisky, du Xérès ou de la vodka parce qu'il ne les avait jamais goûtés dans sa vie physique actuelle et que, comme il n'était pas capable d'imaginer leur goût, tout le plaisir aurait été perdu. Il en était de même pour le tabac. Mon ami indien n'avait jamais fumé; si on lui offrait une cigarette au niveau astral, il la refusait toujours car, ne connaissant pas le plaisir tiré d'une cigarette, il n'aurait pas eu de plaisir à créer la forme-pensée d'aspirer la fumée, puis de la rejeter. Cela me parut tout à fait logique et je fus content d'avoir fait l'expérience de boire et de fumer, car j'apprécie ces deux plaisirs simples.

Nous sirotions nos boissons et regardions les gens. Nous pouvions même entendre le bourdonnement des conversations autour de nous, ce qui me rappela un point qui avait été signalé : chaque son physique a sa contrepartie astrale et produit une note qui peut être entendue par ceux qui sont dans leur corps astral. Regardant tous ces gens aller et venir, je ne ne me rendais pas compte qu'au même moment l'Angleterre combattait, le dos au mur, pour sa propre existence. Ils semblaient tous profiter de la vie et quantité de rires se mêlaient au bavardage ininterrompu.

Charles appela un homme jeune, portant l'uniforme de l'armée de l'air, qui venait d'arriver; ils se saluèrent avec beaucoup de chaleur. Charles l'amena à notre table et le présenta comme Roy Chapman, un pilote tué dans la bataille d'Angleterre l'automne précédent. C'était un type sympathique et, lorsque je lui demandai s'il aimait vivre dans les conditions du monde astral, sa réponse fut intéressante : « C'est très bien, dit-il, mais ennuyeux au bout d'un certain temps. Bien sûr, au début, il est plutôt agréable d'obtenir tout ce que l'on veut sans payer, mais la nouveauté se dissipe et, franchement, j'aimerais mieux être encore dans ma bonne vieille escadrille. » Jugeant que c'était là une occasion unique d'apprendre, je lui demandai à quoi il passait son temps. Il répondit qu'il faisait plus ou moins ce que son humeur lui inspirait; pour l'instant, il attendait une jeune fille qu'il connaissait et comptait dîner avec elle. Je lui demandai si la jeune fille était morte ou vivante. Il dit : « Oh morte, bien sûr; si vous tenez à employer toujours cette expression démodée. Il est inutile de prendre rendez-vous avec ceux qui vivent encore dans le monde, car quand vous êtes en train de faire quelque chose d'intéressant, ils doivent retourner dans leurs corps. »

Durant les quelques minutes qui restaient avant l'arrivée de son amie, il me raconta qu'il avait essayé tous les jeux habituels et qu'il les trouvait très ennuyeux. Par exemple, jouer au golf (il avait été un très bon joueur avant d'être tué) était assez futile quand tout ce qu'il y a à faire était d'imaginer une chose pour qu'elle se réalise. La compétition n'existait pas, car vous n'aviez qu'à créer la forme-pensée que vous battiez votre adversaire pour que ce soit le cas. Il en était de même pour le billard. Faire une grande série n'était plus un plaisir quand vous la réussissiez toujours à volonté. L'élément hasard manquait, ce qui ôtait tout leur charme à ces jeux d'adresse. Je le compris et me rendis compte que mon ami indien avait raison quand il disait que la vie sur le plan astral pouvait être ennuyeuse pour ceux dont les intérêts étaient entièrement dépendants des conditions du plan physique. Je demandai à Roy s'il avait été amateur de musique ou d'art durant sa vie, ce à quoi il répondit que non. Il avait fait un peu de danse et développé un petit goût pour la musique, mais sans jamais y accorder beaucoup d'importance. Je supposai que, lorsqu'il serait fatigué de rencontrer des amis et de vivre en marge du plan physique, il trouverait quelque autre intérêt, sinon sa vie deviendrait avec le temps extrêmement ennuyeuse. Son amie arriva à ce moment-là; il avait bon goût. Elle était belle, vraiment belle, et ils formaient un couple parfait tandis qu'ils descendaient les escaliers en direction du Grill Room, où ils avaient sans doute prévu de dîner. Je dis alors à Charles que j'aurais aimé connaître ses impressions lorsqu'il avait été projeté pour la première fois dans le plan astral. Charles me dit ne pas avoir très envie d'en parler. « Aucun de nous n'aime en parler, tu sais. » Je me demandai pourquoi, mais préférai ne pas insister à ce moment-là.

Nous descendîmes ensuite au Grill Room et, choisissant un coin vide de la salle, Charles créa pour nous la forme-pensée d'une table. Un serveur arriva alors que nous n'avions même pas fini de nous asseoir et nous demanda ce que nous voulions manger. Charles me dit de commander tout ce que j'imaginais; je n'avais pas vraiment faim, mais le caractère unique de l'expérience me poussa à commander une sole Bonne Femme, du poulet Maryland, puis une pêche Melba et une tasse de café. Charles commanda deux Xérès Bristol Cream et une bouteille de Chambertin 1933, année ayant une bonne réputation. Je demandai si ces boissons figuraient sur la carte des vins en temps de guerre, ce à quoi Charles répondit qu'il ne le savait pas, mais que de toute façon cela n'avait pas d'importance, car sur le plan astral on obtient tout ce qu'on commande, que ce soit possible de se le procurer au niveau physique ou non. J'appréciai mon dîner, la cuisine étant, évidemment, aussi parfaite que je pouvais l'imaginer. Je n'en finissais pas de m'étonner de mon séjour (apparent) au Trocadéro, passé à dîner tout à fait normalement avec mon cher Charles, entouré par le type exact de personnes que je savais être là pratiquement chaque soir de la semaine.

Juste à ce moment-là, j'aperçus un vieux camarade que je n'avais pas vu depuis des années. La dernière fois que nous nous étions rencontrés, c'était sur le bateau lorsqu'en 1935 nous rentrions de permission, moi à Ceylan et lui en Malaisie. Je me dirigeai vers lui, laissant Charles à notre table. Mon ami, qui faisait partie d'un groupe de quatre personnes, s'amusait visiblement, pérorant comme il l'avait toujours fait. Je lui tapai sur l'épaule et dis : « Que fais-tu ici sur terre ? », mais il ne me remarqua pas et continua son histoire - il était certainement en bonne forme d'après ce que j'entendais et ses compagnons se tordaient de rire. M'apercevant qu'il était totalement inutile de chercher à l'atteindre de quelque façon, je me décourageai et retournai à ma table, où je trouvai Charles très amusé de mon malaise. « Comment diable puis-je savoir s'il est réel ou irréel ? » demandai-je. Charles répliqua qu'il était amusé par mon emploi des mots "réel" et "irréel", car ils n'existent pas à ce niveau. Il expliqua que c'était difficile à déterminer au début; pourtant il y avait une différence : le corps astral que nous voyons n'est pas clairement délimité chez un individu dans son corps physique, tandis que celui d'un résident permanent du monde astral ou d'un homme fonctionnant au niveau astral durant son sommeil a un contour plus net. Une autre différence à noter était la fine corde d'argent faite de matière éthérique, toujours attachée à ceux qui étaient des visiteurs temporaires, qui par ailleurs ne semblaient jamais aussi vivants que les habitants permanents; l'on apprend vite à faire la différence, en dehors de la corde d'argent qui n'est pas facile à voir. Charles me demanda de comparer Roy Chapman aux autres convives du Grill Room. Il y avait effectivement une différence, les contours du corps de Roy étaient plus nets que ceux des autres. La raison de ce phénomène est peut-être que lorsque le corps astral est utilisé comme véhicule permanent, l'ego qui l'habite ne mène pas une double existence, comme le fait un homme vivant encore au niveau physique.

Notre dîner touchait à sa fin et, alors que je sirotais mon brandy, je vis qu'un spectacle de cabaret était sur le point de commencer. Je compris combien il était important, pour des gens vivant dans l'ambiance tendue d'une guerre, de se distraire quand ils en avaient la possibilité. Dans notre environnement, aucun élément ne rappelait la guerre, mais on pouvait percevoir l'inquiétude derrière la joie superficielle du moment; toutes les persones présentes étaient conscientes d'une grande insécurité pour l'avenir et du fait qu'à tout moment n'importe quoi pouvait leur arriver, ainsi qu'à ceux qu'ils aimaient. Le spectacle comportait une sorte de ballet exécuté par des danseuses très légèrement vêtues; pour danser, elles utilisaient tout l'espace séparant les tables des convives, c'est-à-dire celui où se trouvait notre table astrale, et j'éprouvai à nouveau l'étrange sensation causée par un individu dans son corps physique passant à travers le corps astral d'un autre individu.

Après le spectacle, Charles proposa de m'emmener dans un petit night-club dont il était membre avant d'être abattu. Je ne me souviens même pas dans quelle rue était situé le club, mais je sais que c'était entre Leicester Square et Soho. La même procédure qu'au Trocadéro y fut adoptée : Charles créa une table pour notre confort et nous commandâmes des boissons à un serveur, qui fut probablement aussi créé par l'imagination de mon frère.

Il devait être environ dix heures, heure anglaise, lorsque l'atmosphère changea brutalement. Le night-club était bondé : il y avait des soldats, ainsi qu'un bon nombre de civils. Tout d'un coup les sirènes retentirent, annonçant un raid de l'aviation ennemie. Ce fut intéressant de voir l'ordre avec lequel chacun se déplaçait et l'absence totale de panique qui régnait tandis que tous les occupants du club se hâtaient de se rendre aux abris situés dans toutes sortes d'étranges endroits, en dehors du métro qui jouait un rôle si important pour la sécurité des Londoniens durant les attaques aériennes. Nous sortîmes du club et descendîmes Piccadilly. A cette heure-là il faisait nuit, mais pour nous c'était toujours la même lumière bleu-gris qu'à notre départ de Ceylan. Nous pouvions déjà entendre les bombes tomber, ainsi que les fusils de la "défense anti-aérienne" qui semblaient déchirer l'air à tout moment. Puis il y eut un bruit sourd et l'on put entendre le vrombissement des avions de combat d'une escadrille nationale entrant en action.

Ce fut à ce moment-là que je m'aperçus que mon ami indien était de nouveau avec nous. Il proposa d'aller voir si nous pouvions nous rendre utiles. Je ne comprenais pas ce qu'il voulait dire, mais je le suivis quand même; nous nous élevâmes aussitôt au-dessus des bâtiments et nous nous retrouvâmes en train de survoler Londres, avec les bombardiers ennemis et les chasseurs britanniques tout autour de nous. Je remarquai que Charles n'était plus avec nous et en fis la remarque, me demandant s'il nous avait perdus. Il me fut répondu qu'il disparaissait toujours lorsque les "combats de chiens" avaient lieu, car le souvenir d'avoir été abattu était encore trop vif dans son esprit. « Nous le reverrons certainement plus tard », me dit mon ami indien, mais en fait je ne le revis plus, ce dont je ne me rends compte que maintenant.

Nous glissions au milieu de l'enfer qui faisait rage, on entendait sans arrêt les bombes et les mitrailleuses. Pour la première fois je vis ce qu'était réellement la vie des pilotes de combat et compris que certains actes irresponsables qu'ils se permettaient entre leurs devoirs aériens n'étaient que la conséquence naturelle de la tension dans laquelle ils étaient obligés de vivre pendant leurs heures de service. Je comprenais très bien pourquoi ils trouvaient que le vieil adage "mange, bois et sois heureux, car demain nous mourrons" se rapportait parfaitement à eux; qui pourrait les blâmer de rechercher la détente sous toutes ses formes, durant les brefs instants où ils étaient libres d'en profiter ? Mon ami indien suivit un avion de chasse qui semblait être au coeur de la bataille, comme s'il savait ce qui allait arriver. En quelques secondes, une rafale soudaine de mitrailleuse projeta la machine sur le sol. Nous suivîmes, à la même vitesse, l'avion qui se tordait et tournoyait en s'écrasant; de l'engin jaillirent des flammes qui progressivement l'enveloppèrent tout entier. Avec un bruit fracassant qui me fit mal au coeur, l'avion toucha le sol et le pilote, éjecté de son cockpit, atterrit au milieu des décombres. Pendant quelques instants ce fut un véritable enfer et, bien que les ambulances aient pu arriver presque immédiatement, il était évident que rien ne pouvait être fait pour sauver l'infortuné pilote.

« Maintenant vous allez voir comment peuvent aider ceux qui ont la connaissance », dit mon ami indien. En nous posant sur le sol, nous vîmes que, bien que le corps de l'aviateur fût terriblement brûlé et sa forme humaine difficilement reconnaissable, l'homme réel dans son corps astral (je suppose) était debout à côté du corps étendu par terre, avec un air effrayé et terriblement malheureux. Lorsque mon guide s'avança et lui parla, il ne sembla ni l'entendre ni le remarquer. Je vis quelque chose qui paraissait être un manteau de matière dense tenter de s'enrouler autour de la forme astrale debout devant nous. Cela ressemblait à un matériau épais, élastique, et entourait presque complètement la forme astrale nettement délimitée - cet enroulement se fit en quelques secondes. Ce manteau, que je ne peux qu'appeler un double, semblait venir du corps physique couché sur le sol et était magnétiquement attiré par l'homme debout à côté de lui. On me dit plus tard que c'était exactement ce qui se passait et on m'expliqua que le double éthérique, forcé de sortir du corps physique au moment de la mort, s'enroule autour du corps astral pour tenter de retenir quelque forme de vie, car la mort du corps physique signifie également la mort du double éthérique qui en fait partie.

Mon ami indien fit alors un effort bien précis pour chasser la peur qui s'était emparé de l'homme ; je pouvais l'entendre dire qu'il n'y avait rien d'effrayant et que tout irait bien. Le garçon - car il était très jeune - semblait fasciné par ce qui se passait autour de lui au niveau physique. Il vit les ambulanciers, après être venus à bout de l'incendie qui avait fait rage parmi les restes de l'avion, ramasser le corps qui avait été le sien et le porter avec respect dans l'ambulance qui attendait. Je voyais le garçon reculer quand les bombes éclataient près de nous. Il voulait suivre son corps, mais mon ami l'en dissuada, lui parlant sans arrêt d'une voix apaisante, essayant de lui faire comprendre que ses problèmes étaient terminés. Quelques habitants permanents du monde astral qui étaient présents, faciles à distinguer du personnel de l'ambulance et de ceux qui se rendaient utiles au niveau physique, nous rejoignirent et nous demandèrent si nous avions besoin d'aide. Mon ami leur dit d'aller voir d'autres "cas", car nous resterions pour nous occuper du nôtre.

Je n'entendais pas tout ce que disait mon ami, mais au bout d'un moment je vis une lueur de compréhension apparaître sur le visage du garçon, tandis que la matière collante qui l'avait en partie enveloppé commençait à se détacher et à tomber sur le sol. Mon ami expliquait au garçon qu'il devait faire un effort de volonté pour se détacher d'elle. Elle finit par tomber entièrement sur le sol et sembla partir en fumée et en poussière. J'appris par la suite que cette matière éthérique se désintègre très rapidement, parce qu'elle est très fine, comparée à la partie dense du corps physique. Le garçon sembla alors renaître à la vie. Il s'assit sur le sol, la tête entre les mains, et sanglota hystériquement. Mon ami le laissa faire un moment, car, comme il l'expliqua, le corps émotionnel ou astral du garçon avait subi un stress très important et les réactions normales devaient pouvoir s'exprimer. Le jeune homme semblait penser qu'il avait commis une erreur et ne pas encore comprendre qu'il était mort et pour toujours libéré de l'enfer qu'il avait connu. « Viens avec moi, nous allons en parler », dit mon ami en le prenant par le bras. Sans que le garçon semblât le remarquer, nous quittâmes rapidement la scène : en quelques secondes nous étions loin, à la campagne.

Mon ami l'amena dans un ravissant endroit près d'un bois, où un petit cours d'eau se dirigeait vers la grande rivière en-dessous et sur la rive duquel nous nous assîmes, dans un silence qui nous parut être le paradis après l'enfer que nous venions de quitter. Mon ami commença à parler, atténuant progressivement la  peur et l'horreur qui persistaient, tandis que le garçon écoutait une très brève explication de ce qui s'était passé. Au début, il ne voulait pas croire qu'il était mort et répétait sans cesse : « Comment pourrais-je être mort, alors que je me sens si vivant ? » Nous lui demandâmes où il habitait et il nous le dit. « Viens avec nous, allons voir si ton père et ta mère dorment en ce moment. » Le garçon ne comprenait pas de quoi il s'agissait, mais il désigna la maison où sa famille vivait, juste après Finchley; nous trouvâmes sa famille qui venait juste d'aller se coucher, mais n'était pas encore endormie. Le garçon ne semblait pas se rendre compte que des étrangers se promenaient dans sa maison et regardaient ses parents; mon ami continuait à lui parler pour distraire son attention de ce qui autrement lui aurait paru très bizarre. Au bout d'un moment, son père, puis sa mère s'endormirent, et lorsqu'ils sortirent de leur corps, ils parurent très heureux de voir leur fils. Mon ami commença à leur raconter ce qui était arrivé et essaya de les préparer aux nouvelles qu'ils allaient recevoir le lendemain. Au début, naturellement, ils furent horrifiés par ce qui s'était passé, mais quand ils prirent conscience que leur fils n'était absolument pas perdu pour eux et qu'ils pourraient le voir et le contacter chaque fois qu'ils dormiraient et seraient hors de leur corps, une grande partie de la douleur qui les avait frappés comme un coup de marteau disparut.

Il est vraiment malheureux que les gens ne se souviennent pas de ce qu'ils ont vu et entendu quand ils sont hors de leurs corps; en général ils ne se souviennent de rien. Cependant, je comprends maintenant pourquoi tant de personnes ont une curieuse impression avant de recevoir la mauvaise nouvelle d'un accident ou d'une mort dans la famille : on leur en a parlé sur le plan astral et, le lendemain matin, ils en ramènent un vague souvenir dans leur conscience de veille.

Après avoir passé encore un peu de temps en leur compagnie, à leur expliquer autant que possible ce que la mort signifie réellement, mon ami suggéra que le garçon l'accompagne pour qu'il puisse le présenter à une femme travaillant au niveau astral, qui était disposée à lui montrer comment s'adapter à ces nouvelles conditions de vie. Nous laissâmes alors son père et sa mère, qui restèrent assis dans leur maison astrale, discutant de ce qu'on leur avait expliqué. Ce n'était pas un couple très évolué, ils ne s'éloignaient donc pas trop de leurs corps, qui étaient couchés paisiblement dans le lit, ignorant bienheureusement ce à quoi leurs propriétaires seraient confrontés à leur réveil le lendemain matin. Mon ami indien resta silencieux pendant un moment, puis émit un son qui résonna comme une note particulière. Sans être un sifflement, cela y ressemblait. Aussitôt, une femme d'environ trente-cinq ans vint vers nous (émergeant du brouillard, en fait), en réponse à la convocation. Mon ami expliqua que, pour entrer en contact avec quelqu'un au niveau astral, il fallait penser fortement à cette personne et, s'il y avait urgence, soutenir cette pensée en émettant la "note exacte" de cet individu. Je m'étonnai de ce que chaque personne ait une note exacte, différente de celle de n'importe qui d'autre, et que cette note aide dans les cas urgents à amener la personne dont on a besoin à un endroit donné dans les délais les plus brefs. La personne appelée entend la note et est magnétiquement attirée vers celui qui appelle.

La femme qui avait répondu à l'appel de mon ami faisait partie des nombreux "assistants astraux", comme on les nomme, qui se consacrent à aider ceux qui viennent du monde physique en passant par le processus que nous appelons mort; je peux maintenant comprendre pleinement combien un tel travail est nécessaire et merveilleux. Sans ces volontaires, non seulement ceux qui meurent mettraient beaucoup plus longtemps pour se débarrasser de ce double éthérique collant - tant qu'ils ne l'ont pas fait, leur vie au niveau astral ne peut pas vraiment commencer - mais en outre, il est facile de comprendre l'intérêt pour eux d'avoir quelqu'un pour les instruire des conditions régnant sur le plan astral. Cette femme fut rapidement mise au courant de tout ce qui concernait notre "cas" et, avec une compréhension et une compassion qui mirent très vite le garçon à l'aise, elle l'emmena pour commencer son éducation astrale. Je fus assuré qu'il en est toujours ainsi. Personne n'est jamais abandonné et obligé de découvrir les choses par lui-même, quelqu'un est toujours détaché pour accomplir cette tâche nécessaire; le nouvel arrivant retombe ainsi rapidement sur ses pieds et entame la nouvelle vie qui doit prendre la place de l'ancienne, désormais derrière lui.

Mon ami me demanda alors quelle heure il était; en regardant une horloge proche, je vis que les aiguilles montraient deux heures. Il s'était donc écoulé quatre heures depuis que les sirènes du raid aérien avaient retenti et il devait être six heures trente à Ceylan. Il dit qu'il nous restait un peu plus d'une heure, car je devrais rentrer dans mon corps à huit heures à Colombo. Il proposa de m'introduire à d'autres modes de vie pouvant être vécus au niveau astral par ceux qui ne sont pas liés par des désirs rattachés uniquement à un arrière-plan physique. Il m'enjoignit de rester à côté de lui et nous repartîmes.

Nous flottions au-dessus de la mer et ne voyions de terre nulle part. Il me demanda si je m'étais intéressé à ce qu'il y avait sous l'eau et j'admis franchement que je n'avais jamais beaucoup réfléchi à cette question. Mon guide me dit qu'au niveau astral, il était possible d'entrer en contact avec des entités appartenant à une évolution parallèle; que les poissons et les oiseaux, par exemple, ne progressent pas dans leur voyage vers la perfection en passant par le règne humain, mais se trouvent sur une autre ligne, complètement différente, l'évolution des dévas et des anges. Avant d'atteindre le niveau des dévas, ils devaient franchir de nombreuses étapes comprenant les élémentaux, les esprits de la nature et leurs semblables; si je voulais comprendre quelque chose à cette évolution, il valait mieux commencer par la base et apprendre à les connaître dans le bon ordre.

Il proposa de m'emmener sous l'eau et me dit que, quoi qu'il arrivât, je ne devais pas avoir peur, sinon je retournerais d'un seul coup dans mon corps physique et ne me souviendrais de rien de ce que j'avais vu et fait durant la nuit. Il répéta qu'il était nécessaire de se débarrasser de la peur dans tout ce qui touche à la vie hors des conditions physiques et me demanda si je me jugeais capable d'affronter ces phénomènes. J'ai toujours été le type d'individu qui aime tout expérimenter, je lui répondis donc que j'étais prêt à l'accompagner. Il me dit que le fait d'aller sous l'eau ne pouvait en aucune façon affecter mon corps astral, car ce corps n'avait pas besoin de respirer, donc le fait d'être dans l'eau ou hors de l'eau n'avait aucune importance.

Nous descendîmes à la surface de l'eau et, bien que celle-ci parût assez agitée, cela ne nous dérangea pas. La sensation provoquée par l'eau était un peu différente de celle de la terre, mais sans variation nette de température. Nous nous enfoncions progressivement, très lentement pour que je puisse garder mon calme; je ne ressentais rien de désagréable. Lorque ma tête s'enfonça sous les vagues, je fus heureux de noter que la lumière ne changeait pas. C'était toujours la même lumière bleu-gris, à laquelle je commençais à m'habituer. Tout autour de moi je voyais bouger des créatures; je reconnus des poissons, bien qu'ils ne fussent pas dans les quantités auxquelles je m'attendais. Comme nous nous enfoncions plus profondément, le nombre de poissons diminua, mais ceux que je voyais étaient nettement plus grands et se déplaçaient beaucoup plus lentement que ceux de la surface. Il y avait aussi des mastodontes ressemblant à des rochers flottants, mais en m'approchant je m'aperçus qu'ils avaient des yeux phosphorescents, ce qui dénotait une quelconque vie. Mon guide m'expliqua que ces entités étaient réellement vivantes; elles étaient en train de passer du règne des poissons à celui des élémentaux, ne montaient jamais à la surface et ne voyaient jamais d'êtres humains, car elles vivaient à des profondeurs bien au-delà de celles où elles auraient pu être attrapées dans les filets des pêcheurs.

En très peu de temps - suivant notre conception du temps - nous atteignîmes le fond de la mer, où nous posâmes à nouveau le pied sur la terre ferme - qui ne ressemblait pas à de la terre, car le sol était rocheux et ondulé. Mais quel spectacle s'offrit à mes yeux ! Le fond de la mer était un jardin; il y avait des arbustes en fleurs, des fleurs marines de toutes sortes et des rochers étincelant de milliers de couleurs différentes. Ici et là je vis des grottes, qui n'étaient pas sombres mais seulement un peu moins claires que le reste; je fus emmené dans l'une d'elles. C'était la demeure de l'un des élémentaux de la mer, très nombreux au fond de l'océan. Je poussai un cri en apercevant cette entité, qui était de la taille d'un éléphant presque adulte et dont les yeux, dans l'obscurité de la grotte, brillaient d'une lumière phosphorescente et comme magnétique. J'appris que ces créatures attirent leur nourriture - animaux et poissons marins - par le magnétisme de leurs yeux; je sentais cette attraction magnétique et j'eus d'abord un peu peur, mais mon ami indien, qui ne s'éloignait jamais de moi, m'assura qu'elle ne pouvait pas me faire de mal et que je n'avais rien à craindre. La créature que nous regardions était visiblement consciente de notre présence; ce que nous voyions était son corps astral, me dit mon ami.

Nous sortîmes de la grotte et, tandis que je me remplissais encore des beautés qui m'entouraient, j'entendis un bruit sourd, ronflant, qui ressemblait plus ou moins à de la musique. Nous restâmes silencieux pendant qu'il approchait et bientôt je vis un groupe d'environ vingt créatures étranges, qui n'étaient ni des poissons, ni des animaux, ni des hommes. Elles avaient une tête humaine, ce qui leur donnait une apparence d'êtres humains, mais leurs corps étaient entièrement enveloppés dans quelque chose ressemblant à des algues flottantes, quoique beaucoup plus belles que toutes celles que j'avais vues jusque-là. Flottant légèrement au-dessus du fond de l'océan, elles chantaient; certaines jouaient d'un curieux instrument en forme de tuyau, qui émettait un son plaintif rappelant celui du vent. Le résultat était magnifique. J'appris que ces créatures étaient des esprits de la mer, qui vivent dans toutes les eaux profondes. J'aurais pu écouter leur musique très longtemps. Il y avait une sorte de refrain qui revenait sans cesse; les notes étaient difficiles à distinguer individuellement, elles étaient plutôt fondues en un tout harmonieux. C'etait une vraie symphonie marine dont je voulais entendre davantage. Mon ami me dit que je pourrais le faire sans problème une autre fois si je le désirais, mais qu'il était temps maintenant pour nous de continuer notre chemin.

Je restai près de mon guide; nous émergeâmes rapidement à la surface de la mer et, sans aucun effort, nous nous élevâmes dans les airs pour continuer notre voyage. Une fois de plus nous voyagions à ce qui devait être une vitesse formidable, à en juger par les repères terrestres, bien que nous n'eussions en fait pas de sensation de vitesse. Au bout d'une minute, il me sembla que nous ralentissions et je vis que nous survolions le port de Colombo; un instant après, nous traversions les fenêtres de la chambre de mon bungalow, que j'avais quitté moins de dix heures auparavant.

Mon corps était toujours apparemment endormi sur le lit, mais en le regardant, je remarquai qu'il bougeait et se retournait pour se mettre sur le dos. Mon guide me le fit remarquer et m'expliqua que, subconsciemment, il commençait à sentir qu'il était bientôt temps pour lui de se réveiller, que dans quelques minutes il enverrait un S.O.S. et que, même si j'étais à quinze mille kilomètres de là, je devais revenir immédiatement, car cette sommation signifiait qu'il avait eu une quantité suffisante de sommeil et souhaitait reprendre son travail dans le monde.

Je demandai comment l'on pouvait être sûr que le corps resterait endormi pendant un nombre d'heures déterminé. Il répondit que c'était difficile, mais qu'avec beaucoup d'entraînement et de concentration, il était possible de le discipliner et de le soumettre à la volonté; j'en conclus qu'il fallait beaucoup de temps et d'entraînement pour y parvenir. Je demandai si le comprimé que j'avais pris avant de me coucher la veille au soir était en rapport avec ce problème; il me répondit que oui. Le comprimé était un somnifère particulier élaboré selon une formule secrète, qui permettait à la personne de s'endormir presque immédiatement et à son corps de rester endormi pendant dix heures, à moins qu'il ne soit réveillé par un bruit extraordinaire ou un contact avec un agent extérieur. Il me dit avec insistance que si je souhaitais faire l'expérience de ramener dans la conscience physique ce que j'avais fait hors de mon corps, il fallait absolument que j'habitue mes domestiques à ne jamais me réveiller ni faire de bruit à proximité de ma chambre durant la période où je souhaitais rester endormi.

Mon ami indien me dit ensuite qu'il était temps pour moi de rentrer dans mon corps et qu'il s'efforcerait d'imprimer à mes cellules cérébrales la nécessité de se rappeler ce qui s'était passé durant la nuit, afin qu'il n'y ait pas de rupture de conscience lors du réveil. Dès que j'aurais retrouvé la conscience dans mon corps physique, je devais commencer à prendre des notes sur ce que j'avais fait durant la nuit, puis, sitôt mon bain et mon petit déjeuner pris, je devais sans perdre un instant écrire en détail tout ce que je me rappellerais.

Dès que mon guide eut fini de parler, je me sentis glisser à nouveau *dans* mon corps et je me réveillai sans aucune rupture de conscience, comme je l'espérais. Je m'assis dans le lit, approchai un bloc de papier et un crayon que j'avais préparés et commençai à prendre des notes sur tout ce qui s'était passé durant la nuit. J'avais eu de la chance que l'on me dise de le faire immédiatement, car je m'aperçus que même avec les repères que j'avais notés, j'eus des difficultés à me souvenir exactement de ce qui s'était passé lorsque, plus tard, j'écrivis mon rapport détaillé. Je verrai demain dans quelle mesure ma mémoire a été fidèle, quand je montrerai ce document à mon visiteur - il a dit qu'il continuerait ses exposés.

# Chapitre V

Ce fut en vain que, cette nuit, je fis tous mes préparatifs et me concentrai pour me voir dans un miroir. A présent je ne me souviens d'absolument rien. Je m'endormis dès que ma tête toucha l'oreiller - j'étais certainement fatigué par la concentration qu'avait exigé mon rapport d'hier - et lorsque je me réveillai ce matin, frais et dispos, j'avais l'impression qu'il s'était écoulé très peu de temps. Pas le moindre rêve ne perturba mon sommeil et je dois avouer que je suis déçu; mais j'en attendais peut-être trop.

Dans une heure, mon ami indien sera là et sans doute m'expliquera-t-il pourquoi j'ai échoué si lamentablement cette nuit.

A onze heures précises, alors que je parcourais mes notes en me demandant ce qu'il en penserait, il ouvrit la porte. Visiblement, il savait que je m'étais un peu énervé en essayant de comprendre pourquoi j'avais oublié tant de choses de mon voyage astral, car ses yeux brillaient lorsqu'il me demanda si mon rapport était prêt. Il ne riait apparemment jamais, mais ses yeux souriaient souvent; je ne doutais pas qu'il avait un sens de l'humour bien développé.

Après avoir lu mes notes, il me complimenta pour tout ce que je m'étais rappelé et estima que, pour un premier essai, il était nettement au-dessus de la moyenne. Je lui demandai si j'avais omis beaucoup de choses; il répondit que j'avais oublié un certain nombre d'éléments de l'épisode sous la mer, ainsi que de celui où nous nous efforcions d'aider le jeune pilote de combat juste après son accident. Ces omissions étaient sans importance; je m'étais prouvé à moi-même qu'il est possible de se rappeler ce que l'on fait en dehors du corps, là était l'essentiel. Perfectionner le processus permettant le "rapport" des événements n'était maintenant plus qu'une question de temps et de concentration.

« Mais pourquoi n'ai-je pu me souvenir de rien ce matin ? »

Il sourit en me faisant remarquer que je ne pouvais pas compter tout réussir du premier coup et que je devais m'attendre à de nombreuses déceptions; mais si j'étais vraiment déterminé à réussir, il ferait son possible pour m'aider. Il continua : « Grâce à vos aventures de la nuit précédente, il m'est beaucoup plus facile qu'auparavant de vous décrire le plan astral. En effet, maintenant vous avez fait vous-même l'expérience de ce que je m'efforçais de vous expliquer avec des mots. Vous avez ainsi appris la première leçon de ce que nous appelons la sagesse occulte, qui consiste à ne jamais croire naïvement tout ce que l'on vous dit. Vous ne devez pas le rejeter non plus; ce serait stupide. La seule méthode valable consiste à prendre ce que l'on vous dit comme une possibilité, puis à chercher à en faire la preuve par vous-même.

« Qu'avons-nous donc prouvé jusqu'à présent ? C'est par là que je souhaite commencer. Vous vous êtes prouvé qu'il est possible de vivre des expériences en-dehors du corps physique; que la mort n'est pas ce que vous pensiez, puisque vous avez vu votre frère Charles et savez qu'il est en réalité très vivant, quoique invisible pour vous tant que vous êtes dans votre corps physique; vous lui avez parlé, ce qui devrait suffisamment vous prouver qu'il existe une région où vous pouvez le suivre à certains moments. Bien que Charles connaisse encore mal les conditions du plan astral, honnêtement vous ne pouvez pas dire qu'il souffrait; sa vie n'avait rien de misérable ni de naturellement rebutant. Vous avez donc fait un pas vers la libération de la peur de la mort, cette peur qui marque si profondément tant d'hommes dans le monde. Rien qu'avec votre connaissance présente, vous savez que la mort n'est pas une tragédie - ainsi que l'on dit souvent - et que, dans certains cas, elle peut être considérée non seulement comme un soulagement, mais même comme une grande bénédiction. Vous avez vu par vous-même que la vie après la mort est largement conditionnée par la vie dans le monde - vous pouvez vous rendre compte que ceux qui ont des goûts artistiques ou qui sont intéressés par une certaine branche artistique, telle que la musique, la peinture, la littérature ou la philosophie, ou même ceux qui aiment voyager, sont bien pourvus à ce point de vue après la mort. D'un autre côté, vous vous êtes aperçu que ceux dont les vies ici-bas sont purement matérielles, dont les amusements et les intérêts dépendent du corps physique, qui sont attirés vers les sports, les plaisirs, les affaires destinées à gagner de l'argent, vont trouver que le temps passe péniblement après la mort, jusqu'à ce qu'ils comprennent qu'ils peuvent trouver d'autres centres d'intérêt. »

Je demandai : « Comment peut-on trouver d'autres centres d'intérêt après la mort ? »

« De la même façon que vous les auriez trouvés durant votre vie, si vous aviez eu suffisamment de loisirs et d'argent pour suivre les cours nécessaires. Au niveau astral, des écoles existent - vous ne les avez pas encore vues - parce que les habitants permanents de ce monde ont grand besoin d'entraînement dans les domaines où ils ont des lacunes, en vue de la vie qui les attend. Ces écoles ont un double but : elles enseignent aux élèves les conditions de vie au niveau astral et la manière dont ils peuvent employer ces conditions pour leur plaisir et leur éducation, et elles donnent des cours dans tous les domaines pour lesquels les conditions du plan physique ne sont pas indispensables.

« La plupart des vrais musiciens, artistes et philosophes, ainsi que ceux qui étaient enseignants ou professeurs dans le monde physique, ont une grande joie à transmettre certaines de leurs connaissances et expériences à ceux qui ne les ont pas, mais sont suffisamment intéressés pour vouloir apprendre. L'absence du facteur temps - le fait qu'il ne soit pas nécessaire de dormir huit heures sur vingt-quatre - est considérablement utile à ce niveau. Même si des experts dans des domaines particuliers consacrent trois ou quatre heures par jour seulement à former de nouveaux étudiants, le temps qu'ils donnent n'est aucunement une épreuve, car ils disposent des vingt heures restantes pour leurs propres activités. En pratique, il s'avère que de nombreux ex-professeurs et spécialistes dans leurs arts tirent tant de plaisir à mettre ce nouveau matériel dans des moules qu'ils s'attachent d'eux-mêmes volontairement à ces écoles et consacrent souvent plus de la moitié du temps qu'ils passent au niveau astral à enseigner aux autres les rudiments de leurs arts ou, dans certains cas, à aider ceux qui ont déjà développé quelque compétence à devenir des adeptes, grâce aux cours intensifs disponibles dans le monde astral.

« Ces écoles jouent un rôle important pour la vie dans le monde astral; en outre, elles influencent incontestablement les futures vies de leurs élèves. Si, au niveau astral, un homme développe l'amour d'un art ou d'une science, il naîtra dans sa vie physique suivante avec le *désir* de continuer cette étude; nous trouvons ainsi des enfants montrant à un âge précoce une aptitude enthousiaste pour une chose qui n'est peut-être pas du tout caractéristique de leurs parents. De tels penchants pour un art devraient toujours être encouragés. Les parents sont souvent de l'avis contraire, puisqu'eux-mêmes n'ont eu besoin de rien de tel pour réussir leur vie. C'est cependant une grande erreur; si les parents percevaient que le désir de l'enfant est parfaitement naturel, qu'il a simplement très envie de reprendre la formation qu'il a commencée durant sa dernière vie astrale dégagée de tout souci, ils comprendraient probablement que de tels désirs doivent être encouragés et non écrasés, comme ils le sont si souvent. Aussi bien dans ce monde que dans le monde voisin, nous sommes constamment en train de progresser et de rendre nos vies futures plus heureuses et plus pleines.

« Les habitants permanents découvrent ces écoles par différents biais et toujours à un stade où elles leur sont de la plus grande utilité. Quand ils comprennent pour la première fois qu'ils vivent dans le monde astral, il est presque inutile de les leur mentionner, car ils vous assureront d'emblée qu'ils n'ont aucune envie de retourner à l'école. Ils veulent s'amuser. Pendant les premiers mois, la possibilité de faire le tour du monde et de voir tous les pays qu'ils n'ont pas eu la chance de visiter pendant qu'ils étaient ici-bas suffit en général à les satisfaire.

« Vous vous rappelez que Roy Chapman, l'ami de votre frère, admettait qu'il s'ennuyait par moments. Il avait tout essayé; il s'était bien sûr fait quelques amis et aimait les emmener à des dîners et des spectacles, des pique-niques, etc., mais toutes ces distractions deviennent insipides au bout d'un certain temps. Roy jouait au golf durant sa vie, mais le golf n'est pas, dans le monde astral, le jeu intéressant qu'il est ici-bas. Un homme tel que Roy se fatiguera certainement de tout ce qu'il a fait durant les six derniers mois et n'hésitera alors pas à exprimer son ennui à ceux qu'il rencontrera dans son monde. Un jour, une personne à qui il aura été présenté lui signalera les occasions qui existent d'accroître ses connaissances ou d'étudier un art ou un domaine particulier. Il ne sera pas enthousiaste au début, mais il comprendra rapidement que l'apprentissage de quelque chose d'entièrement nouveau occupera son temps; son intérêt sera peut-être éveillé : un autre être sera passé du stade matérialiste à la vie qui rend le séjour au niveau astral beaucoup trop court.

« Pour d'autres, ces nouveaux intérêts n'ont aucun attrait. Ce sont en général les vieux couples mariés, qui ont développé un goût pour la vie domestique. Ce à quoi ils avaient toujours aspiré était d'avoir une maison, un jardin, et de mener une vie tranquille parmi leurs amis; ils aimaient écouter la radio, regarder la télévision. Leur bonheur dépend du fait d'être ensemble. Ils peuvent de toute façon poursuivre ce type de vie au niveau astral, sans aucune difficulté. Si l'homme meurt le premier, il erre, malheureux et seul, durant les heures où sa femme est réveillée et il est là pour la retrouver dès qu'elle sort de son corps au moment où elle s'endort. Suggérer à un tel homme qu'il y a des écoles où il peut apprendre quelque chose est généralement une perte de temps; il dédaigne cette idée, tout ce qu'il veut est une maison confortable avec sa partenaire. Il se met à chercher la manière et les moyens de vivre d'une façon que lui et sa femme apprécieront quand ils seront réunis. Il apprend que rien n'est plus simple que d'avoir une maison et un jardin correspondant exactement à ses rêves domestiques : il suffit d'en exprimer le désir en pensée. Il trouve le plus bel endroit disponible et, quand sa femme passe de l'autre côté, ils construisent la maison de leurs rêves et la meublent exactement comme ils auraient aimé le faire dans le monde s'ils en avaient eu les moyens. Maintenant qu'une pensée produit exactement les objets qu'ils désirent, ils pensent souvent aux merveilleux appareils qui leur épargneraient du travail. Souvent, des hommes d'affaires les voient, en prennent note et, dans leur vie suivante, inventent des objets similaires. Ce vieux couple possède une installation stéréophonique ultra-moderne; il crée en pensée les serviteurs nécessaires pour exécuter ses ordres, ainsi qu'un jardin avec toutes les sortes de fleurs ou de fruits qu'il lui plaît d'avoir - il n'y a aucune limitation due au climat. Ils distraient leurs amis, prennent plaisir à montrer leurs inventions et vivent très heureux sur le plan astral. Ils se lient souvent avec des animaux domestiques qu'ils avaient sur terre ou en adoptent d'autres.

« La béatitude du couple âgé que je viens de décrire n'est pas aussi générale que l'on pourrait le supposer. Les hommes et les femmes se marient pour diverses raisons; parfois c'est une attraction physique qui les réunit, quelquefois c'est la richesse; même la solitude joue un rôle dans l'union de deux individus. Il est très rare de voir ce que nous appellerions un couple idéal - deux personnes dont la conception de la vie s'accorde, dont le niveau d'évolution est semblable, chacun ayant suffisamment d'intelligence pour être capable d'entrer dans les problèmes de l'autre. De telles unions sont rares et, sur le plan occulte, ne sont pas très désirables, car il est bon pour un être évolué d'être attiré par un partenaire moins évolué.

« Quand on entend une remarque telle que : "Quel dommage que Jean ait épousé Marie, ils sont tellement mal assortis, ne trouvez-vous pas ?", il faut comprendre que si celui qui parle avait plus d'expérience, il saurait que ces deux jeunes gens sont destinés à tirer des bénéfices considérables des quelques années qu'ils passeront ensemble. Le résultat immédiat d'une union apparemment mal assortie est invariablement une série de difficultés pour les deux parties; il y a toujours un conflit d'intérêts. L'homme a peut-être été initialement attiré vers la femme à cause de ses charmes physiques. Au bout d'un moment, ce "charme" diminue (bien qu'il soit peu probable qu'il cesse entièrement) et il ne reste plus aux deux personnes que la camaderie comme seul lien qui les maintienne ensemble; mais la camaraderie n'est pas facile quand les goûts et les désirs des deux individus ne sont pas les mêmes. Dans le cas où l'homme est le plus évolué des deux, son intérêt va aux livres, à la musique, au côté sérieux de la vie, tandis que la femme veut fréquenter tous les lieux de distraction où vont ses amis du moment. Le résultat en est un affrontement d'idées, ainsi que beaucoup de discussions et de désagréments. S'il n'y a pas d'enfants, souvent le mariage est rompu, uniquement à cause de l'incompatibilité des tempéraments; ce qui est très regrettable, parce que c'est à travers leur inégalité que les deux personnes concernées pourraient acquérir davantage de connaissance et d'expérience. L'homme doit trouver un moyen de se rapprocher de sa partenaire. En réfléchissant, il comprend qu'il doit commencer par élever les intérêts de sa femme jusqu'à son propre niveau d'éducation - tout en s'assurant qu'elle ne s'aperçoit pas de ses efforts, sinon elle développerait immédiatement un complexe d'infériorité. Il doit apprendre à être patient quand, par son inexpérience, elle le pousse à des actes qu'il sait n'être ni raisonnables ni nécessaires. Même s'il sait qu'ils sont faux, il doit parfois la laisser faire pour qu'elle puisse constater les résultats de son erreur. La femme ne désire pas toujours être menée, même si elle sait inconsciemment que son partenaire dans la vie est plus sage qu'elle. Si deux personnes peuvent passer ainsi une vie ensemble, les bénéfices sont grands pour elles. L'une aura eu la chance d'avoir une intelligence supérieure et une plus grande expérience pour la guider et développer son caractère, tandis que l'autre aura dû apprendre la valeur de la patience, du tact, de la nécessité de voir les choses d'un autre point de vue, une vue plus limitée que la sienne par manque d'expérience.

« Après la mort, de tels individus ne continuent pas nécessairement à vivre ensemble; l'homme ressent probablement le désir de passer son temps avec des esprits plus élevés que le sien, tandis que la femme qui, pendant de nombreuses années terrestres a été forcée de vivre dans une tension importante, obligée de faire des efforts pour atteindre un niveau supérieur au sien, souhaite maintenant se reposer et prendre les choses à la légère pour un temps. Habituellement, après une courte période de relative inactivité, elle découvre que les graines semées durant sa vie ont amené un fort désir de poursuivre le développement déjà entamé. Elle s'aperçoit qu'elle ne tire plus complète satisfaction des plaisirs artificiels auxquels elle aspirait auparavant et pour lesquels elle tyrannisait son mari - qui ne répondait pas - afin qu'il les lui procure. Son appétit intellectuel a été aiguisé et il lui paraît impossible de retourner au niveau qui lui était naturel au temps de leur mariage sur le plan physique. Elle vous dira que sa vie n'était alors pas particulièrement heureuse, mais maintenant qu'elle est finie, elle est contente que, suivant les décrets du Destin, cette expérience ait été la sienne.

« Il arrive souvent que deux personnes qui ont passé une vie entière ensemble n'aient plus de contact l'une avec l'autre, que ce soit après la mort ou dans des vies futures. Chacune a rendu service à l'autre, toutes deux ont bénéficié d'être momentanément réunies, mais leur vision de la vie est trop différente pour qu'elles soient réellement attirées l'une vers l'autre.

Dans un tel cas, l'homme a peut-être vécu cinquante ou cent vies de plus que la femme; sa compréhension du vaste "plan" sera naturellement plus grande que celui de la femme, son réservoir de connaissances (cette accumulation d'expériences venant de vies passées) sera supérieur au sien et, à tous points de vue, il sera considéré comme un être supérieur. Mais n'oubliez pas que cent vies avant celle-ci, il était dans la même situation que sa femme actuelle, qu'il a probablement été forcé de passer une vie avec quelqu'un de beaucoup plus développé que lui et qu'il en a bénéficié.

« Vous avez peut-être entendu dire que chaque personne a ce que l'on appelle une âme soeur et que l'on devrait toujours rechercher cette personne. Il est tout à fait exact que les âmes soeurs existent; à l'origine, lorsque la force de vie est produite par le Pouvoir Divin, elle apparaît sous deux formes jumelles, l'une mâle, l'autre femelle. Ces deux formes évoluent tout à fait séparément, chacune ayant son quota de vies dans des corps mâles et femelles. Mais en des occasions particulières, lorsqu'un grand travail doit être fait, ces deux entités sont souvent réunies, parce que l'inspiration de l'une rend l'autre capable d'accomplir cette gigantesque tâche.

« Un grand homme qui a atteint son but dit souvent qu'il n'y serait jamais parvenu sans l'aide, les conseils et le puissant soutien de sa femme. Cela ne signifie pas nécessairement qu'ils étaient des âmes soeurs, mais peut parfois l'indiquer; dans ce cas, les deux personnes semblent agir comme une seule grande unité. Elles ont non seulement les mêmes pensées, mais sentent aussi instinctivement ce qui est bon pour toutes les deux. C'est là évidemment la fusion parfaite du positif et du négatif, des principes mâle et femelle. Ce ne serait pas bon pour nous de vivre toujours avec nos âmes soeurs, car nous aurions alors tendance à évoluer très égoïstement; nous n'apprendrions jamais à voir les choses d'un autre point de vue, à traiter avec des idées opposées, à lâcher du lest pour produire quelque chose, au lieu de rester sur nos positions et ne rien accomplir.

« Ces exemples vous donnent une petite idée de la manière dont les egos sont aidés sur le chemin de leur évolution. C'est à travers des difficultés telles que la nécessité de vivre avec des individus avec qui nous ne sommes pas en accord à tous points de vue que nous apprenons la vraie tolérance. Une vie agréable et paisible n'est pas nécessairement la meilleure. Nous progressons plus rapidement sur le chemin de l'évolution à travers la souffrance et des méthodes qui semblent souvent dures et cruelles. Chaque vie est une journée à l'école de l'évolution et, si nous voulons être capables d'accomplir le but pour lequel on nous a envoyés nous incarner, nous ne pouvons nous permettre de manquer la moindre occasion.

« Demain je vous donnerai quelques éléments sur les habitants non humains du plan astral, puis je vous emmènerai dans un autre voyage astral pour que vous puissiez voir par vous-même que les êtres humains astraux se conforment à ce qui peut être appelé les réactions normales d'un individu sur le plan physique. »

# *Chapitre VI*

La perspective de faire un autre voyage astral avec mon professeur indien m'avait beaucoup excité et mes attentes par rapport à ce voyage avaient un peu atténué la déception causée par mon échec lorsque j'étais seul. La nuit dernière, je me suis concentré pour me voir couché sur mon lit, comme je l'avais fait la nuit où j'avais été aidé. En me réveillant ce matin, je me sentais très bien reposé, mais je ne me souvenais absolument pas de ce qui m'était arrivé après la perte de ma conscience. Je *dois* trouver comment rapporter des éléments depuis l'autre côté. Je sais qu'il ne sert à rien de se faire du souci, car cela constitue plus souvent un obstacle qu'une aide; on ne peut apprendre d'un seul coup toutes les ficelles du métier. Je suppose que la seule chose que je *puisse* faire est de persévérer dans cette concentration, que l'on me dit être une part si importante du processus, jusqu'à ce que je réussisse quelque petit début à partir duquel continuer à travailler.

« Il ne sert à rien d'être déçu. » Mon ami indien était debout derrière moi là où j'écrivais; je ne l'avais pas entendu ouvrir la porte. « C'est ce qui se passe dans de très nombreux cas. On donne aux gens un aperçu de la vérité; comme ils ne peuvent immédiatement faire ce qu'ils savent possible à d'autres, ils se découragent et renoncent à essayer. Souvent, ils disent : "Visiblement, cette vie occulte n'est pas pour moi", alors que tout ce qui est nécessaire pour obtenir des résultats est un peu de patience et la détermination à percer le mur qui sépare notre vie dans le monde de la vie que nous menons pendant notre sommeil. Ne soyez pas trop exigeant, mon ami. Rappelez-vous qu'il y a moins de deux semaines, vous étiez assis là, accablé par le chagrin, doutant même que la mort soit la suite logique de la vie. Maintenant, au moins, vous savez quelque chose et bientôt vous aurez l'occasion d'en savoir davantage.

« Vous pensez : "Pourquoi n'y a-t-il pas davantage de gens au courant de tout cela ?" Peut-être n'ont-ils pas demandé la connaissance, l'aide, comme vous l'avez fait; peut-être sont-ils satisfaits de l'une des nombreuses religions qui leur disent d'avoir la foi et de croire que tout ce qui se passe est la volonté de Dieu. Tout événement est certainement la volonté de Dieu, mais c'est plus facile si nous en comprenons la raison. C'est plus facile s'il y a une réponse logique à chaque question et donc si chaque individu qui en prend la peine devient capable de prouver les choses par lui-même; il n'a alors plus besoin d'accepter des affirmations basées sur la foi. La foi est toujours bonne, mais la connaissance est meilleure. Vous devez avoir la foi pendant le temps où vous acquérez la connaissance et, quoi qu'il arrive, vous ne devez jamais perdre courage. L'évolution est un processus lent qui peut rarement être accéléré, bien que les activités d'un individu puissent être inspirées par un encouragement et une aide donnés au bon moment.

« Jusqu'à présent, vous n'avez vu qu'un minuscule secteur du monde astral, celui qu'habitent en principe ceux qui viennent de passer de ce monde-ci à l'autre, par la porte désignée sous le nom de mort. Une fois réellement établi comme habitant du monde astral, vous visitez rarement de tels endroits, mais vous pouvez y aller si vous le souhaitez. C'est ce que vous faites de temps en temps, par exemple quand vous rencontrez des amis et des relations qui meurent et ont donc besoin de l'aide des habitants réguliers, exactement de la même manière que vous demandez l'aide d'amis vivant dans un pays étranger que vous visitez comme touriste ou nouveau colon.

« Le monde astral est divisé en ce que l'on nomme sphères, niveaux ou sous-plans. Il vous faut connaître l'existence de ces sphères, sinon vous ne pourrez jamais comprendre comment fonctionne ce monde. La plupart des enseignants illustrent ce point en demandant aux étudiants de se représenter la sphère la plus dense du monde astral comme ce qui se trouve au niveau du sol. Cette sphère comporte le double de tout ce qui existe dans le monde physique; donc là où il y a une ville ou un bâtiment dans le monde physique, il y a, dans la matière astrale, le double de cette ville ou ce bâtiment, que vous voyez très clairement quand, dans votre corps astral, vous fonctionnez au niveau astral. Imaginez que le double astral de Piccadilly Circus, à Londres, que vous avez visité il y a quelques nuits, représente la bruyante sphère inférieure. Puis imaginez un monde semblable - disons à un kilomètre au-dessus du monde inférieur - dans lequel on peut se transporter en une seconde par un effort de volonté et qui correspond à la seconde sphère du monde astral, moins dense que la première, mais encore assez matérielle et proche des conditions du plan physique. Si vous étiez à un kilomètre au-dessus de Londres, vous pourriez encore percevoir le grondement du trafic et le bruit qui fait partie intégrante de la vie d'une grande cité, mais ce ne serait plus qu'un murmure en comparaison du bruit que vous entendez depuis un rez-de-chaussée. Maintenant, imaginez une troisième sphère de conscience, encore un autre kilomètre au-dessus de la deuxième; vous pouvez imaginer que si vous viviez dans cette troisième sphère du monde astral, vous seriez tellement loin du remue-ménage de la ville de Londres que vous ne seriez pas affecté par son existence; vous en seriez même plus ou moins inconscient.

« Il existe sept sphères de conscience dans le monde astral, chacune étant moins matérielle que celle située "en dessous" d'elle. Les habitants permanents peuvent passer leur vie astrale dans n'importe laquelle de ces sphères, suivant leurs désirs naturels. Par exemple, un homme peut passer quelques semaines dans la première sphère, puis aller les deux années suivantes dans la seconde, pour ensuite passer dans la troisième ou la quatrième, lorsque ses désirs et ses habitudes deviennent moins matériels et plus artistiques, intellectuels ou spirituels. Il n'y a donc jamais de risque de surpopulation dans cet univers.

« Dans le monde physique, un homme est limité dans le choix de son lieu de vie. A cause de son travail, qui lui permet de gagner l'argent nécessaire pour subvenir à ses besoins, il peut être forcé de vivre à un endroit où il ne se serait pas installé autrement. En outre, beaucoup de lieux sont inhabitables en raison du climat ou d'autres difficultés. On ne peut vivre confortablement ni au pôle Nord ni au pôle Sud, à cause du froid extrême et d'autres limitations telles que le manque de soleil et de lumière du jour à certaines périodes de l'année; on ne peut vivre dans la plupart des déserts, en raison du manque d'eau; on ne peut vivre dans les jungles denses, car il faudrait exterminer les bêtes sauvages avant d'être suffisamment en sécurité pour y bâtir une maison et l'occuper. Dans le monde astral, ces limitations n'existent pas. Le climat est le même aux pôles Nord et Sud que partout ailleurs, la lumière du jour n'est nulle part limitée, puisqu'elle est partout la même vingt-quatre heures sur vingt-quatre; dans le désert, on n'a pas besoin d'eau pour vivre; si l'on souhaite vivre dans le double astral de la jungle, c'est possible - on ne peut être attaqué par une bête sauvage : dans le monde astral, l'homme apprend qu'il ne peut faire de mal à un animal et les animaux apprennent qu'ils ne peuvent faire de mal à l'homme. En outre, comme l'on peut choisir entre sept sphères de conscience, il est toujours possible de trouver les conditions permettant le type de vie désiré, dans un environnement en accord avec son développement émotionnel, mental et spirituel. Une fois que vous comprendrez les différents types d'existence qui constituent la vie faisant suite à celle d'ici-bas, il vous sera facile de voir que toutes les parties du jeu de patience s'emboîtent exactement; alors le Chemin de l'Evolution devient une suite logique d'événements déterminés par des lois naturelles, valables en théorie comme en pratique.

« Tous ces faits sont expliqués et enseignés dans les écoles qui existent dans certaines sphères astrales; c'est habituellement grâce à ces écoles, dont un homme entend parler d'une manière ou d'une autre en temps voulu, que naît l'incitation ou le désir de passer d'une sphère à une autre. On y montre à l'entité astrale comment se transporter d'un niveau à l'autre - le changement se fait grâce à un effort de volonté particulier. Bien que la matière dont est constituée une sphère donnée soit différente de celle dont est constituée une autre sphère, nos corps astraux renferment tous les types de matière; il suffit d'activer dans nos corps les atomes apparentés à la sphère concernée pour pouvoir y fonctionner pleinement. On enseigne également à l'entité qu'un homme fonctionnant dans la deuxième sphère ne peut entrer en contact ou communiquer avec un homme fonctionnant dans la première - ni un homme dans la troisième avec un de la deuxième. Si, pour une raison quelconque, un homme vivant au troisième niveau souhaite entrer en contact avec une personne vivant sur le premier, il doit redescendre sur celui-ci par un acte de volonté, qui, comme je l'ai dit, réactive les atomes de la première sphère contenus dans son corps. Le processus est le même que l'on "monte" ou que l'on "descende". La vie dans chaque sphère est distincte et autonome en ce qui concerne ses buts, de même que la vie en Angleterre est distincte et différente de la vie en Inde. Les deux pays appartiennent au monde physique; toutes ces sphères appartiennent au monde astral, mais elles fonctionnent séparément et pour des raisons bien définies.

La partie la plus matérielle du monde astral - la plus dense - est celle qui vous environne immédiatement après la mort; pendant que vous vivez dans cette partie dense, vous voyez autour de vous les mêmes choses que lorsque vous viviez dans le monde physique. Si vous étiez à Londres durant votre vie, il est plus que probable qu'après votre mort vous restiez dans le double astral ou le reflet de Londres, pour la simple raison que, au début, vous voudrez rester en contact avec quelque chose que vous comprenez; vous voulez voir des gens autour de vous et avoir une maison parfaite, où vous pouvez recevoir des amis comme auparavant. Puis un jour, peut-être, un ami vous fait remarquer que votre vie en ville a peu d'intérêt dans le monde astral et vous suggère d'aller voir les beautés de la campagne. Vous pouvez aisément imaginer la différence d'atmosphère entre une vie parmi les millions d'individus grouillants qui constituent une métropole et la paix d'un village à la campagne, où les habitants se comptent par douzaines au lieu de milliers ou millions. C'est là la seconde sphère - pour mieux la décrire, j'avais suggéré de l'imaginer un kilomètre au-dessus de la première; vous y trouveriez de nombreuses familles menant une vie heureuse, avec les relations sociales et tout ce qui accompagne habituellement l'idée d'une vie parfaite à la campagne.

« Vous pouvez vivre dans ces sphères aussi long-temps que vous le désirez. Une personne de type grossier et matérialiste est plus heureuse dans la partie la plus dense du monde astral, car celle-ci est plus proche et ressemble davantage au monde physique auquel elle est attachée; elle continue à y mener une existence très limi-tée. Ce ne sont pas des sphères dans lesquelles un homme développé - ayant un arrière-plan spirituel - serait particu-lièrement heureux s'il était obligé d'y rester longtemps. Mais il n'y est pas obligé; après la période du purgatoire, pendant laquelle on lui montre les résultats des bonnes et mauvaises actions de sa vie passée, dont la compréhension influence son futur caractère, il commence à aspirer à s'éloigner de tout ce qui ressemble à cette vie achevée. Les immenses possibilités d'expériences intéressantes et profitables qui l'attendent dans les sphères plus élevées et moins denses du monde astral se révèlent à lui. Il fait alors en sorte de vivre sa vie astrale dans des conditions qui soient la continuation de son développement réel, ce qu'il trouve dans la troisième sphère, où il rencontre les individus créateurs - musiciens, artistes, scientifiques, etc. - ou dans la quatrième, où il peut discuter des pro-blèmes du monde avec des hommes ayant une intelligence plus développée que lui.

« Quand une entité astrale d'origine humaine atteint ces sphères, elle s'aperçoit qu'elles sont également habi-tées par d'autres entités, qui ne sont pas d'origine humaine. Il est important que vous sachiez quelque chose sur ces entités et leur origine avant de faire d'autres expériences astrales; je vais donc vous en parler maintenant. Ces entités appartiennent à une évolution parallèle appelée règne des dévas ou des anges. Elles évoluent de façon comparable au règne humain mais, au lieu de s'individualiser à partir du règne animal pour passer dans le règne humain, elles s'individualisent en élémentaux, esprits de la nature, dévas ou anges, alors qu'auparavant elles avaient la forme d'insectes, poissons ou oiseaux. Quand le temps est arrivé pour un oiseau ou un poisson de passer à la prochaine étape de son développement, il devient un élémental ou un esprit de la nature, suivant son type dans le monde physique.

« Vous vous rappelez que, lorsque je vous ai emmené sous la mer lors de votre premier voyage astral, je vous ai montré quelques-uns des élémentaux vivant au fond de l'océan. A l'origine, ils étaient des poissons et, dans leur voyage naturel vers leur but qui est la perfection, ils doivent se transformer en élémentaux, de même que les chiens, les chats, les chevaux, etc., passent de leur types animaux dans les types humains non évolués que nous connaissons dans le monde. Les oiseaux, par exemple, deviennent des esprits de la nature - parfois appelés fées - et les élémentaux, tout comme les esprits de la nature, atteignent, au bout de nombreuses vies de progrès, un stade où ils deviennent ce que le monde appelle des dévas ou des anges.

« Il y a cependant une grande différence entre les deux évolutions : celle des dévas n'habite pas le monde physique une fois que le poisson ou l'oiseau est arrivé au stade d'élémental ou d'esprit de la nature. Elle habite uniquement les mondes astral et mental et, à part les élémentaux inférieurs et les esprits de la nature très jeunes ou non évolués, elle ne vit pas en dessous de la troisième sphère de ce monde astral. C'est pourquoi les gens vivant dans le monde physique savent si peu de choses sur leur évolution; ils entrent difficilement en contact avec eux - du moins en ce qui concerne l'individu ordinaire. Les êtres humains qui ont développé leur sens latent de clairvoyance peuvent aussi voir ces créatures au niveau physique, car, pour le clairvoyant, les portes ne sont pas fermées entre le monde astral et le monde physique.

Mais, comme je l'ai dit, l'homme moyen n'a pas une telle connaissance et tourne généralement en dérision les histoires qui circulent sur l'existence de telles entités.

« Ce n'est que dans les pays moins développés, où les habitants sont plus près de la nature que la moyenne, qu'est reconnu le "petit peuple", selon l'expression réservée aux fées et aux esprits de la nature en Irlande. Là, bien que la majorité des gens ne les aient jamais vus, ils reconnaissent l'existence des lutins, des gnomes et des elfes. Maintenant encore, beaucoup de fermiers refusent de labourer un certain lopin de terre, que le folklore affirme être utilisé par les fées. On raconte de nombreuses histoires dans lesquelles les propriétaires terriens modernes et matérialistes, raillant les vieilles histoires en les traitant de balivernes et de superstitions, ont eu des problèmes que les habitants locaux attribuent au fait qu'ils ont insulté le petit peuple. Je ne vais pas vous dire si ces histoires de "malchance" sont fondées sur des faits ou non, car il est impossible de donner la moindre opinion générale sur le sujet. Il faudrait faire une investigation particulière pour chaque cas afin d'établir la vérité et de telles investigations ne font pas partie de ma tâche actuelle. Je vous affirme cependant que, sur le plan astral, non seulement ces entités existent, mais qu'elles jouent un rôle important dans la vie de ce monde. Après la mort, quand vous atteindrez la troisième sphère et les sphères supérieures, vous les verrez par vous-même et aurez des contacts avec elles, comme je vais vous le décrire.

« Quand un homme passe dans la quatrième sphère, il est d'abord impressionné par l'absence totale de ce que l'on pourrait nommer activité. Il y rencontre évidemment des gens et, s'il ne les a pas déjà rencontrés dans sa vie physique passée, il leur est présenté comme on le fait dans le monde physique. Il est présenté comme un homme ayant les mêmes intérêts qu'eux par les habitants permanents de cette sphère, qui savent qu'il ne pourrait avoir progressé aussi loin s'il n'avait pas les désirs et les qualifications lui permettant d'y fonctionner. Au lieu d'activité physique, il trouve là beaucoup d'activité mentale, car le principal intérêt des habitants y est de discuter des problèmes internationaux et des problèmes d'évolution - discussions sur le développement de la science, sur l'évolution parallèle du règne des dévas avec ses grandes différences par rapport à la nôtre, etc. - ou de formuler des théories qu'ils s'efforcent de vérifier. Tout ceci peut vous sembler très obscur, mais pour un intellectuel, ce n'est pas obscur du tout. Bien sûr, les gens que l'on rencontre sont différents sur le plan intellectuel; ceux qui ont les intelligences les plus fines - qui sont en fait les âmes les plus vieilles et les plus expérimentées - prennent la direction des discussions, ce qui leur est naturel. Très souvent, les membres du royaume des dévas se joignent aux délibérations; dans de tels cas, la communication ne passe pas par l'intermédiaire des mots, car bien qu'il ne s'agisse pas du monde mental - où tout est gouverné par les pensées -, les conversations peuvent aussi, sur les niveaux supérieurs du monde astral, se faire sans l'usage réel de mots. La vie y est tellement moins matérielle que ces possibilités d'échanger des pensées viennent tout à fait naturellement et il n'est pas question qu'elles soient considérées comme merveilleuses ou extraordinaires.

« Vous devez vous rappeler que les dévas habitant la quatrième sphère du monde astral sont également des êtres évolués - aussi différents du type inférieur d'élémentaux et d'esprits de la nature que les hommes évolués sont différents du type inférieur d'hommes rencontrés dans le monde physique. La structure mentale des dévas est totalement différente de celle d'un être humain; les dévas sont principalement intéressés par les processus de la nature. Leur vie est tellement mêlée aux éléments naturels - océans, montagnes, arbres, fleurs, pluie, etc. - qu'ils ne semblent pas le moins du monde affectés par les problèmes qui intéressent l'humanité, sauf dans des cas particuliers où leur aide est demandée. La croissance ou le déclin des nations ne les touche pas, mais le progrès de la vie végétale, la recherche scientifique grâce à laquelle la nature fournit à l'homme ce dont il a besoin sur le plan physique, les intéressent grandement. Il y a un déva évolué responsable de chaque type d'arbre, arbuste ou fleur. Sous l'autorité de ces "contrôleurs" travaillent des milliers d'assistants, dont chacun semble avoir une tâche particulière. Quand de trop nombreux arbres sont abattus à cause de l'avancée de la soi-disant civilisation, l'évolution des dévas s'efforce de produire de nouveaux arbres pour remplacer ceux qui ont été détruits. Les expériences de la science moderne visant à produire de la pluie par des moyens artificiels sont des sujets intéressant grandement le royaume des dévas; à leur manière, ils s'efforcent de guider les travaux de recherche de l'homme dans des directions justes.

« Le royaume des dévas s'exprime par les couleurs; celui qui s'intéresse au jardinage paysagiste verra les merveilleux résultats obtenus par les dévas dans les troisième et quatrième sphères du monde astral. Le déva s'efforce de produire des fleurs de différentes couleurs, comme le fait un jardinier scientifique dans le monde physique, grâce à des greffes et des pollinisations judicieuses; comme sa connaissance est beaucoup plus grande puisqu'il est plus proche de la nature que son équivalent humain, il aboutit à des résultats bien plus beaux. Il est presque impossible de décrire par des mots la beauté des fleurs produites par le royaume des dévas, car il existe plusieurs centaines de couleurs là où nous n'en avons que des douzaines et nous n'avons pas de noms pour ces variations infimes de ce que nous appelons des rouges, des bleus et des violets.

« Les dévas semblent utiliser également des sons pour influencer les activités de la vie. Nous parlons souvent de "créer l'atmosphère juste"; nous entendons par là, habituellement, mettre les gens dans une disposition d'esprit harmonieuse. Les dévas s'expriment, en tant qu'évolution, d'une manière beaucoup plus vaste et qui a pour résultat ce qu'on appelle la musique dévique. De très nombreux dévas se rassemblent dans les bois et les vallons, utilisant d'étranges instruments de bois pour produire les sons les plus magnifiques, dans une harmonie toujours parfaite. Leurs voix sont légèrement plus hautes que les voix humaines, mais beaucoup plus douces; ils n'utilisent pas de mots dans le sens où nous l'entendons.

Ils chantent généralement en formant d'immenses choeurs, mais il y a aussi des solistes qui chantent de temps en temps seuls pendant que le choeur principal reste silencieux. Les solistes se perchent le plus souvent sur de grands arbres à quelque distance du choeur principal et le résultat est absolument surprenant pour nos oreilles. Il est presque impossible de décrire correctement ces "concerts" à quelqu'un qui ne les a jamais entendus, mais ils produisent une atmosphère dont les dévas disent qu'elle affecte la race humaine toute entière. C'est probablement leur façon à eux d'exprimer la paix et la bonne volonté à tous les hommes, car ils ne comprennent probablement jamais les différences d'opinion qui, dans le monde, peuvent conduire à des choses telles que les guerres modernes.

« Le déva n'a pas de possession, dans le sens où nous l'entendons, et il n'en a pas besoin. Depuis ses premiers jours en tant qu'esprit de la nature, il n'a pas besoin de gagner de l'argent pour vivre et peut donc sans doute être considéré comme plus chanceux que son double humain.

« Bien que les dévas ne semblent pas rire ou s'amuser comme nous, ils sont tout à fait disposés à être amicaux et secourables pour l'homme lorsque celui-ci fait appel à eux. Ils ne paraissent pas s'intéresser du tout aux affaires humaines et pourtant, dans certains cas, après des tremblements de terre ou des éruptions volcaniques, ils semblent avoir un travail particulier à faire, car tout ce qui est en rapport avec la nature, la terre, la mer, la flore ou la faune, est leur univers. Un tremblement de terre ou une éruption volcanique est un phénomène naturel affectant une partie de la surface terrestre. Dans de telles tragédies, de nombreux dévas sont envoyés apporter leur aide où ils le peuvent. Ce qu'ils font exactement, je ne peux vous le dire, mais ils ont sans aucun doute un rôle à jouer dans l'ordre des choses et je pense qu'un jour nous en saurons davantage qu'aujourd'hui sur leur travail.

« Ils jouent aussi un rôle en intervenant au niveau des émotions humaines. Comme je l'ai dit, la maladie physique est totalement inconnue dans les conditions astrales; mais il peut y avoir des bouleversements émotionnels rendant les gens très déprimés, car le monde astral est le monde de l'émotion et le corps astral le véhicule de la conscience émotionnelle. Dans de tels cas, les dévas semblent soigner les personnes déprimées et les ramener à la santé émotionnelle. Ils les apaisent et les mettent en contact avec leur musique divine; celle-ci a un effet réellement très marqué sur quelqu'un qui est malheureux. On ne voit pas souvent un individu vraiment malheureux dans le monde astral, car les conditions de vie font qu'il est difficile d'y être malheureux; mais les gens peuvent avoir des difficultés et le peuple des dévas fait alors très efficacement office de docteurs et d'infirmières.

« Je vous ai donné suffisamment de sujets de réflexion avant de vous emmener pour votre second voyage astral. Je ne vous rendrai donc pas visite demain, mais je reviendrai dans trois jours. Je vous laisse un autre comprimé; prenez-le comme la première fois, lorsque vous irez au lit demain soir - vous serez alors probablement endormi à dix heures. Je vous retrouverai au moment où vous vous endormirez. Ne mangez pas de viande et ne buvez pas d'alcool d'ici là et, quand vous vous réveillerez après-demain matin, écrivez immédiatement tout ce que vous vous rappellerez. Je vous aiderai à vous souvenir, comme je l'ai déjà fait. Aujourd'hui, prenez des notes sur cette causerie; demain, étudiez toutes celles que vous avez prises jusqu'à maintenant et demain soir nous voyagerons ensemble dans nos corps astraux. Attendez-moi à onze heures après-demain avec, je l'espère, beaucoup d'expériences à me raconter. Maintenant, je vous laisse. »

Quelle matinée ! Le temps était terriblement chaud et humide et mon ami indien avait parlé plus longuement que d'habitude, mais ce qu'il avait dit était encore plus intéressant que les jours précédents. Il me dévoilait une nouvelle vision de la vie dans le monde suivant celui-ci, qui, si elle est exacte, rend le contact avec ce monde encore plus intéressant. J'étais très excité à la perspective d'un autre voyage astral. Ce serait vraiment merveilleux s'il se révélait aussi passionnant que celui de la semaine précédente. Je ne me souvenais pas d'avoir vu Charles depuis cette nuit mémorable; en fait, cela ne m'inquiétait pas du tout, car je *savais* que c'était bien ainsi. Son absence physique ne me tourmentait plus; je n'étais plus triste; je sentais qu'à chaque instant je *pouvais* entrer en contact avec lui si j'en avais vraiment besoin; j'avais donc le sentiment - équivalant à une certitude - qu'il ne nous avait pas quittés, qu'il faisait toujours totalement partie du monde des vivants. Ce que cela signifiait pour moi est difficile à exprimer en mots; mais je commençais déjà à vouloir parler à d'autres personnes qui éprouvaient la tristesse que j'avais connue, afin de les réconforter et leur expliquer un peu ce schéma qui semble régir l'Univers. C'est peut-être l'une des raisons pour lesquelles j'ai été aidé, car le désir intense de transmettre cette information à d'autres et de pouvoir leur donner des preuves, comme mon ami indien pouvait m'en donner, était très fort en moi. Il était possible qu'un jour je sois capable de transformer mon désir en acte.

Le lendemain soir, j'allai au cinéma; j'avais choisi un film policier qui capta mon intérêt pendant deux heures. Dès que je fus de retour, j'allai me coucher et essayai le truc du miroir au-dessus de mon lit juste avant de m'endormir. Cette fois j'eus un petit résultat, car au moment de perdre conscience, je me souviens d'avoir été debout dans ma chambre, alors qu'en réalité, mon corps était paisiblement couché sur le lit. Je me rappelle nettement que j'ai commencé à ouvrir la porte; lorsque j'ai mis la main sur la poignée, je me suis aperçu que j'avais en fait à moitié traversé la porte. Immédiatement je me suis rappelé que les portes ne sont pas un obstacle pour le corps astral et j'ai donc continué. J'ai descendu les escaliers en flottant à une trentaine de centimètres au-dessus des marches; je m'en souviens parce que j'ai baissé la tête pour éviter la saillie à l'endroit où l'escalier tourne. Bien sûr, ce geste était tout à fait inutile, mais c'était un réflexe de ma part. Je suis passé à travers la porte d'entrée et ai flotté tranquillement en direction du port et de la mer. Ensuite, je me remémore mon réveil ce matin, à l'heure habituelle. Je suis resté couché sans bouger, fouillant dans ma conscience intérieure, mais je ne me souvenais de rien de plus que des quelques détails qui ont marqué le début de ma promenade nocturne. Peu importe, c'est déjà quelque chose, et je suis assez excité de voir que, même sans aide, j'ai déjà été capable de garder la continuité de ma conscience au moment de m'endormir et même de me rappeler les premières étapes de mon voyage astral.

Il est neuf heures trente; j'ai fini mon léger dîner. Je vais maintenant prendre mon comprimé et aller au lit. Que vais-je vivre cette fois-ci ?

# Chapitre VII

Cette fois, je n'ai pas du tout l'impression d'avoir dormi ! Ce matin, lorsque je me suis rendu compte que j'étais de nouveau *dans* mon corps, le souvenir de tout ce qui s'était passé était clair dans ma tête - exactement comme si j'étais allé au théâtre et que l'on m'ait demandé d'écrire tous les détails de la pièce. J'ai donc pu m'installer avec mon bloc et mon crayon et noter soigneusement l'ensemble des événements.

Après avoir pris le comprimé, j'ai regardé mon petit réveil français; ses aiguilles indiquaient neuf heures quarante-deux. Je n'ai pas essayé de m'endormir, mais en quelques minutes je me suis rendu compte que j'avais glissé hors de mon corps et que je me tenais à côté du lit, où ma forme endormie était couchée. J'ai regardé de nouveau : il était dix heures moins dix. Il n'y avait personne et j'ai fait le tour de ma chambre, m'émerveillant de la simplicité de ce qui, lors de mon premier voyage astral, m'avait semblé extrêmement compliqué. Je n'ai pas essayé de quitter la pièce, car je me rappelais très bien que mon ami indien avait dit qu'il serait là à dix heures. J'ai donc attendu sa venue, tout à fait certain qu'il ne m'oublierait pas. J'ai regardé encore une fois mon réveil, il était dix heures; il ne se passait toujours rien. Au bout de cinq autres minutes, je me suis demandé si toute l'histoire était en train de tourner court. J'étais de plus en plus inquiet à mesure que les minutes s'écoulaient, mais je parvins à résister à la tentation de faire l'expérience tout seul. Juste au moment où j'allais regarder de nouveau mon réveil, j'ai entendu la voix désormais familière derrière moi, qui me demandait : « Pensiez-vous vraiment que j'allais vous faire faux bond ? »

Mon ami déclara qu'il était en retard parce qu'il avait aidé l'un de ses amis qui était mort le matin même. Il dit que cet homme avait peur de mourir et que, quoique malade depuis plusieurs mois, il avait combattu la mort jusqu'à la fin. Il expliqua que c'était totalement inutile lorsque le temps est venu et, bien qu'il ait probablement, par l'extrême puissance de sa volonté, maintenu la vie dans son corps pour quelques semaines de plus, la mort avait fini par l'emporter. La maladie dont cet homme souffrait depuis des mois avait tellement affaibli son corps physique qu'il était, à la fin, impossible à la matière éthérique d'y rester. Il dit qu'il avait aidé son ami à se débarrasser de son véhicule éthérique, qu'il essayait de garder parce que c'était la chose la plus proche de la vie physique - la seule vie qu'il connaissait. Il avait fallu plus longtemps que d'habitude jusqu'à ce qu'il fasse l'effort de volonté nécessaire pour détacher son corps éthérique de son corps astral, autour duquel il s'était enroulé. « Il va bien maintenant, dit-il, et je l'ai laissé avec quelques assistants astraux, qui souhaiteront certainement rester - jusqu'à ce que, par expérience, il apprenne quelque chose sur la Loi. »

Je lui demandai ce que nous allions faire cette fois-ci; il répondit qu'il était souhaitable que je commence par faire l'expérience de passer des sphères inférieures aux supérieures. Il se donna beaucoup de peine pour m'expliquer que, bien qu'il les appellât sphères supérieures, elles n'étaient pas réellement les unes au-dessus des autres, mais plutôt toutes autour de nous en même temps, mais avec des densités différentes.

Il suggéra de commencer notre expédition à partir de Londres; nous décollâmes donc comme la dernière fois et aussitôt ralentîmes au-dessus de ce qui était visiblement de la terre; je reconnus presque tout de suite l'immense cité qui était en dessous de nous : c'était Londres. Les objets que nous survolions n'étaient pas du tout distincts; je parvenais tout juste à distinguer la terre et la mer - c'était comme si nous regardions le film d'une scène de théâtre projeté sur un écran à très grande vitesse. Le déplacement ne nous demandait aucun effort et, bien qu'il ait duré apparemment moins d'une minute, nous n'arrivâmes absolument pas hors d'haleine.

Nous nous posâmes devant Hyde Park; mon ami me dit que c'était le meilleur endroit pour atterrir; nous allions en fait à Piccadilly Circus, mais un atterrissage là-bas aurait risqué de m'effrayer à cause du trafic intense : j'aurais pu craindre (complètement à tort) de me faire écraser. Si j'avais une telle peur, cette peur serait immédiatement transmise à mon corps physique resté à Colombo, qui ferait aussitôt le nécessaire pour attirer son propriétaire à lui. De mon corps astral, je reviendrais précipitamment à ma forme naturelle de conscience et me réveillerais donc avec des battements de coeur et probablement le souvenir de ce que je qualifierais de cauchemar abominable - un cauchemar qui ne ressemblerait pas nécessairement à la réalité. Ce pourrait être que *j'ai été* écrasé et la terreur causée par cet événement imaginaire pourrait avoir pour résultat de violents battements de coeur, puisque la peur réagit généralement sur le corps physique. Lorsque nous arrivâmes sur le sol, je vis le cadre familier que j'avais si souvent vu dans le passé. Les enfants, accompagnés de leurs mères ou de nurses, jouaient comme d'habitude; non loin de là, je voyais le flot continu de la circulation : voitures, taxis et bus longeaient Park Lane en direction de Piccadilly et Hyde Park Corner.

Je suggérai de descendre Oxford Street; malgré les trottoirs pleins d'acheteurs tardifs rentrant chez eux et de vendeurs tout juste libérés de leur journée de travail, nous n'étions aucunement gênés. Comme la première fois, je ressentais l'étrange contact arachnéen chaque fois que j'étais obligé de traverser un corps physique et il m'était très difficile de ne pas m'excuser. Mon ami, qui n'aimait pas la foule, flottait à environ deux mètres au-dessus de la tête des passants; j'en fis bientôt autant et nous revînmes au niveau du sol à Piccadilly Circus. « Peut-être aimeriez-vous regarder le décor de notre dernier voyage à Londres et voir si vous reconnaissez certaines personnes dans la salle du Trocadéro ? » dit-il. J'acceptai et nous entrâmes. La salle était remplie de gens attendant des amis, les serveurs allaient et venaient, prenant les commandes et servant. Je ne vis personne de connu, pas de signe de Charles ni de Roy Chapman; je me demandai si ce dernier s'était lassé de la ronde perpétuelle des repas et des boissons pour lesquels il n'avait pas besoin de payer, mais je ne posai pas la question. Mon ami me fit un signe et je compris qu'il souhaitait aller à l'étage supérieur. Je le suivis sans rien lui demander et nous nous retrouvâmes bientôt dans un couloir sur lequel donnaient plusieurs portes. Il entra dans l'une des pièces, qui se révéla être une chambre vide. Nous étions bien sûr passés à travers la porte et n'avions donc pas eu besoin de clé.

« Maintenant, dit-il, nous ferions mieux de continuer notre chemin. Je suis venu dans cette pièce pour que nous puissions être tranquilles, car je voudrais que vous vous rendiez compte que le passage d'une sphère inférieure à une sphère moins dense est très simple et ne demande qu'un effort de volonté pour se réaliser immédiatement. Je vous demande de me tenir la main et de faire simplement ce que je fais. Vous ne sentirez rien, mais remarquerez que le décor qui vous entoure change progressivement. Les murs qui paraissent nous enfermer dans cette pièce vont sembler fondre, les meubles qui vous entourent vont peu à peu devenir vagues et brumeux; vous devrez toujours vous laisser aller pour que ma volonté domine la vôtre. Quoi qu'il arrive, ne vous énervez pas; si vous paniquez, vous vous réveillerez très vite à Colombo. Maintenant, êtes-vous prêt ? » J'acquiesçai; je ne ressentais absolument aucune peur, mais seulement de l'intérêt. Je tins fermement la main de mon ami et fis mon possible pour être contrôlé par sa volonté; presque aussitôt, les murs de la chambre s'estompèrent et devinrent flous, de même que les meubles et, en moins de temps qu'il ne m'en faut pour le noter, nous nous retrouvâmes en plein air, dans un petit champ, avec, à une certaine distance, quelque chose qui ressemblait à un village anglais typique. « Ecoutez, dit-il, et vous entendrez très nettement un grondement lointain. C'est le ronflement de la ville de Londres, que vous pouvez percevoir parce que vous n'êtes éloigné que d'un sub-plan ou sphère du double astral de la ville physique que vous connaissez si bien.

Nous sommes là dans la seconde sphère du monde astral et vous pouvez déjà voir qu'elle est beaucoup moins matérielle que la partie la plus dense de ce monde - celle dans laquelle on va immédiatement après la mort. Avançons un peu et vous verrez ce que je veux dire. »

Nous nous mîmes à flotter tranquillement à environ un mètre au-dessus du sol, jusqu'au village que j'avais aperçu dans le lointain. Il ressemblait beaucoup à un village ordinaire; il y avait des boutiques, deux cinémas, un magnifique hôtel qui paraissait beaucoup trop grand pour lui et, à la périphérie, au moins trois bâtiments qui semblaient être des églises. De très belles maisons se dressaient loin alentour, certaines petites, d'autres plus grandes, mais toutes possédaient un jardin coloré dans lequel poussaient à profusion toutes sortes de fleurs. Je vis des hommes et des femmes travaillant dans ces jardins, visiblement par plaisir et non par obligation. Des chiens de races diverses gambadaient sur les pelouses et nous entendions les voix des enfants tandis que nous passions à proximité. Ces maisons différaient des maisons du même genre dans le monde par l'absence de garages; je remarquai qu'il n'y avait pas de voitures dans les rues. Mon ami m'expliqua qu'il n'y avait pas besoin de transports : les gens pouvaient se rendre d'un endroit à l'autre par des moyens beaucoup plus simples, puisqu'ils n'avaient qu'à exprimer en pensée le désir d'aller quelque part pour flotter aussitôt tranquillement de là où ils se trouvaient jusqu'à la destination à laquelle ils pensaient.

Je demandai pourquoi il y avait des magasins, puisqu'on n'avait pas besoin d'argent. Mon ami me répondit que les gens qui trouvaient leur bonheur à ce niveau aimaient mener une vie aussi proche que possible de l'idéal qu'ils avaient de leur vivant.

« Certains dépensent de l'argent, dit mon guide, qu'ils créent par leur propre imagination; ils achètent de la nourriture qu'ils préparent et même mangent - le tout en imagination - parce qu'ils le désirent. »

« Mais en fait, demandai-je, ces magasins ne sont-il pas inutiles quand une pensée suffit pour produire chez soi ce que l'on veut ? »

« Ces magasins, répondit-il, ont pour origine l'esprit des habitants; aucun d'entre eux n'existe dans le monde, ni les gens qui y travaillent. Une fois que les résidents de ce monde pensent à une chose, celle-ci devient un fait dans cet univers d'illusion. Ces magasins, avec les objets qui y sont vendus, sont des produits de l'imagination, mais aussi longtemps que les gens veulent avoir des magasins près de chez eux, ils les ont, car ils les imaginent.

« Il en est de même avec les églises, continua mon ami. Les gens aiment poursuivre leurs pratiques religieuses même si, après leur mort, ils ont découvert que nombred'affirmations de leurs prêtres et pasteurs n'étaient pas entièrement justes. Les habitants permanents construisent ces églises et des ex-prêtres et ex-ministres du culte continuent leur ancienne vocation, rassemblant des fidèles tout comme ils le faisaient dans leur vie passée.

« Les cinémas sont également très populaires; mais, tandis qu'il en existe une variété infinie dans la première sphère, ce n'est pas le cas dans la seconde. Ici, les cinémas ne sont pas les doubles astraux des endroits comparables dans le monde; ce sont les créations, en pensée, des habitants permanents. Il y a toujours des ex-producteurs de films ou des producteurs amateurs qui créent de nouveaux films dans leur imagination et leurs formes-pensées sont produites à l'écran pour que tous puissent les voir. Ces spectacles sont, à de nombreux points de vue, meilleurs que ceux que nous voyons dans le monde et ceux que les habitants de l'astral voient sur la première sphère car, dans les conditions astrales, les producteurs peuvent donner toute latitude à leur imagination. Le coût de la production n'entre pas en considération. Les théâtres sont également populaires à ce niveau. Ceux qui s'intéressent aux spectacles d'amateurs, ainsi que d'ex-acteurs ou actrices, produisent une pièce après l'autre et en font bénéficier leurs amis et connaissances; ils le font facilement, car il n'y a aucune difficulté pour se procurer les costumes, les décors ou un orchestre correct, puisque ces éléments sont créés par leur imagination et ne coûtent rien. Certaines personnes désirent encore vivre à l'hôtel. Ce sont probablement des gens qui ont toujours pensé qu'il serait merveilleux de séjourner dans l'un de ces luxueux hôtels, beaucoup trop chers pour eux dans le monde; ils peuvent maintenant y vivre. C'est la raison pour laquelle celui-ci paraît si grand par rapport à la taille du village. Un tel hôtel ne pourrait exister dans un village ordinaire dans le monde, mais ici il n'a pas besoin de faire de profit. Les gens qui y vivent obtiennent tous les services et l'attention qu'ils souhaitent, il leur suffit pour cela de les imaginer; ils sont donc heureux - pour un temps. » « Mais tout cela devient sûrement très ennuyeux au bout d'un moment ? », demandai-je.

« Oui, en effet, répondit mon ami, les gens cherchent alors quelque chose de plus satisfaisant, comme vous le verrez. Lorsque l'un de leurs désirs disparaît, ils peuvent passer à un autre pôle d'intérêt et obtenir ce qu'ils veulent. Beaucoup de personnes sont parfaitement satisfaites de cette existence arcadienne, surtout celles qui ont eu une vie terrestre assez dure - de telles personnes passent souvent quatre-vingt-dix pour cent de leur existence astrale dans des conditions où ils ont des amis, des animaux domestiques, de belles maisons et de beaux jardins qui les satisfont; ils ne passent dans le monde mental que lorsqu'ils y sont plus ou moins forcés par le désir ardent de leur ego, qui souhaite progresser sur le Chemin de l'Evolution. »

Mon guide me dit alors de reprendre sa main et de joindre ma volonté à la sienne pour passer de cette deuxième sphère à la troisième. Je lui obéis; le décor qui nous entourait commença à s'estomper et un autre le remplaça progressivement. Notre environnement était tout à fait différent; nous nous trouvions dans un espace découvert, entouré de ce qui paraissait être des dizaines de petits bois ou taillis. Si vous pouvez imaginer un parc gigantesque avec des arbres partout, avec des clairières et des vallons parsemés de bouquets d'arbres, cela vous aidera à visualiser le décor. Rien n'y ressemble tout à fait dans notre monde, mais je suppose que, vu d'en haut, cela ressemblerait à une gigantesque forêt de Sherwood. La plupart de ces espaces découverts avaient une étendue de plusieurs hectares, allant d'une clairière qui mesurait peut-être cent cinquante ares jusqu'à ce que j'estimerais être un champ de deux mille cinq cents ares. Toutes ces clairières étaient très pittoresques, il y avait partout des arbustes en fleurs et les jonquilles et les myosotis fleurissaient à profusion dans l'herbe verte. Je ne vis d'abord pas de maison, mais par la suite je découvris des bâtiments curieux, très grands, ressemblant aux immenses Halls ou Manor Houses que l'on trouve en Angleterre et qui, dans l'ancien temps, étaient habités par des aristocrates ou des propriétaires terriens.

Nous nous avançâmes et je vis que des groupes étaient réunis dans plusieurs de ces espaces découverts. En nous approchant de l'un de ces groupes, nous découvrîmes une centaine de personnes regardant un artiste en train de peindre un tableau, sur une toile qui mesurait environ quinze mètres sur quinze. Tous ces gens étaient visiblement captivés par ce qu'ils regardaient, car aucun ne nous remarqua lorsque nous nous joignîmes au groupe. L'artiste n'utilisait pas de pinceau; il tenait un long bâton ressemblant à une canne à pêche et, lorsqu'il pointait ce bâton sur les différentes parties de la toile, un tableau apparaissait, d'abord grossièrement, puis plus en détail. Tout en peignant, l'artiste parlait de temps en temps, expliquant ce qu'il faisait. Il donnait nettement l'impression de souhaiter que les spectateurs comprennent. A un moment, il "gomma" une partie du tableau - je ne peux trouver d'autre mot : lorsqu'il pointa le bâton, une partie du tableau s'effaça - et expliqua que, sa forme-pensée précédente n'ayant pas été assez précise, il n'avait pu obtenir l'effet désiré. Il sembla de nouveau se concentrer, la baguette se déplaça de haut en bas et en travers; un nouveau détail se fondant dans le reste du tableau apparut immédiatement et le second essai mit d'un coup en valeur ce qu'il avait fait une ou deux minutes auparavant. Je ne comprenais pas grand-chose de ce que disait le peintre, car il donnait ses explications en termes techniques, accessibles seulement à quelqu'un de la partie. Mon ami me dit que l'artiste était un grand peintre du passé. Il m'expliqua qu'un artiste peignait parce que le désir qui l'y poussait lorsqu'il était dans le monde persiste après la mort. Toutefois, à ce niveau, il n'a plus besoin d'utiliser des pinceaux et de la peinture; il est capable de s'exprimer simplement par le biais des couleurs en projetant sa pensée.

La matière astrale fluide répond à la forme-pensée et le tableau apparaît, comme par magie, à mesure que la pensée se développe. Bien que la toile soit immense par rapport aux tableaux que nous avons dans nos galeries, ce n'était pas un problème de créer un tableau de cette taille au niveau astral, puisqu'il suffisait de se concentrer sur une certaine partie de la toile pour que le tableau présent dans l'esprit de l'artiste voie le jour. Je ne peux décrire les splendides couleurs dont était composé le tableau, car nous n'avons pas de mots pour qualifier les nombreuses teintes intermédiaires employées. Si je dis qu'il y avait au moins trente nuances différentes d'une couleur que j'aurais appelée "rouge", vous comprendrez qu'il est possible de ne donner qu'une description très incomplète de ce que je voyais pourtant très nettement. Mon guide expliqua que de nombreux grands peintres du passé, qui se trouvaient encore au niveau astral, vivaient dans cette sphère et passaient leur vie à créer des tableaux correspondant aux idées qui habitaient leur esprit. En même temps, ils enseignaient leurs méthodes à tous ceux qui prenaient la peine de les regarder et les écouter. Il me dit également qu'il ne fallait que quelques heures pour créer l'un de ces immenses tableaux et que souvent l'artiste, en ayant terminé un, en commençait immédiatement un autre. « Mais le premier disparaît-il, une fois que l'artiste a retiré son attention de la toile ? » demandai-je. « Non, répondit mon ami, il reste exactement comme vous le voyez maintenant, aussi longtemps que quelqu'un le regarde. Une fois qu'un tableau est créé dans la matière astrale, il reste stable pour qu'on puisse le voir aussi longtemps que la moindre pensée est centrée sur lui. Lorsque ce n'est plus le cas, il se désintègre graduellement dans l'atmosphère astrale générale; il est alors perdu pour toujours ou jusqu'à ce qu'une nouvelle pensée le recrée, comme un nouveau tableau. »

Je regardai jusqu'à ce que le tableau soit fini, fasciné par l'adresse du créateur et le résultat achevé. Quand l'artiste s'éloigna et commença à parler avec quelques personnes qui l'avaient suivi, je vis que plusieurs autres spectateurs, visiblement étudiants en art, se mettaient par eux-mêmes à créer quelque chose de semblable, prenant la peinture maîtresse (si je puis la nommer ainsi) comme modèle. Je continuai à regarder et constatai immédiatement une terrible différence entre leurs efforts et ceux du grand peintre. Mon ami m'expliqua que la raison d'une telle différence était que l'étudiant avait moins de connaissances que le maître. Les étudiants étaient incapables d'exprimer par une pensée claire ce qu'il voulaient voir apparaître sur la toile; les résultats étaient incontestablement d'un niveau amateur. La toile ne montrait que ce qu'ils étaient capables d'exprimer en pensée et je voyais très clairement pourquoi il en était ainsi. Même dans les galeries de peinture de ce monde, il arrive souvent, quand on regarde un tableau, qu'on puisse ressentir ce que l'artiste s'est efforcé d'exprimer. Un telle impression est mille fois plus nette au niveau astral; en regardant le grand tableau, je savais sans l'ombre d'un doute ce que l'artiste avait voulu exprimer par les couleurs et les formes.

Nous allâmes un peu plus loin et vîmes plusieurs groupes entourant des individus faisant le même genre de travail mais, le paysage étant légèrement vallonné, il était pratiquement impossible de voir d'eux d'entre eux en même temps. Dans l'une des vallées parcourue par un lent cours d'eau, un groupe était assis sur la rive, apparemment sans rien faire. Mais en approchant, je m'aperçus que ce groupe ne regardait pas un artiste en train de peindre; il produisait des sons ressemblant à une magnifique symphonie jouée par l'un de nos orchestres de renommée mondiale. Je n'entendais rien jusqu'à ce que nous arrivions tout près du groupe; je m'aperçus alors que l'air environnant était empli de la plus belle musique que j'aie jamais entendue. Au centre du groupe se tenait un homme dont le visage me semblait familier; pourtant je savais que je ne l'avais jamais rencontré dans la vie réelle. Je demandai à mon guide qui il était et il murmura : « C'est le célèbre Johann Strauss. » A ce moment-là, le musicien montrait comment exprimer en musique le bruit de l'eau qui coule. Je me rappelai que Strauss avait composé le "Beau Danube bleu"; le rythme de la musique ressemblait beaucoup à cette valse ressassée, mais belle. Elle était encore plus belle silencieuse, dirais-je.

Tandis que je restais là, captivé, je vis sur la rive opposée du cours d'eau des silhouettes éthérées, qui d'une certaine manière semblaient faire partie du poème symphonique que j'écoutais. Mon ami me dit de regarder ces nouveaux personnages. « Ce sont des membres de l'évolution parallèle dont je vous ai parlé, le royaume des dévas », m'expliqua-t-il. « Mais que font-ils ? demandai-je, et pourquoi ont-ils un aspect différent de la foule qui est de notre côté de la rivière ? » Il m'expliqua qu'ils avaient un aspect différent parce qu'ils étaient réellement différents. C'était des êtres plus éthériques; comme ils appartenaient à une évolution différente, leurs corps étaient différents : bien que faits de matière astrale, ils étaient moins concrets que nos corps astraux. Il me dit que ceux-ci étaient des dévas de la musique, des êtres vivant et s'exprimant à travers le son, et qu'ils aidaient le compositeur, assis de notre côté de la rivière, à s'exprimer comme il le désirait. « Je ne peux pas dire comment ils aident, car ils n'ont jamais parlé, mais ils semblent se concentrer sur le créateur de la musique et, grâce à leurs pensées, le rendre capable d'exprimer avec de plus en plus de détails ce qu'il s'efforce de créer en sons. » Le volume sonore était suffisant et chaque note clairement audible, mais je m'aperçus que lorsque nous nous éloignâmes du groupe d'environ cinquante mètres, nous n'entendîmes plus rien du tout.

Il est difficile de décrire ces membres du royaume des dévas en termes qui soient compréhensibles. Leurs formes étaient belles; lorsqu'ils se déplaçaient, ils semblaient se volatiliser, mais quand ils s'immobilisaient, leurs formes étaient de nouveau bien nettes. Je pense que la meilleure façon de les décrire est de dire que leurs corps paraissaient faits de vapeur et qu'ils ne se solidifiaient que lorsqu'ils restaient plus ou moins tranquilles. Nous passâmes sur l'autre rive, mais ces êtres semblèrent s'éloigner en glissant, un peu comme des animaux craintifs. Ils n'avaient pas peur de nous, mais n'invitaient pas du tout au contact; je sentais que si nous les approchions avec l'intention de communiquer avec eux (comment cela aurait été possible, je n'en avais alors aucune idée), ils s'évanouiraient en un léger souffle. Mon ami indien me confirma la justesse de cette impression.

Il me fit signe de le suivre et nous partîmes. Je le vis bientôt se diriger vers l'un des grands bâtiments que j'avais pris pour un immense Manor House. En approchant, je vis que l'architecture était vraiment très belle. De profondes fenêtres à la française donnaient sur la campagne environnante; de spacieuses pelouses descendaient en pente douce depuis la maison, située sur le sommet d'une éminence. Des fleurs et des arbustes fleurissaient de tous côtés et au loin, à une quinzaine de kilomètres, en regardant attentivement, on pouvait apercevoir la mer. C'était un endroit délicieux; je me demandai qui y vivait et dans quel but. Nous atterrîmes sur la terrasse et entrâmes par les larges portes qui ouvraient sur un hall spacieux, meublé comme je m'y attendais, mais avec une différence notable - de vrais arbustes et des plantes, surtout des roses remarquai-je, fleurissaient à l'intérieur du hall, leurs racines passant à travers le plancher. Cela n'avait rien d'artificiel - on avait l'impression de se trouver dans un jardin d'intérieur et le résultat était réellement très agréable à regarder.

Il semblait n'y avoir personne; aucun bruit n'indiquait une présence, mais mon guide me conduisit immédiatement vers l'une des portes qui donnaient sur le hall et, lorsque la porte s'ouvrit, de la musique parvint à mon oreille. Il n'y avait qu'un seul occupant dans la pièce; il jouait sur un piano à queue d'une manière montrant qu'il n'était pas un quelconque exécutant. Il ne nous remarqua pas, mais continua à jouer et nous écoutâmes, fascinés par la maîtrise du musicien sur son instrument. Quelques fauteuils nous invitaient à nous asseoir, ce que nous fîmes; pendant un quart d'heure peut-être, le pianiste continua à jouer. En l'écoutant, j'eus l'impression que cette musique ressemblait aux préludes de Chopin et, dans un murmure, je demandai à mon ami qui était le musicien. « Vous ne le reconnaissez pas ? répondit-il. C'est le fameux Chopin, qui continue à exprimer sa grande âme par l'intermédiaire du son, tout comme il le faisait pendant sa vie. Vous remarquerez, cependant, qu'ici il ne paraît pas fragile, alors qu'il a beaucoup souffert dans le monde et a été en mauvaise santé pendant une grande partie de sa vie. Maintenant tout a changé : ici la fatigue ne peut pas le gêner et il crée de plus en plus de merveilleux morceaux de musique; parfois, il autorise d'autres musiciens à les écouter. A ce niveau, il y a des concerts à longueur de temps, il n'est donc jamais difficile d'assister à ces festivités si l'on est réellement intéressé et capable d'apprécier la vraie beauté que le musicien s'efforce d'exprimer en sons. » Je regardai l'exécutant plus attentivement et me rendis compte que je ne lui trouvai aucune ressemblance avec le grand musicien que j'avais vu, mais mon souvenir était vague et je ne l'avais probablement pas très bien observé. Au bout d'un moment, il s'arrêta de jouer et se tourna vers nous, aucunement dérangé ou ennuyé par notre présence. Il supposa que nous étions des amoureux de la musique et nous expliqua donc ce qu'il avait essayé d'exprimer; bien qu'il employât quelques termes techniques, j'étais fasciné par ce qu'il disait. Il insista sur le fait que, d'après lui, chaque son décrivait soit une couleur, soit un mouvement. Les progressions et les fusions d'accords étaient les tableaux sonores de magnifiques jardins et, quand le rythme apparaissait, on devait immédiatement "sentir" la présence d'un courant se déplaçant lentement, par exemple entre deux jardins parfaitement tracés, et essayer de voir le tableau que le musicien s'efforçait d'exprimer. Moi qui me considérais comme musicien, je mesurai d'un seul coup combien je savais peu de choses du vrai art et décidai qu'après ma mort, je serais l'une de ces personnes qui se mettent à étudier sérieusement la musique. Il est malheureux que, dans le monde, ces maîtres de la musique soient en majorité hors de portée de l'homme moyen qui doit gagner sa vie.

Nous partîmes comme nous étions arrivés, sans prendre congé et, comme nous nous retirions, Chopin se tourna vers son piano et recommença à jouer. Lorsque nous fûmes de nouveau dans le couloir, aucun son ne passait à travers la porte que nous venions de fermer. Il y avait seulement le chant des oiseaux; de toutes les couleurs, ceux-ci voletaient nombreux non seulement dans le jardin, mais aussi à l'intérieur. Mon ami me dit que cette immense maison était l'une des grandes écoles d'art existant à ce niveau du monde astral et que des centaines d'habitants permanents de ce monde passaient la plus grande partie de leur temps à apprendre l'art qui les intéresse le plus. Il me dit que des cours étaient toujours à leur disposition, car tous les grands maîtres étaient volontaires pour enseigner à ceux qui étaient désireux d'apprendre, et à tout moment, car il n'y avait ni nuit ni jour et la fatigue n'entrait pas en ligne de compte.

« Mais, demandai-je, les gens ne continuent sans doute pas à apprendre et à s'exercer ainsi jour et nuit, semaine après semaine, mois après mois et année après année ? » « Si; comme je vous l'ai dit, ils ne se fatiguent pas et le temps ne paraît pas long quand ils s'intéressent et se passionnent pour ce qu'ils font. Si vous analysez vos réactions au niveau physique, vous vous apercevrez que le temps n'est jamais long lorsque vous faites *ce que vous avez envie de faire*. En général, la fatigue vous prend et vous devez vous arrêter, même si vous avez du plaisir à ce que vous faites; mais ici ce n'est pas le cas, car personne ne se fatigue et *il n'y a pas* de temps à la manière dont nous entendons ce terme; vous ne devez pas rentrer à la maison pour manger, votre femme ne vous attend pas et vous n'avez ni devoirs ni responsabilités. Ces limitations n'existent pas au niveau astral; par conséquent, l'homme ou la femme poursuit le travail ou la distraction qu'il ou elle désire, sans penser aucunement au temps à consacrer à cette étude ou cette distraction. » Mon guide me dit ensuite qu'il avait un petit travail à faire et me demanda poliment la permission de me laisser pour un court instant. « Allez où vous voulez, dit-il, personne ne vous importunera. Je vous suggère de visiter les différentes pièces, je vous assure que vous ne serez pas mal accueilli. Ce bâtiment ressemble beaucoup à d'autres qui existent ici et il est intéressant pour vous de mieux connaître ce qui se fait en de tels lieux. Je reviendrai quand j'aurai fini mon travail personnel et je ne pense pas que vous vous serez ennuyé en mon absence. »

De l'extérieur, j'avais vu que le bâtiment comptait au moins trois étages; je décidai donc de l'explorer un peu, comme mon ami l'avait suggéré. Je commençai par parcourir quelques pièces du bas. Je trouvai dans l'une un sculpteur avec une classe d'élèves, en train d'expliquer comment obtenir une certaine courbe. Je restai un moment à écouter son discours; quelques-uns des élèves me sourirent sans mot dire, ne trouvant visiblement aucun inconvénient à ma présence. Dans une autre pièce, un quatuor s'entraînait; dans une troisième, un violoniste soliste répétait un passage musical, une partition ouverte devant lui. C'était tout à fait comparable à un conservatoire tel que ceux que j'avais vus dans le monde, mais avec la grande différence qu'il n'y avait ni manières ni précipitation et que toutes les formes d'art étaient représentées. Il était également remarquable que les gens, tout en travaillant très sérieusement, étaient de toute évidence heureux et nullement tendus, comme les étudiants que j'avais vus la dernière fois à l'Académie Royale de Musique d'Angleterre.

Puis je montai les escaliers et j'eus là une agréable surprise. Comme j'ouvrai la porte (je remarquai avec intérêt qu'ici on ouvrait une porte et qu'on ne passait pas à travers elle comme on l'aurait fait à travers des portes physiques) et entrai dans l'une de ces pièces, je vis une jeune fille assise sur une causeuse, à côté d'un piano à queue ouvert. Elle tenait une partition qu'elle était en train d'étudier. A mon entrée elle leva les yeux et je la reconnus tout de suite : c'était Daphné Hillier, que j'avais rencontrée en Angleterre en 1935, dans un club de golf. L'homme qui était mon adversaire ce jour-là la connaissait très bien; il nous présenta et nous entamâmes bientôt la conversation. Je la revis plusieurs fois durant mon congé et, à la fin, nous nous connaissions très bien. J'avais songé plusieurs fois à la demander en mariage, car je pensais être amoureux d'elle, mais - je ne sais pourquoi - je ne le fis pas. D'une part, j'avais l'impression de ne pas avoir assez d'argent pour me marier et, d'autre part je voulais arriver au sommet de ma profession avant de prendre la responsabilité d'entretenir une femme. Je retournai à Ceylan et, pendant deux ans, nous correspondîmes régulièrement; puis tout se termina lorsqu'elle contracta une pneumonie; à mon grand regret, sa mère m'écrivit qu'elle était morte. J'envoyai une lettre de condoléances et perdis progressivement contact avec sa famille. Et maintenant, Daphné était devant moi, apparemment très vivante et exactement comme la dernière fois que je l'avais vue, mais avec une expression encore plus heureuse - tout son visage rayonnait de joie et de contentement; un peu de cette joie, me vantai-je, était due au fait de me revoir.

« Daphné, ma chère, est-ce bien toi ? »

« Oui, c'est moi, dit-elle, mais que fais-*tu* ici ? Tu n'as pas encore quitté le vieux monde, je le sais. Qu'est-ce qui t'a amené jusqu'ici ? »

Je tentai de lui expliquer un peu ce qui s'était passé et les raisons de ma présence. Elle se montra surprise de me voir car, même si beaucoup d'individus très évolués se promènent dans le plan astral pendant que leurs corps sont endormis et récupèrent pour le jour suivant, il n'est pas commun pour des personnes vivantes de visiter la troisième sphère du monde astral. La plupart du temps, ils ne savent pas comment y parvenir et très peu connaissent l'existence de ces différents niveaux. « Mais chéri, dit-elle, maintenant que tu es là, tu vas pouvoir revenir et nous nous verrons souvent dans l'avenir; il y a beaucoup de choses que je peux te montrer. Bien que tu ne m'aies jamais demandé de t'épouser lorsque j'étais en vie, je savais que tu m'aimais et je t'aimais aussi. »

Je m'aperçus alors qu'il ne m'avait pas paru étrange du tout qu'elle s'adresse à moi en me disant "chéri", car nous nous étions très souvent appelés ainsi dans le passé; malgré les années écoulées, tout me revint en un éclair et je ressentis de nouveau la même attirance pour elle, sa compagnie me fit éprouver le même frisson que jadis.

« C'est merveilleux, dis-je, et ce ne sera certainement pas ma faute si je ne te vois pas beaucoup dans l'avenir. Peut-être pourras-tu m'aider, car je ne sais pas si je suis capable de venir ici par moi-même, quoique tout m'ait semblé si facile aujourd'hui grâce à mon guide. » Je lui racontai mes tentatives récentes et lui dis que, en-dehors de mon premier voyage astral, je n'avais encore jamais été capable de rapporter quoi que ce soit, bien que j'aie fait de grands efforts dans ce sens. « Je voudrais me rappeler dans l'avenir ce que je dis et fais. Je me demande si j'en serai capable. »

Comme je prononçais ces mots, mon ami indien entra dans la pièce. « Ainsi vous vous êtes retrouvés, dit-il. Je pensais que vous y arriveriez si je vous laissais suffisamment de temps. C'est très bien que vous ayez trouvé Daphné; elle peut être d'un grand secours pour vous et grâce à votre amour l'un pour l'autre, beaucoup de choses sont possibles maintenant, qui ne l'étaient pas auparavant. Vous aurez un contact précis à ce niveau de l'astral, sur lequel vous pouvez vous concentrer dès que vous sortez de votre corps au moment de vous endormir. En pensant à Daphné, vous vous ferez immédiatement connaître d'elle, car la pensée est puissante et une pensée concentrée n'est pas liée par les différents niveaux de la matière. Daphné - si elle veut bien me permettre de l'appeler par son prénom - saura donc très précisément quand vous concentrez vos pensées sur elle, de même que les gens savent que vous voulez leur parler lorsque vous les appelez par téléphone. Daphné ne peut pas facilement venir à votre rencontre quand vous sortez de votre corps physique et êtes sur la première sphère ou sphère inférieure de ce monde, mais elle peut être votre correspondante pour passer de cette première sphère à la troisième, où vous êtes actuellement, tout comme le fait de tenir ma main vous a servi de point de contact quand je vous ai dit de vouloir passer d'abord de la sphère inférieure à la deuxième, puis de la deuxième à la troisième. Vous vous apercevrez qu'en exerçant votre volonté et en ayant une relation qui connaît les ficelles, vous n'aurez plus aucune difficulté. »

Il continua : « Vous voyez, vous ne savez pas encore grand-chose sur la loi du karma, cette loi qui, dans une large mesure, crée vos relations et vous procure des occasions si importantes pour votre évolution. Cette loi du karma ou loi de cause à effet, comme elle est habituellement appelée dans les pays chrétiens, concerne tous les mots, pensées et actions dans le monde physique. Le simple fait que, sur ce niveau, vous ayez donné de l'affection à Daphné et qu'elle vous ait rendu cette affection, même si cela n'a pas abouti à sa réalisation naturelle - ce que le monde appelle mariage - signifie qu'entre vous existe un lien qui tôt ou tard doit s'exprimer. Il y a beaucoup à dire sur l'état appelé amoureux, car lorsqu'une personne est dans cet état ou même s'imagine l'être, elle veut *donner* et, pour une courte période, elle ne cherche pas à obtenir quelque chose en échange de ce qu'elle donne. Exprimé différemment, elle dégage quelque chose qui peut être considéré comme le meilleur qu'elle puisse offrir. Ce don est une cause qui doit produire un effet; en d'autres termes, la loi du karma doit agir de sa façon naturelle. Un échange d'amour réel crée une association idéale pour progresser dans tous les domaines, car chacun est très disposé à aider l'autre et désireux de le faire de toutes les manières possibles. Je me réjouis donc de votre relation et j'admets volontiers que je l'espérais. Je ne pouvais vous amener ici délibérément, car cela aurait interféré avec l'effet naturel de la loi du karma, que j'ai mentionnée. Je suppose que c'était votre destin de vous retrouver dans ces conditions particulières; c'est à vous deux maintenant de tirer parti de la force des circonstances qui a rendu ce lien possible. Combien l'oeuvre de Dieu, du Destin, est fascinante ! Si Charles n'avait pas été tué, vous n'auriez pas été malheureux au point que j'aie été envoyé vers vous pour vous aider. Maintenant, grâce aux efforts que vous faites pour comprendre un peu le plan de l'évolution, vous avez été autorisé à retrouver une personne que vous pensiez perdue pour toujours - ou perdue pour le restant de votre vie physique.

« Je ne peux garantir que le matin suivant une expédition astrale en commun, vous pourrez toujours vous rappeler toutes vos expériences, car le développement d'une mémoire parfaite de ce que vous faites en-dehors de votre corps physique demande beaucoup de pratique; pour le moment, vous n'êtes qu'un très jeune élève. Je vous aiderai à vous souvenir de ce que vous avez vu cette nuit et quand vous écrirez votre compte rendu de ces événements, vous comprendrez combien il est important de rapporter dans les cellules cérébrales physiques le résultat de vos voyages; vous ferez probablement un grand effort dans l'avenir, qui vous rendra peu à peu capable de garder cette continuité de conscience tellement essentielle. Le simple fait d'avoir trouvé dans le monde astral quelqu'un que vous aimiez dans le monde physique vous encouragera à faire des efforts herculéens pour dépasser vos limitations. Daphné peut aussi beaucoup vous aider car, vivant à ce niveau depuis quelques années, elle connaît la puissance de la pensée; elle sait aussi ce qui, au niveau astral, *peut* être fait et ce qui ne *peut pas* l'être. Si vous poursuivez vos efforts pour vous rappeler ce que vous faites hors de votre corps durant la nuit, vous pourrez mener une seconde existence, une vie que vous menez seulement lorsque votre corps physique est endormi. »

Daphné se tourna alors vers mon ami : « Mais Acharya, dit-elle, si je peux être très utile à Henry maintenant, pourquoi n'étais-je pas capable de me relier à lui plus tôt ? J'ai beaucoup essayé après mon arrivée sur ce plan, mais même dans les premiers jours, quand je vivais dans la première sphère de ce monde, je n'arrivais pas à avoir la moindre action sur lui. » Avant qu'il ne puisse répondre, je l'interrompis en disant : « Eh bien, tous les deux, vous vous connaissez ? Tu as appelé mon ami Acharya et il ne m'a même jamais dit son nom, bien que je l'aie tant vu ces derniers jours. Votre nom est-il Acharya ? »

« Oui et non, répliqua mon ami indien. C'est certainement une partie de mon nom et ceux qui sont en contact avec moi à ce niveau m'appellent habituellement ainsi. Il est assez bon pour notre but; vous pouvez donc aussi m'appeler par ce nom si vous le souhaitez, mais vous découvrirez vite que les noms par lesquels les gens sont connus dans le monde, et encore plus les prénoms, ne sont finalement pas tellement importants. Vous, Daphné, ne pouviez pas entrer en contact avec Henry - vous rendez-vous compte, Henry, que c'est la première fois que je mentionne votre nom ? - parce qu'il n'était pas encore éveillé au sens occulte ou spirituel. Par conséquent, il ne se souvenait pas de ce qu'il avait fait hors de son corps, en dehors de rêves épars extrêmement embrouillés et incomplets; c'est pourquoi, même s'il parvenait à quitter son corps, il n'avait aucun plan précis, en pensée, de ce qu'il souhaitait faire. Vous lui parliez, je le sais, mais comme vous le dites, il ne semblait pas aussi intéressé que lorsque vous lui parliez dans le monde physique; quand vous attendiez de lui qu'il se souvienne de ce dont vous aviez discuté quelques nuits plus tôt, il semblait vague et morne. C'était parce qu'il n'était pas éveillé; il a fallu une grande tragédie, comme la mort de son frère bien-aimé Charles, pour qu'il réclame la lumière, la connaissance occulte; il a fallu une crise pour que, à travers celle-ci, naisse le désir brûlant de savoir - ce qu'un homme veut réellement, il peut l'avoir, à condition qu'il ait la volonté et soit prêt à travailler. " Frappez et on vous ouvrira ", " cherchez et vous trouverez ", a dit le grand Maître, le Christ, et ces paroles sont littéralement vraies. Mais maintenant il nous faut continuer, car j'ai encore des choses à vous montrer avant qu'il soit l'heure de retourner dans votre corps. Peut-être souhaiteriez-vous venir avec nous, Daphné ? »

« Volontiers, répondit-elle, car je sais que grâce à votre connaissance et à votre aide, j'irai dans des endroits que je ne peux pas encore visiter avec mes connaissances limitées. »

« Jetons d'abord un coup d'oeil à votre montre, me dit Acharya, et voyons combien de temps s'est écoulé depuis que vous avez quitté votre corps. » Je regardai ma montre et m'aperçus que le cadran en était étrangement brouillé. Je tentai d'imaginer quelle heure il pouvait être et chaque fois que je pensais, les aiguilles changeaient de position pour se synchroniser avec ma pensée. « J'ai bien peur de ne pas le savoir, répondis-je, car ma montre sem-ble changer d'heure avec chaque pensée qui me passe par la tête. » « C'est tout à fait vrai, poursuivit Acharya, car vous regardez non pas une montre astrale, mais celle que vous imaginez à votre poignet. Vous êtes habitué à porter une montre, donc vous soulevez automatiquement votre poignet chaque fois que vous voulez savoir l'heure; le simple fait que vous vous attendiez à y trouver une montre fait qu'une montre y apparaît, car vous êtes dans le monde de l'illusion et ce que vous pensez dans l'instant *est* à cet instant. Attendez là, je vais aller m'informer de l'heure exacte en ce qui nous concerne : nous sommes seulement intéressés par l'heure qu'il est à l'endroit où votre corps est couché, pour savoir à quel moment vous devrez retourner dans ce corps. L'heure qui règne dans d'autres parties du monde n'a aucun intérêt pour vous dans ce cas. »

Une fois qu'il eut fini de parler, il sembla s'évanouir dans les airs. Je m'étais à peine remis de ma surprise qu'il fut de nouveau là, debout à côté de moi. Il continua : « Je suis retourné voir votre corps endormi dans votre chambre à Colombo; la montre à votre poignet indique onze heu-res trente» « Mais ma montre a dû s'arrêter, dis-je, car nous semblons être sur le plan astral depuis des heures et non pas depuis une heure et demie. » Acharya reprit : « Vous comprendrez bientôt qu'au niveau astral, le temps paraît différent de ce à quoi vous êtes habitué au niveau physique. C'est tout à fait vrai qu'une heure et demie seulement s'est écoulée depuis que vous êtes sorti de votre corps physique et que nous avons commencé notre voyage; vous comprendrez encore mieux ce que je dis lorsque, demain, vous noterez vos expériences et vous verrez tout ce que vous avez accompli en exactement une heure et demie du temps du plan physique. Vous avez certainement fait l'expérience, dans votre vie physique, de vous réveiller à six heures du matin et de vous rendre compte que vous n'avez pas besoin de vous lever avant une heure. Vous vous retournez, vous vous rendormez et faites un long rêve compliqué, qui semble durer une journée entière. Puis vous vous réveillez et votre réveil vous indique que vous n'avez dormi que vingt minutes. C'est un fait astral dont vous devez vous souvenir, car le temps n'existe pas à ce niveau. »

Nous quittâmes la pièce de travail de Daphné et, une fois dans le couloir, descendîmes les escaliers en flottant jusque dans le hall principal, puis dans le jardin. Il semblait n'y avoir personne, mais nous croisâmes un homme qui allait certainement à l'Académie pour étudier, car il portait sous le bras une boîte qui semblait contenir une flûte. Il sourit en passant, mais ne dit mot.

Acharya déclara qu'il voulait nous emmener écouter un concert symphonique particulier, que le royaume des dévas donnait dans une profonde forêt, dans une partie reculée du monde astral où les humains pénètrent rarement. Il nous dit qu'il avait reçu l'autorisation pour moi et pour lui d'y assister et qu'il était certain qu'il n'y aurait aucune objection à ce que Daphné vienne aussi, d'autant plus qu'elle consacrait une grande partie de son existence astrale à l'étude de la musique. Il expliqua que ce concert serait totalement différent de tous ceux que nous avions entendus jusque-là, parce que son objectif n'était pas de produire de la belle musique, mais de créer un vortex d'énergie qui puisse être utilisé pour influencer une réunion particulièrement importante ayant lieu dans le monde physique en ce moment même. Il ne dit rien sur cette réunion, mais suggéra qu'elle était en rapport avec la guerre et que les décisions qui y seraient prises auraient une grande influence sur l'issue de cette guerre; et donc aussi sur la date où le monde cesserait une fois de plus de se battre et déciderait d'essayer de résoudre ses différends par la négociation au lieu des armes et des munitions. Il expliqua qu'une telle force pouvait être créée de deux manières : par la concentration profonde et par le son. Cette fusion des accords, due à la concentration profonde sur le résultat à atteindre de chacun des individus prenant part à ce travail, construit un vortex d'énergie qui, transmis au lieu de la réunion par l'intermédiaire de la pensée, influence réellement les participants.

Il nous donna l'exemple d'un groupe de personnes énervées; certaines étaient en colère et toutes plus ou moins échauffées par le travail. Avant d'ouvrir une telle réunion, le président s'arrangea pour que chacun ait quelque chose à boire et soit autorisé à fumer; il s'assura en même temps que chacun avait une chaise confortable et que la pièce soit chauffée, comme s'il faisait froid, à une température permettant aux gens de se détendre. La réunion commença, le président entama peut-être les débats en racontant une bonne histoire, une seconde tournée de boissons fut servie et alors seulement les sujets sérieux à l'ordre du jour furent abordés. Quel fut le résultat ? Il se créa entre les gens, qui peu de temps auparavant étaient énervés et prêts à être en désaccord les uns avec les autres, une camaderie qui rendit possible une discussion sensée et facilita le travail du président.

De la même manière, mais à un degré beaucoup plus élevé, l'énergie produite par un effort tel que celui que le royaume des dévas allait faire cette nuit pouvait être utilisée pour affecter un groupe d'hommes ayant une très grande influence sur la destinée de millions d'êtres humains. Ce qu'ils décideraient aurait de réelles conséquences sur l'humanité future; le travail en valait donc certainement la peine.

Sans autre préambule, nous nous éloignâmes, flottant à environ cinq mètres au-dessus du sol, à quelque soixante-dix kilomètres à l'heure. Cette partie du monde astral ne paraissait pas occupée par des êtres humains; je ne me souviens pas d'être passé à côté d'individus ou de groupes pendant que, à toute vitesse, nous faisions notre chemin. Je remarquai que la campagne était très belle et que de temps en temps nous survolions des bâtiments, proches ou lointains, qui ressemblaient à l'Académie que nous avions quittée peu de temps auparavant. Partout les fleurs poussaient à profusion et de nombreux arbres parsemaient le paysage. Ici et là je vis des régions couvertes de forêts denses, mais nous allions trop vite pour remarquer quelque chose de particulier à leur sujet. Je crois qu'Acharya fit la plus grande partie de la conversation et, si je m'en souviens bien, il décrivit la contrée que nous traversions, mais mon esprit était tellement occupé par les prodiges de mon voyage et de ce qui m'attendait encore que je ne me rappelle rien de particulier que je puisse noter.

Après avoir voyagé durant dix à quinze minutes, je vis devant nous ce qui paraissait être une forêt dense et je me souviens d'Acharya désignant ce point, lorsque nous nous en approchâmes, comme la fin de notre voyage. Cependant, au lieu d'atterrir à l'entrée de la forêt, nous flottâmes à environ un mètre au-dessus des cimes des arbres sur peut-être encore cinq ou six kilomètres, puis - notre progression s'étant ralentie à une allure de marche au pas - Acharya nous conduisit à travers une ouverture dans les arbres, par laquelle j'aperçus une magnifique clairière, de forme à peu près circulaire et dont le diamètre était d'environ cinquante mètres.

Lorsque nous atterrîmes, il n'y avait aucun signe d'activité et je ne voyais rien ni personne se déplaçant dans l'espace découvert devant nous. Notre ami nous conduisit vers un arbre immense, dont les racines nous fournirent des sièges très confortables, et nous dit de nous asseoir et de garder le silence. Il est peut-être opportun de mentionner mon impression de lumière dans cet espace découvert ou clairière. Nous étions entourés, comme dans une jungle indienne, d'arbres denses dont les faîtes se ramifiaient, de sorte que l'ouverture était beaucoup plus étroite au sommet que le cercle sur le bord duquel nous étions assis. Sur le plan astral, comme je l'ai déjà mentionné, la lumière est gris-bleuté, beaucoup plus claire que le plus parfait clair de lune, mais elle n'a pas non plus la brillance directe de la lumière solaire. Imaginez cette clairière toute entière parfaitement éclairée; si un lapin l'avait traversée en courant, personne n'aurait pu ne pas le voir, du moins jusqu'à ce qu'il se soit enfoncé dans l'épaisseur de la jungle. Nous voyions donc parfaitement tout ce qui se passait et, en même temps, nous étions entourés par cette forêt dense qui ne laissait presque pas pénétrer la lumière.

Nous étions assis là depuis quelques minutes lorsque je remarquai un groupe de petits hommes - ressemblant à des nains - qui émergeait de la forêt sur mon extrême gauche, où ils s'assirent les jambes croisées en formant un demi-cercle. Si je me souviens bien, ils étaient une dizaine; chacun portait un instrument qui ressemblait à une croix entre une timbale et un tam-tam. Je remarquai qu'ils portaient de petits costumes bruns, avec de minuscules chaussures et des bonnets faits d'un matériau vert vif, beaucoup plus lumineux que le feuillage des arbres. Leurs traits étaient ceux d'hommes entre quarante et soixante-dix ans selon les normes terrestres. Ceux d'entre vous qui ont vu le film de Walt Disney "Blanche-Neige et les Sept Nains" auront une très bonne idée de l'aspect de ces petits hommes. Ils ne parlaient pas et ne faisaient aucun bruit.

Peu après, un groupe d'individus beaucoup plus grands, hommes et femmes, émergea de la forêt - c'était une race entièrement différente. Ils semblaient plus proches du type humain, mais avaient une allure tout à fait éthérée. Les membres féminins de ce groupe avaient entre dix-huit et vingt-cinq ans; elles avaient toutes de longs cheveux tombant librement ou noués d'un ruban bleu ou vert. Les hommes comme les femmes étaient absolument silencieux. Ce groupe comptait peut-être trente-cinq personnes en tout; ils portaient des instruments, qui étaient visiblement des instruments de musique, légèrement différents des violons, violoncelles, clarinettes et flûtes que nous voyons dans les orchestres du monde occidental. Ils ne s'assirent pas, mais se disposèrent de sorte à rassembler ceux qui portaient le même type d'instruments. Tous ensemble, ils formaient un groupe compact, debout à environ vingt mètres du premier groupe de petits hommes.

Il ne semblait pas y avoir le moindre souffle de vent; pourtant le sommet des branches des immenses arbres se déplaçait très légèrement. Un silence surprenant régnait depuis environ deux minutes, puis tout d'un coup les petits hommes se mirent à jouer de leurs tambours. Presque simultanément, ils commencèrent à chanter avec des voix très basses, qui se mêlaient au fond sonore des tambours, sans enlever à la beauté des notes sortant de la bouche des petits hommes. C'était visiblement une psalmodie spirituelle ou mantra, car l'air était pénétré par le

flot d'énergie qu'ils s'efforçaient de créer. Après peut-
être six versets de cette psalmodie, le second groupe, ou
orchestre principal, commença à jouer. Il est presque impossible de décrire la beauté de cette musique, qui se
mêlait parfaitement au fond sonore de psalmodie et de
légers battements de tambours. Son volume n'était pas
important, mais elle captivait par sa pureté et sa beauté.
C'était une symphonie, avec des mouvements séparés et
distincts et un thème principal répété de temps à autre.
L'orchestre avait déjà joué deux mouvements complets
et en était au milieu du troisième quand, soudain, ce qui
paraissait être une voix humaine d'une stupéfiante beauté
résonna dans l'air. Elle semblait venir d'en haut et immédiatement je levai les yeux. Au début je ne vis rien ni
personne; au bout d'un moment, Acharya dirigea mon
attention sur un arbre situé de l'autre côté de la clairière :
à son sommet se tenait une jeune fille d'une grande beauté, avec les cheveux flottant dans le dos; elle était assise
sur les branches et faisait le solo de cette très belle symphonie. C'était un pur soprano; sa voix n'était pas très
puissante, mais la pureté de chaque note touchait les cor-
des de mon coeur au point que j'avais envie de pleurer.

Elle chanta pendant environ dix minutes; l'orchestre
jouait quelques mesures, puis la jeune fille intervenait
avec un solo non accompagné et passait ensuite à la
méthode ordinaire de chant en compagnie de l'orchestre,
créant progressivement l'énergie qui était le but de cette
musique. Un quatrième mouvement, entièrement orches-
tral, qui semblait incarner l'esprit des trois précédents,
termina le concert. La symphonie s'éteignit simplement
et nous nous rendîmes compte soudain que le silence, qui
auparavant était si remarquable, nous enveloppait de
nouveau. Je regardai le sommet de l'arbre où était la
chanteuse - elle avait disparu; les groupes formant
l'orchestre et les petits hommes restèrent où ils étaient;
les membres de l'orchestre étaient maintenant assis sur le
sol. A l'orée de la forêt apparut un très vieil homme, avec
une barbe flottante et des vêtements de cérémonie. Il mar-
cha lentement et calmement vers le centre de la clairière
et, élevant les mains en signe de supplication à quelque

déité, entama ce qui semblait être une invocation, car les deux groupes de musiciens inclinèrent la tête et écoutèrent ses paroles. Je ne comprenais pas un mot de ce qu'il disait, mais je savais que c'était une prière demandant la réussite de l'oeuvre qui venait juste d'être terminée. C'était aussi un effort de volonté, car tous les membres des deux groupes se concentraient de toutes leurs forces pour que le but soit atteint. Tout se termina très brusquement et, en silence, le vieil homme s'évanouit dans la jungle, puis les groupes de musiciens se levèrent et, se retirant de la clairière, disparurent de notre vue. J'étais tellement touché par ce que j'avais entendu que je ne bougeais pas; j'eus un choc quand Acharya dit : « C'est tout pour ce soir. Je suis très curieux de savoir combien de détails vous vous rappellerez ce matin. »

J'étais encore tout étourdi quand nous nous levâmes et, flottant à travers l'ouverture des arbres, commençâmes notre voyage de retour. Acharya nous donna quelques explications sur la teneur de la cérémonie à laquelle nous venions d'assister, mais je ne me souviens pas très clairement de ses propos; j'avais encore l'esprit tout bouleversé et je pensais à la merveilleuse influence spirituelle qui avait marqué le concert du début jusqu'à la fin. Je me rappelle pourtant qu'il décrivit les différents exécutants; il dit que les petits hommes étaient des esprits de la nature, tandis que l'orchestre était composé de membres du royaume des dévas, qui est une évolution parallèle à notre royaume humain; ces dévas étaient, dans leur schéma d'évolution, comparables quant à leur développement à Daphné et moi dans le royaume humain. La soliste appartenait à une catégorie différente; c'était un déva très avancé, égal dans son évolution à un individu extrêmement avancé de la nôtre. Le vieil homme pouvait être considéré comme un prêtre, car il se consacrait aux fonctions de prêtre de cette évolution et évoluait à travers elles, d'une manière très similaire à ce qui se passe dans le royaume humain.

Nous arrivâmes à l'Académie et nous nous arrêtâmes sur la pelouse juste en face de l'entrée, car Acharya dit qu'il était nécessaire pour moi de fixer dans mon esprit le tableau exact de ce bâtiment en vue de futures occasions. Je demandai à Daphné comment je pourrais la retrouver, supposant que je serais capable de venir jusqu'à ce bâtiment par mes propres moyens. Acharya répondit à sa place que je la retrouverais en principe dans la pièce qu'elle occupait quand je l'avais rencontrée pour la première fois car, la surpopulation n'existant pas dans le monde astral, la plupart des gens pouvaient avoir leur propre lieu de travail. Il suggéra cependant à Daphné de me faire connaître le petit pavillon où elle vivait. Daphné fut ravie de la suggestion et nous proposa de venir le voir. Elle montra le chemin en flottant au-dessus du sommet de l'Académie et, à ma grande surprise, je découvris quelque chose qui ressemblait à une "cité jardin" miniature, nichée dans une vallée située environ sept cents mètres derrière l'immense bâtiment. Les maisons, quoique petites, étaient dispersées, si bien que chaque pavillon était entouré d'un vaste terrain. Visiblement, chaque habitant avait dessiné non seulement son pavillon, mais aussi son jardin, en accord avec son tempérament et son goût; le résultat était d'une beauté remarquable. Certains pavillons auraient pu être transportés dans les plus belles campagnes d'Angleterre; d'autres rappelaient les petites villas du Sud de la France; d'autres encore étaient de type purement italien et j'en remarquai même au moins deux qui ressemblaient à des temples orientaux. Acharya s'aperçut que je m'intéressais aux différents types architecturaux; il me montra deux pavillons avec des dômes semblables à de nombreux temples musulmans que j'avais vus, disant qu'ils appartenaient à des gens désirant avoir un pièce aux propriétés acoustiques parfaites.

J'aurais pu continuer à admirer longtemps ce très beau paysage, mais je sentis que Daphné était impatiente de nous montrer sa maison et, à sa suite, nous longeâmes une allée rustique sur environ deux cents mètres. Elle nous fit entrer par un portail dans un jardin qui était un véritable flamboiement de couleurs. Le pavillon luimême ne pouvait être décrit que comme une maison de rêve; il me plut tout de suite. Après le portail il y avait une petite pelouse, au centre de laquelle poussait un arbre faisant de l'ombre sur plusieurs fauteuils en osier disposés sous ses branches étalées - ils semblaient très confortables et attirants, avec leurs coussins de cretonne aux couleurs vives. Je fus immédiatement frappé par cet avantage du monde astral : il n'y avait pas de risque de pluie ou de vol, si bien que tout pouvait être laissé dehors indéfiniment.

Nous entrâmes dans le pavillon et Daphné nous montra d'abord la plus grande des quatre pièces; elle était meublée comme un petit salon, avec des causeuses capitonnées et des fauteuils, des guéridons, de petites chaises et un piano demi-queue dans l'angle. Il n'y avait pas de signe d'ostentation, mais il était évident que les idées personnelles de la propriétaire s'étaient donné libre cours, ce qui dans le monde est souvent impossible à cause du coût des objets que l'on aimerait posséder. Ici il n'y avait pas de telles limitations. On voyait tout de suite, en regardant cette pièce, que la propriétaire était une personne aux goûts artistiques, mais sans aucun désir de faire étalage. Plusieurs grandes fenêtres s'étendaient sur presque toute la longueur de la pièce; la claire lumière astrale qui les traversait faisait ressortir les magnifiques mélanges de couleurs de la tapisserie des fauteuils et des causeuses, ainsi que les couleurs du tapis persan qui s'harmonisaient très bien avec la tapisserie, le capitonnage et les rideaux. Je m'aperçus qu'il était très facile d'obtenir la perfection à ce niveau, si l'on avait du goût. Dans le monde, on pouvait chercher en vain pendant des années un tapis persan assorti aux teintes employées dans la décoration d'une pièce. Les murs, couleur d'ivoire, étaient nus, en dehors de quelques eaux-fortes et d'une ou deux délicieuses aquarelles. C'était un endroit où l'on avait envie de s'asseoir; on s'y sentait chez soi, il n'était pas destiné à la parade. Rien qu'en visitant la maison, on pouvait se faire une idée de son occupant; je comprenais pourquoi Daphné avait voulu nous la montrer.

La seconde grande pièce était meublée comme une chambre, une chambre de femme très typique, avec un divan dans un coin et tous les détails et les meubles que l'on trouve habituellement dans une pièce de ce type parfaitement meublée. Je m'étonnai qu'une chambre soit nécessaire dans le monde astral, où dormir ne fait pas partie de la routine habituelle de la vie. Daphné expliqua ce phénomène en me demandant s'il n'y avait pas des occasions où je ressentais le désir de me détendre en position allongée, simplement pour réfléchir ou pour lire. J'admis que c'était le cas et elle me dit qu'elle passait de très bons moments à se détendre sur son divan, à penser, lire et faire des projets pour l'avenir.

Les deux pièces restantes s'avérèrent être une bibliothèque et une cuisine. La bibliothèque était meublée avec le même confort et le même goût artistique que les deux autres pièces; des étagères pleines de livres reliés de beau cuir russe recouvraient entièrement deux des côtés. Le simple fait de regarder les volumes invitait à s'asseoir et à les lire. La cuisine était équipée de tous les accessoires modernes et, bien que j'aie imaginé qu'une cuisine était inutile ici, Daphné dit qu'elle aimait toujours préparer des petits repas pour des réceptions. Acharya fit remarquer que les habitudes meurent très lentement chez les êtres humains et qu'il faut généralement plusieurs années d'existence dans le monde astral avant que ces habitudes soient entièrement déracinées et oubliées.

J'aurais aimé rester là plus longtemps, mais Acharya commençait à trouver qu'il était temps de nous mettre en route. Je fis une dernière requête, qui était de passer quelques minutes dans le jardin. Il était très agréable de se promener parmi les parterres, à goûter le parfum des différentes fleurs; je m'aperçus que celui-ci était toujours exactement le même que celui des fleurs correspondantes dans le monde, en peut-être un peu plus prononcé. Acharya commenta ce point en disant que je n'aurais pas été capable de reconnaître un parfum particulier si je n'avais pas su à quoi m'attendre : s'il y avait eu une fleur que je n'avais jamais vue auparavant et dont le parfum ne m'était pas familier, j'aurais seulement senti ce que j'aurais imaginé être son parfum en fonction de son apparence, tandis que le parfum réel pouvait être tout à fait différent.

Daphné nous accompagna jusqu'au portail. En prenant congé, je l'assurai que je reviendrais très certainement lui rendre visite, si je pouvais trouver mon chemin.

Nous flottâmes de nouveau dans les airs au-dessus du bâtiment de l'Académie pour atterrir une fois de plus au pied de la colline sur laquelle il se dressait. Acharya me répéta de graver les contours du bâtiment dans mon imagination, afin de pouvoir m'en faire une forme-pensée parfaite chaque fois que j'essaierais de l'atteindre. Je le fis. Puis il me déclara qu'il était temps de retourner à mon corps physique à Colombo et que le mécanisme nécessaire pour ce transfert était le même que celui utilisé pour atteindre cette sphère du monde astral. Il me dit de ne pas m'inquiéter à ce sujet, mais de faire simplement un effort de volonté pour créer une forme-pensée de la pelouse située devant mon bungalow à Colombo. Il me tint la main comme il l'avait fait auparavant mais, selon lui, c'était seulement pour me donner confiance et au fond tout à fait inutile. Je commençai à me concentrer de toutes mes forces et remarquai bientôt que mon environnement se brouillait; bien qu'il n'y eût pas de réelle résistance de l'air, j'avais la sensation de me déplacer dans l'espace. Instinctivement je fermai les yeux, gardant la forme-pensée de mon jardin à l'esprit et, au bout de quelques secondes, l'impression de mouvement sembla cesser. En ouvrant les yeux, je vis Acharya debout à côté de moi sur la pelouse de mon bungalow à Colombo, souriant devant ma surprise évidente. Nous entrâmes immédiatement dans le bungalow en passant à travers la porte fermée, montâmes les escaliers et traversâmes la porte de ma chambre. Je n'étais plus surpris qu'aucune de ces portes n'offre de résistance. Mon corps, que j'avais quitté plusieurs heures auparavant, gisait toujours endormi sur le lit, mais il semblait montrer quelques légers signes d'agitation, qu'Acharya m'expliqua être la réaction normale d'un corps quand l'heure du réveil approche. Il dit que je me réveillerais d'ici peu et insista sur la nécessité de m'asseoir et de noter immédiatement en détail les événements de la nuit qui venait de s'écouler. Il plaça ses mains juste au sommet de ma tête physique et sembla se concentrer sur les cellules du cerveau - pour qu'elles m'aident à me remémorer. Je ne me rappelle pas avoir dit au revoir à Acharya, ni qu'il ait quitté la pièce, car en quelques secondes je ressentis très fortement le besoin de retourner dans mon corps. Avec le mouvement que j'avais remarqué la fois précédente, je me glissai en lui et fus aussitôt tout à fait réveillé.

Dieu merci, le souvenir des événements de la nuit était toujours là. Je sortis immédiatement du lit, mis une robe de chambre et me dirigeai vers mon bureau pour commencer le récit de mon voyage. Il était six heures moins le quart et il ne faisait pas encore assez jour pour que je puisse écrire ou taper à la machine sans allumer la lumière. Je mis un temps considérable pour terminer mon rapport, mais comme j'avais pris mes précautions pour ne pas être dérangé, je pus finir en paix et sans aucune interruption extérieure.

Après le petit déjeuner, je relus mon rapport pour être sûr de n'avoir rien oublié. J'ai l'intention d'essayer ce soir par moi-même de retourner dans la troisième sphère, en prenant comme repère l'Académie où travaille Daphné.

Cette fois-ci je suis réellement excité, car j'ai quelque chose à noter. Je n'ai pas accompli un exploit extraordinaire, mais au moins j'ai réussi. Je suis allé me promener; au retour, je me suis senti fatigué physiquement et me suis préparé à aller au lit. J'ai lu pendant quelques minutes après m'être couché, puis j'ai éteint la lumière et me suis installé pour dormir. Je me souvenais encore si nettement de l'aspect de mon corps couché sur le lit que je n'avais plus besoin de me visualiser dans un hypothétique miroir, comme Acharya me l'avait enseigné les premiers jours. Je ne me rappelle pas avoir glissé hors de mon corps, mais je me suis retrouvé dans ma chambre, avec mon corps couché sur le lit, comme les fois précédentes. Je suis sorti de la pièce en passant à travers la porte, ai descendu les escaliers et me suis rendu, en passant à travers la porte de la maison, sur la pelouse où Acharya et moi nous tenions peu d'heures auparavant. Il ne devait être guère plus de dix heures et demie, car il y avait encore des gens à pied et en voiture sur la route; je me rendis compte que je voyais en réalité le double astral des voitures et des gens et que j'étais dans la première sphère, ou sphère inférieure, du monde astral.

Il fallait ensuite tenter de sortir de cette première sphère, pour monter vers la troisième où vit Daphné. Je concentrai toute ma volonté et créai une forme-pensée de l'Académie, qu'Acharya m'a fait visualiser si attentivement tôt ce matin. Je fermai les yeux, rassemblant chaque parcelle de mon pouvoir de volonté et retrouvai la même impression de mouvement sans résistance de l'air. Je gardai la forme-pensée de l'Académie très claire dans mon esprit, dans le but de l'atteindre; tout d'un coup, j'eus l'impression que la sensation avait disparu et j'ouvris les yeux. Dieu merci, j'étais arrivé ! Devant moi se dressait l'Académie, au sommet de la colline, exactement comme je l'avais vue cette nuit. Mon excitation était tellement grande que je ne me tenais plus. En fait, je devais avoir entièrement perdu le contrôle de mes facultés : soudain tout autour de moi, y compris l'Académie, devint flou et ce dont je me souviens ensuite est le réveil dans mon lit, dans mon corps physique, à Colombo, avec le coeur battant à toute vitesse.

Oh mon Dieu, j'ai tout gâché ! Je suis allé là-bas ! J'ai réellement atteint l'endroit où je voulais être mais, à cause de mon excitation et de mon manque de contrôle, je suis de retour à mon point de départ, complètement réveillé. Je suis resté couché sans dormir pendant au moins deux heures, maudissant ma stupidité et mon manque de contrôle, puis je me suis calmé et j'ai eu sommeil. J'ai décidé de faire un autre essai et, cette fois-ci, de garder le contrôle de mes facultés de façon à ne pas retourner dans mon corps physique avant qu'il ait eu sa ration normale de sommeil.

Une fois de plus, je me concentrai sur la sortie de mon corps tout en gardant devant moi la forme-pensée de l'Académie. Ma sortie du corps fut un peu différente de la première fois. Je ne me souviens que vaguement d'avoir été dans ma chambre, comme un peu plus tôt dans la nuit, mais à ma surprise et ma grande joie, je me retrouvai à l'endroit dont j'avais été si impitoyablement chassé lorsque j'avais perdu le contrôle, quelques heures auparavant. Cette fois-ci je n'oubliai pas la nécessité du contrôle et m'efforçai tant bien que mal de rester calme. Je sais que je m'assis sur l'herbe, sans essayer de me rapprocher de l'Académie, me concentrant profondément pour calmer mes battements cardiaques et rester tranquille et maître de moi.

Puis je me mis debout et flottai jusqu'à l'entrée principale du bâtiment, montai les escaliers et me dirigeai vers la porte de la pièce que Daphné - je m'en souvenais très clairement - occupait la nuit précédente. Je me rendis compte qu'il n'était pas possible de passer à travers la porte comme sur le plan physique : ce bâtiment étant composé de matière astrale, une porte constituait un obstacle à ma progression, puisque j'étais moi aussi fait de matière astrale. Je frappai et attendis, mais il n'y eut pas de réponse. Je frappai encore une fois, me demandant si le bruit que j'avais fait était assez fort pour que l'occupante l'entende, mais là encore le silence régna et la porte ne s'ouvrit pas. Au bout d'un moment, je tournai doucement la poignée et jetai un coup d'oeil timide à l'intérieur. Je n'avais pas besoin de m'inquiéter, car il n'y avait personne. Je reconnus cependant que la pièce était bien celle où j'avais rencontré Daphné la nuit précédente; je refermai donc aussitôt la porte, flottai jusqu'en bas des escaliers et sortis par la porte de devant. M'élevant dans les airs, je passai au-dessus du toit et suivis mon chemin, dans l'espoir que Daphné serait à son pavillon. J'atterris avant d'atteindre la cité-jardin et contemplai encore une fois son cadre magnifique. C'était vraiment comme un aperçu du paradis. Pas étonnant que j'aie eu envie de rester à le regarder plus longuement la nuit dernière. Il y avait encore davantage de bungalows différents que ce que j'avais vu; j'étais absolument bouleversé par le tableau déployé devant moi et ne souhaitais qu'une chose : être un artiste pour pouvoir, après être retourné dans mon corps, créer quelque chose de ressemblant à ce que je voyais maintenant si précisément.

La cité jardin occupait une région vallonnée et, de tous côtés, le sol s'élevait lentement jusqu'à une rangée de collines, parfaitement visibles au loin. Mon regard ne se lassait pas des magnifiques jardins qui ne pouvaient exister que dans un monde sans les limitations du travail ou de la richesse. Il y aurait beaucoup à dire sur la culture de l'imagination durant l'existence physique car, bien que la rêverie n'aboutisse pas à des résultats concrets tant que nous sommes en vie, la faculté d'imaginer en détail reprenait certainement tous ses droits dans le monde astral. Là, il suffisait de pouvoir visualiser une chose et d'y penser fortement pour que cette pensée devienne tout d'un coup un fait établi, un fait qui demeurait aussi long-temps que, par la pensée, on souhaitait qu'une idée per-siste. Heureuses gens en vérité ! La pensée traversa mon esprit que, maintenant que je connaissais un peu mieux ce qui m'attendait, je ne me tourmenterais pas si l'on me disait que ce serait bientôt mon tour de quitter le monde physique; ce que je savais et ce que j'avais vu me faisait comprendre que ceux qui ont quitté le monde peuvent toujours être heureux, s'ils désirent réellement le bonheur. Ma dernière pensée - avant une interruption imprévue - fut qu'il était facile de se faire une image de presque tous les habitants des bungalows. Dans le monde physique, il serait faux de juger un homme d'après son jardin, car il n'a probablement que peu ou pas participé à sa création. Ici aucun jardinier n'est nécessaire, chaque jardin étant la création de son propriétaire; à partir de là, on pouvait se faire une très bonne idée du caractère de l'individu. Je souhaitais trouver l'occasion de mettre ma théorie à l'épreuve.

A ce moment-là, mon attention fut attirée par une silhouette en blanc, qui courait vers moi le long du chemin rustique et criait tout en courant. C'était Daphné, bien sûr; elle était visiblement très excitée. « Tu es arrivé jusqu'ici, Henry, je suis si heureuse ! J'ai tellement essayé de t'aider ces dernières heures, mais je pensais que mes efforts étaient restés vains. Il n'y a pas longtemps, j'ai senti que tu étais près de moi et j'étais presque sûre que tu avais réussi à passer à travers le voile, mais cette impression s'est évanouie peu à peu et j'avais abandonné tout espoir lorsque, une fois encore, j'ai senti que tu étais dans les parages. Il fallait que je vienne à cet endroit, je

ne savais pas pourquoi; quand je t'ai vu debout ici, plongé
dans tes rêves mais réellement présent, j'ai cru que, pendant un instant, mon coeur s'arrêtait de battre tellement
ma joie était grande. »

Je regardai la gracieuse silhouette devant moi. Elle
ressemblait à une enfant; sa robe de mousseline laissait
deviner une silhouette de jeune fille aux lignes enchante-
resses et je m'émerveillai de sa beauté. Ses cheveux brun
foncé parcourus de reflets d'or encadraient parfaitement
l'expression animée de son joli visage, dont les yeux
montraient un amour très pur, comme il est donné à peu
d'hommes d'en voir dans le monde. Tout ce qui était
respectable en moi sembla monter à la surface et je
ressentis l'archaïque désir de protéger, de tenir et de
garder, qui est le véritable sentiment d'un homme pour la
compagne qu'il a choisie. Je n'avais nulle envie de
parler; avec douceur, mais fermeté, je la pris dans mes
bras et pressai de baisers son visage et ses cheveux. Il n'y
avait pas de passion dans mon étreinte. Il semblait ne pas
y avoir de place pour la passion, c'était un désir très pro-
fond d'entrer en contact plus intime avec cette enfant de
mes rêves, un désir de mieux la connaître et, si possible,
d'ajouter au bonheur qu'elle connaissait déjà. Nullement
surprise, elle me rendit mes baisers. Pendant un moment
ses yeux se remplirent de larmes - des larmes que j'essayai
de chasser par mes baisers avant même qu'elles
n'apparaissent. Puis nous nous écartâmes l'un de l'autre
et elle me cacha son visage; mon bras autour de sa taille,
nous gagnâmes tranquillement son pavillon.

En arrivant, je la conduisis dans le salon et la mis
au piano. « Joue pour moi, chérie, dis-je, j'ai un grand
besoin de musique tout d'un coup. » Je tirai un fauteuil et
m'assis à côté d'elle. Elle joua - je ne me rappelle plus
quoi, mais je sais que c'était un morceau exprimant la
joie. Je m'adossai, fermai les yeux et pour quelques instants, connus la pure extase et perçus la paix au-delà de
la compréhension qui, une fois ressentie, rend toute autre
sensation vide et imparfaite.

Je ne sais combien de temps nous parlâmes, mais je
me rappelle que je lui racontai ma douleur après la mort

de Charles et la venue d'Acharya, ainsi que les expériences que j'avais faites jusqu'à la nuit précédente, quand, avec l'aide de celui-ci, je l'avais retrouvée. Nous décidâmes que, bien que nous soyons séparés par le fait que nous vivions dans des niveaux de conscience différents, ce qui nous interdisait de vivre ensemble à la manière ordinaire, nous créerions une vie commune, en prenant les choses comme elles étaient, et prouverions que la mort n'est nullement une barrière pour l'évolution ou le bonheur. Nous étions tous deux sûrs que notre attention l'un envers l'autre nous rendrait capables de percer le voile chaque fois que nécessaire et que je viendrais à elle, même si elle ne pouvait venir à moi.

Elle me parla un peu des gens qui vivaient dans la vallée. Beaucoup étaient ses amis et elle voulait que je les rencontre. Elle m'expliqua qu'à ce niveau les gens se liaient les uns aux autres quand ils avaient les mêmes intérêts, mais qu'il n'y avait pas de mariage au sens où on l'entend. Les gens portaient un nom, mais c'était un prénom ou un surnom, jamais un nom de famille. Elle m'en donna des exemples : une fille qui était toujours souriante et joyeuse était connue sous le nom de Rayon de Soleil; une autre qui était toujours vêtue de bleu s'appelait Jacinthe, tandis qu'un homme qui consacrait sa vie à aider les autres était surnommé Docteur. J'étais prêt à rencontrer ses amis, mais sympathiseraient-ils avec moi, qui n'étais pas vraiment des leurs ? « Tu verras, à ce niveau on ne voit que le côté agréable des gens, car il y a peu de vraies jalousies comme dans le monde; chacun peut avoir tout ce que l'autre a, s'il le veut, simplement en créant une forme-pensée; donc toute tentative pour vivre selon les normes des autres est inutile. Les gens ici deviennent vraiment eux-mêmes et tu comprendras bientôt, quand tu les connaîtras tels qu'ils sont réellement, que le vieux dicton "il y a autant de bien dans le plus mauvais d'entre nous qu'il y a de mal dans le meilleur d'entre nous" est très juste. »

Je n'avais pas la moindre idée du temps qu'avait duré cette conversation, mais je me rappelle que je commençais à sentir en moi une agitation me disant très clairement que mon corps avait eu son compte de sommeil; j'avais juste eu le temps de dire au revoir à Daphné quand, sans autre avertissement, les murs de la pièce dans laquelle nous étions assis semblèrent se fondre en un brouillard qui s'évapora instantanément; de nouveau, j'eus l'impression de me déplacer dans l'espace. Tout d'un coup je me suis réveillé dans mon corps à Colombo; il n'y a pas eu d'arrêt intermédiaire - je ne me suis pas retrouvé dans ma chambre avec mon corps couché sur le lit en face de moi, mais j'étais tout à fait réveillé. J'ai regardé ma montre et vu qu'il était sept heures; le soleil brillait dans ma chambre. Immédiatement je suis sorti du lit et me suis précipité à mon bureau pour commencer mon récit des événements de la nuit. Maintenant j'ai fini. Il est dix heures et j'ai juste le temps de me raser, me baigner et déjeuner avant d'attendre Acharya. Je me demande quelle sera sa réaction à tout ce que j'ai à lui montrer. Sera-t-il content des progrès qu'a fait son élève ou me dira-t-il que ce n'est qu'un feu de paille - qu'il y a peu de chances que je puisse voyager seul dans l'avenir et que j'ai besoin de beaucoup plus de dur travail et d'étude avant de me passer de guide ? Je ne tarderai pas à le savoir. L'image de Daphné est toujours très réelle. Peut-être suis-je passé à côté de mon bonheur en ne l'épousant pas en Angleterre quand j'en avais la possibilité. Je ne le sais pas, mais je n'ai pas de regrets. Je sens qu'il y a peut-être devant nous un avenir infiniment plus fascinant et beau que tout ce qui aurait pu être notre lot dans le monde.

# Chapitre VIII

Il devait être environ onze heures; les dix dernières minutes, j'étais resté assis à mon bureau, à relire mes notes concernant les événements de la nuit, lorsque la voix agréable - que je connais si bien maintenant - interrompit tout d'un coup ma rêverie.

« Eh bien, Henry, mon ami, vous avez donc enfin réussi quelque chose. Peut-être admettrez-vous maintenant que vous avez pu expérimenter par vous-même ce que je vous ai dit, lors de mes premières causeries, être des faits pour moi. » C'était Acharya qui était entré dans ma chambre avec sa discrétion habituelle.

« Oui, Acharya, je suis obligé de l'admettre. Je commence à comprendre que les choses dont vous m'avez parlé et pour lesquelles je n'avais pas de preuves se vérifient indubitablement par l'expérience. Je suppose que vous êtes au courant de ce qui s'est passé la nuit dernière et qu'il n'est pas nécessaire de vous présenter mon rapport, mais j'aimerais que vous le lisiez pour vérifier et voir si j'ai oublié quelque chose d'important. »

Acharya répliqua qu'il avait très envie de lire ce rapport et qu'il souhaitait également voir celui du second voyage astral que nous avions fait ensemble. Il ajouta qu'il en parlerait un moment avant de passer à d'autres cours. Lorsqu'il eut fini de lire mes notes, son visage montrait qu'il appréciait mes efforts - il était visiblement très satisfait que j'aie pu mettre véritablement en pratique les cours qu'il m'avait donnés avec tant de patience durant la semaine ou les deux semaines précédentes. Je lui exprimai toute ma reconnaissance pour l'aide désintéressée qu'il m'avait apportée et qui m'était tellement nécessaire, mais il m'assura que je ne devais aucunement me sentir redevable vis-à-vis de lui, car sa tâche dans la vie était de s'occuper de cas comme le mien et il s'estimait suffisamment récompensé si ses élèves tiraient des bénéfices réels et pratiques de cet enseignement.

Il commença donc à commenter les deux nuits passées et j'écoutai très attentivement. Voici ce qu'il dit : « Il me faut d'abord expliquer pourquoi je vous ai emmené dans la troisième sphère du monde astral en passant par Londres; comme vous le savez, ce n'était pas du tout nécessaire. Mon but était de vous faire comprendre que, dans le monde, toute ville dans laquelle vous pouvez aller avec votre corps astral a le même aspect que la ville physique qui vous est familière, même si ce que vous *voyez* n'est pas physique, mais est le double astral des lieux physiques, tels qu'ils existent sur la *première sphère* du monde astral. A l'avenir, il sera préférable de commencer votre voyage depuis Colombo. Il vous sera tout aussi facile de vous rendre dans des sphères plus élevées que la troisième, qui est celle où vous êtes entré en contact avec Daphné, puisque c'est le même mécanisme qui opère; mais pour cela, il est nécessaire d'avoir dans chaque sphère un lieu particulier que vous visualisez en pensée et vers lequel votre corps astral sera transporté en quelques secondes du temps que vous connaissez ici.

« Je m'attendais à ce que vous soyez un peu effrayé lorsque l'environnement se brouille et qu'il y a une impression de mouvement; je vous félicite de ne pas avoir fait la faute initiale que commettent quelquefois, je l'ai remarqué, mes élèves. Ils ont peur et presque aussitôt se réveillent dans leur corps physique, avec le coeur battant à cause de cette peur. Vous avez également fait cette expérience lorsque, la nuit dernière, vous êtes retourné pour un temps dans votre corps physique sans en avoir eu l'intention, votre excitation ayant pris le meilleur de vos forces tandis que vous faisiez la tentative de rejoindre Daphné sans aucune aide de ma part.

« Je n'ai pas grand-chose à dire sur la *deuxième sphère* du monde astral, car elle ressemble beaucoup à la première, en moins peuplée et moins bruyante. Dans les deux sphères les plus proches du monde physique, les habitants permanents vivent plus ou moins le type de vie qu'ils ont toujours désiré dans le monde physique. Généralement, ils ne restent pas là pour toute leur existence astrale. Il y a des exceptions : certains sont tellement attachés à leur existence matérielle qu'ils n'ont aucun désir de progresser vers les plus hautes sphères du monde astral - mais ils y sont obligés au bout de deux à trois cents ans, quand l'ego pousse le véhicule qu'il occupe à traverser la "seconde mort" pour passer dans le monde mental. Cette façon de progresser n'est pas habituelle et ne sera pas la vôtre quand le temps arrivera pour vous de vivre dans le monde astral. Vous avez déjà compris, en voyant les activités de quelques personnes vivant sur la troisième sphère, que cette vie vous attirait beaucoup plus qu'une tournée dans les restaurants, théâtres ou cinémas.

« J'ai pu vous montrer des artistes et des musiciens au travail dans la troisième sphère, mais vous devez comprendre que cette sphère n'est pas réservée aux artistes et aux musiciens; il aurait été tout aussi facile pour moi de vous montrer de grands ingénieurs, des artisans se consacrant à quelque métier particulier, ou n'importe quel type d'individu dont l'intérêt essentiel dans la vie n'est pas lié à des amusements ou des buts matériels.

« Quand vous écoutiez la musique jouée par le groupe sous la direction de Johann Strauss, vous avez vu quelques membres de cette évolution parallèle appelée le royaume des dévas. Quand vous ferez l'expérience des sphères supérieures à la troisième, vous vous apercevrez que non seulement ils y sont beaucoup plus nombreux, mais qu'ils coopèrent de plus en plus avec les membres de l'évolution humaine au fur et à mesure que l'on s'éloigne de la vie matérielle. Vous penserez peut-être que leur existence est préférable à la nôtre; que vous aimeriez mieux passer du stade de poisson, de

papillon et d'oiseau à celui d'élémental, d'esprit de la
nature et de déva, comme ceux que vous avez vus constituer l'orchestre qui a joué dans la clairière. Nous ne
pouvons changer d'évolution, sauf dans des circonstances très exceptionnelles.

« Vous vous êtes probablement demandé pourquoi j'ai passé tant de temps à l'Académie, à vous montrer le travail qui se fait dans ce genre de bâtiment.
J'avais deux raisons : la première était de vous faire
comprendrer que ce n'était que l'une des nombreuses
écoles existant dans le monde astral, où les gens peuvent suivre des cours sur les arts qui les intéressent -
cours qui leur permettent de naître dans leur prochaine
vie avec le désir de continuer à étudier le même domaine, afin que quelques-uns puissent devenir de grands
maîtres de leur art et aider le monde physique à progresser à la fois dans la culture et l'éducation. Ma seconde
raison, vous avez dû la deviner par vous-même. En
ayant dans votre esprit une image nette de cette Académie après votre retour dans votre corps physique à
Colombo, vous pouviez revenir très facilement et sans
grand effort dans ce lieu; de là vous étiez capable de
contacter Daphné et de continuer vos expériences dans
le plan astral. N'oubliez pas cela dans l'avenir. Si vous
fixez dans votre esprit un bâtiment ou un paysage, vous
pouvez utiliser ce repère comme une forme-pensée sur
laquelle vous concentrer quand vous désirez vous rendre dans la sphère de conscience correspondante.

« J'espère que vous avez bien compris la nécessité de connaître la manière dont le temps affecte votre
séjour au niveau astral. Je suis entré dans le détail à propos de ce point important pour que vous compreniez
comment l'étudier, si l'occasion se présente.

« Notre voyage vers le monde astral où avait lieu
la cérémonie ne nécessite aucun commentaire. Vous
vous rappelez qu'après notre arrivée et notre installation sur les racines de l'arbre, en bordure de la clairière,
je vous ai demandé d'être aussi silencieux que possible.
La raison en est la suivante : bien que les membres du
royaume des dévas ne fassent pas d'objection à ce que

des êtres humains les voient travailler, ils n'aiment pas les interruptions. Vous aurez noté l'intensité d'intention qui régnait tout au long de la cérémonie. Les petits hommes ou gnomes, qui sont sortis les premiers de la forêt et ont entamé la cérémonie avec leur psalmodie et leurs battements de tambour, sont sur un niveau d'évolution beaucoup plus bas que vous et les membres de l'orchestre. Mais vous avez certainement remarqué que tous étaient concentrés, de toutes leurs forces, sur le travail en cours. Il n'y avait ni légèreté ni bavardage, comme avant un concert dans le monde. C'est cette différence que j'espère vous faire retenir, car si vous voulez comprendre les membres de l'évolution des dévas et - j'y compte - un jour travailler en liaison avec eux, vous devez comprendre que la vie est une affaire très sérieuse pour eux et que la légèreté n'est pas dans leurs habitudes. Non qu'ils soient incapables de rire; ce sont en réalité des individus extrêmement heureux, qui paraissent apprécier les plaisirs simples de la nature; mais ils ne laissent pas des influences extérieures les empêcher d'accomplir parfaitement le travail dont ils sont chargés.

« Pour que vous compreniez ce qui suit, il me faut faire une courte digression. Vous avez probablement entendu parler d'initiés, d'arhats et d'adeptes, dans notre évolution. Ces termes se trouvent dans les livres d'occultisme, mais peu de choses ont été écrites à leur sujet. Je vais vous en parler tout de suite brièvement. Au cours de son évolution sur le chemin qui se déroule devant lui, l'homme est placé sous le contrôle et la guidance d'un groupe d'adeptes, qui sont des hommes parfaits, mais qui étaient comme vous il y a un nombre incalculable de milliers d'années. Ces hommes en ont terminé avec les vies sur le plan physique, car ils ont appris toutes les leçons que peut donner le monde physique. A cause de leur grand amour pour l'humanité, ils ont choisi de rester (au sacrifice d'eux-mêmes, comme vous le comprendrez plus tard) en liaison avec cette planète, pour continuer à l'aider et l'assister dans son développement. Ces adeptes sont parfois appelés maîtres, parce que certains d'entre eux prennent des élèves, des hommes vivant dans le monde et pas encore parfaits - dans aucun sens du mot - pour les aider dans le travail à faire. Ces élèves ont de nombreuses occasions de développement qui ne sont pas offertes à l'humanité en général, mais vous pouvez être sûr qu'ils ont mérité ces occasions et que ce n'est nullement une question de favoritisme s'ils ont été sortis de la masse de l'humanité pour ce travail. C'est un dur travail, qui signifie généralement que de tels hommes doivent renoncer à de nombreuses choses qu'ils aimeraient faire dans le monde, afin de se consacrer exclusivement à apprendre comment aider l'humanité, sans aucun bénéfice matériel en échange de ce travail. C'est un service désintéressé qu'ils offrent; leur seule récompense est qu'ils sont autorisés, durant leur sommeil, à entrer en contact personnellement, quand ils utilisent leurs corps astraux, avec ces hommes parfaits qu'ils ont accepté de servir.

« Ces élèves, après de nombreuses vies et un entraînement spécial, sont préparés pour les cérémonies de l'initiation. Ces cérémonies leur donnent des pouvoirs qui les rendent différents du commun des mortels. Elles leur apprennent comment lire dans l'esprit des autres, car quand un homme s'est développé jusqu'à cet état, il n'utilisera jamais ce pouvoir pour autre chose que l'aide à un frère humain. Il apprend comment garder la continuité de conscience sur tous les niveaux - comme je vous apprends à garder la continuité de conscience sur les niveaux astral et physique seulement; pour vous, c'est difficile à comprendre pour l'instant. De tels hommes pourraient, si nécessaire, accomplir ce que le monde appelle des miracles, mais ils ne le font pas, excepté sur les instructions de l'un des adeptes aidant à gouverner la planète. Il y a cinq stades d'initiation et ce n'est que lorsque le cinquième est atteint qu'un homme est parfait et libéré de la nécessité de renaître dans le monde physique. La vie des initiés est parfois prolongée bien au-delà de la durée de vie ordinaire, mais cela n'arrive que dans un but particulier ou parce que cet homme est nécessaire dans un certain pays du monde, afin d'exercer une influence décisive pour les générations futures.

« Durant la cérémonie des dévas à laquelle vous avez assisté, vous avez remarqué que la jeune fille qui a fait le solo dans la symphonie est restée au sommet de l'un des grands arbres sur le bord de la clairière et, à aucun moment, ne s'est approchée des membres de l'orchestre ou n'est descendue sur le sol. Il y a une raison à cela. Ces jeunes filles sont entraînées spécialement pour un travail; elles vivent à part de la masse du peuple dévique et se consacrent à ce travail particulier. Elles doivent développer des corps extrêmement sensibles et des esprits qui puissent s'harmoniser avec l'objectif visé. Cette jeune fille, par exemple, est un être hautement développé; elle est une initiée dans son évolution et a une connaissance et des pouvoirs beaucoup plus grands que le type moyen de déva, que vous rencontrerez de temps en temps.

« Puis il y avait le prêtre qui clôtura la cérémonie et invoqua les Etres qui dirigent l'univers, pour aider au travail en cours. Lui aussi était un être hautement évolué, mais rien à côté d'un initié et probablement même pas l'élève d'un homme parfait. Sa vocation était celle de prêtre, à qui l'on a appris à rassembler l'énergie générée par la musique et les pensées concentrées des assistants et à la transmettre, par le pouvoir de la pensée, à la réunion qui avait lieu dans le monde physique. Vous pouvez ne pas croire que ce soit possible et il n'est pas nécessaire que vous le croyiez, mais dire "ce n'est pas possible" est tout aussi stupide que de croire seulement parce que quelqu'un vous a assuré que c'est vrai.

« Je suis heureux que Daphné nous ait donné l'occasion de voir son petit pavillon, car je savais qu'à certains moments elle n'occupait pas sa pièce à l'Académie. J'étais content que vous ayez vu que de nombreuses personnes vivaient dans la vallée où se trouve son pavillon et je souhaite que vous rencontriez certaines d'entre elles pour discuter. Votre histoire, ainsi que les efforts que vous faites pour mener une vie en dehors de votre corps tout en restant dans le monde, non seulement intéressera des gens, mais aussi les aidera. Certains ne sont pas aussi évolués que vous et n'ont pas eu comme vous, dans des vies passées, les occasions de progresser qui vous ont permis de recevoir des cours spéciaux dans cette vie. Ayant eu le privilège de recevoir cet enseignement, vous devez à votre tour être prêt à transmettre aux autres toute cette connaissance et désireux de le faire. Votre intention d'écrire un livre avec l'essentiel de mes causeries et de vos voyages hors de votre corps est une bonne chose, mais qui aidera uniquement ceux qui vivent encore dans le monde. Ce que je vous dis maintenant et vous dirai dans mes causeries futures n'est pas destiné seulement à vos oreilles, mais à tous ceux qui sont suffisamment intéressés pour vouloir comprendre. Quand on vous communique des choses qui doivent être tenues secrètes, c'est en général parce que la possession de telles connaissances permettrait aux hommes de nuire aux autres s'ils utilisaient de telles connaissances dans des buts égoïstes. Mais je peux vous assurer que vous n'êtes jamais laissés dans le doute en ce qui concerne de tels sujets au stade de développement où ce type de connaissances vous est donné.

« Ceci m'amène à la fin de votre rapport sur le second voyage astral; je vous félicite pour les détails que vous avez pu rapporter. Votre volonté de vous souvenir explique votre succès; si vous comprenez que le pouvoir de votre volonté est, dans une grande mesure, le "sésame ouvre-toi" de la plupart de vos difficultés, vous continuerez à réussir dans l'avenir.

« Le seul détail important que vous ne semblez pas vous rappeler et que probablement vous n'avez pas saisi sur le moment est que, durant la cérémonie dans la clairière, plusieurs centaines de membres du royaume dévique survolaient tranquillement - en planant en quelque sorte - la clairière, quatre à six mètres au-dessus du sommet des arbres qui l'entouraient. Ils n'étaient pas de simples spectateurs ou une assemblée comme nous en voyons dans une grande église de notre monde; ils participaient activement à la cérémonie en produisant l'énergie dont j'ai parlé. Si vous les aviez vus, vous auriez remarqué qu'à la fin de l'invocation faite par le prêtre barbu, ils ont rassemblé l'énergie dirigée vers le bien qui avait été produite; aussitôt après, ils sont partis en formant un groupe compact, probablement pour augmenter les chances d'aboutir au résultat désiré. Que cette défaillance de votre part ne vous tracasse pas le moins du monde, car je vous assure que vous avez fait un très bon travail.

« Votre désir d'essayer de faire les choses par vous-même, la nuit suivante, était tout à fait naturel; chaque fois que vous aurez de tels désirs dans l'avenir, suivez-les immédiatement. Le besoin vient de l'ego, qui est vous, et l'ego ne souhaite que votre progression dans les connaissances de ce genre. Les activités à des niveaux plus élevés que le niveau physique sont beaucoup plus intéressantes pour un ego que les distractions artificielles et la routine normale par lesquelles nous devons passer dans le monde physique. L'ego, bien sûr, se rend compte que nos vies sur le plan physique sont nécessaires pour son progrès dans l'évolution; mais cette ambition a toujours le même but - s'émanciper et apprendre aussi vite que possible les leçons que nos innombrables vies sont censées nous apprendre. Il cherche ainsi à être libéré le plus vite possible de la nécessité de renaître et à pouvoir mener une existence différente, beaucoup plus intéressante, ce qui est possible seulement s'il a appris toutes les leçons qui doivent l'être grâce à l'existence physique.

« Vous voyez vous-même qu'il est beaucoup plus facile pour moi de vous expliquer les choses maintenant que vous avez une bonne idée de la vie que les gens mènent sur les première, deuxième et troisième sphères du monde voisin de celui-ci. La troisième sphère, comme vous l'avez vu, fournit la majorité des écoles destinées à entraîner les étudiants dans les différents arts; très bientôt je vous montrerai la quatrième sphère, qui est en réalité une continuation de la troisième. La première et la seconde sphères constituent le premier stade, la troisième et la quatrième le deuxième stade, la

cinquième et la sixième le troisième stade; la septième
sphère représente la frontière entre les mondes astral et
mental.

« Sur la *quatrième sphère*, nous trouvons de nombreux musiciens et artistes, qui travaillent seuls et ne
souhaitent pas enseigner, ou peut-être ont fini d'enseigner pour l'instant. Nous trouvons des médecins faisant
de la recherche. Un grand nombre de remèdes destinés
à combattre la maladie sont découverts au niveau astral.
Beaucoup de groupes d'étudiants chercheurs se rassemblent et échangent des idées; bien qu'ils n'aient pas de
cobayes physiques pour travailler, ils perfectionnent
peu à peu leurs théories et en imprègnent les esprits et
les cellules cérébrales des médecins faisant le même
type de travail dans le monde physique. Si vous deman-
diez à un médecin faisant de la recherche dans ce
monde s'il ne s'est pas déjà réveillé le matin avec le
germe d'une idée - qu'il lui faudra peut-être perfectionner et mettre en pratique pendant des mois, mais qui
peut devenir l'une des nouvelles percées de la science
médicale -, il admettrait probablement que c'est le cas.
Certains bâtiments, des grands comme des petits,
pourraient être appelés des hôpitaux mentaux. Bien que
la vie astrale permette à tout être humain normal d'être
pleinement heureux, il y a toujours de nombreuses personnes qui réclament la lune et veulent l'impossible. Ils
se font du souci, comme ils s'en sont fait dans la vie, ce
qui a généralement pour résultat une forme de névrose
mentale.

« Le corps astral, outre un double du cerveau
humain, comprend un véhicule mental, communément
nommé "mental". Après la mort, un homme peut être
perturbé par ce mental; certains remords à propos d'actions et de paroles de haine dans sa vie passée, dont il
s'aperçoit maintenant qu'ils ne peuvent jamais être
complètement oubliés, lui causent des souffrances plus
ou moins intenses, selon sa sensibilité. De tels cas sont
souvent traités par des médecins qui se spécialisent
dans les troubles mentaux, avec un grand bénéfice aussi
bien pour le médecin que pour le patient.

« Sur la *cinquième* et la *sixième sphères*, vous trouverez encore davantage de chercheurs, tels que les psychanalystes et les spécialistes du cerveau et du coeur.

« Il est assez habituel pour les médecins et les spécialistes de différentes branches scientifiques d'avoir plusieurs vies consécutives au cours desquelles ils poursuivent le même type de travail; vous pouvez imaginer combien il est appréciable pour de tels hommes de rencontrer leurs confrères au niveau astral, où toute la connaissance est mise en commun dans l'intérêt de l'humanité. Certains groupes de philosophes désirent aider le monde à leur façon; ils sentent que si, dans le monde, la pensée prenait une direction plus progressiste que la guerre et la domination nationale, la vie serait considérablement plus confortable et plus désirable. Certains mystiques croient que la meilleure façon d'aider l'humanité est la méditation à partir d'idées comme "l'Unité de la Vie". D'autres êtres profondément religieux sentent que l'homme ne peut avancer que s'il se rattache à quelque croyance ou dogme religieux; de tels hommes s'efforcent d'établir une religion parfaite en reprenant des points de doctrine dans toutes les grandes religions passées et présentes et en les fondant ensemble pour créer une nouvelle philosophie. Les dévas s'intéressent profondément à tout ce travail - comme vous le verrez par vous-même en temps voulu.

« A ce niveau, les problèmes économiques mondiaux sont discutés et travaillés durant des mois et des années. Quand ces spécialistes aboutissent à certaines conclusions, ils essaient des remèdes en imprimant ces conclusions sur les esprits des êtres humains qui vivent dans le monde et occupent des positions telles que leur avis sera suivi par des nations ou de puissants groupes de réformateurs, car l'humanité doit être aidée quand les crises sont trop importantes et trop sérieuses pour qu'elle les résolve par ses propres moyens. En période de grande crise, ceux qui mènent le monde semblent être portés au pinacle et briller - souvent, un homme qui n'était jusque-là que simple politicien ou leader d'un parti monte et devient une figure proéminente de la politique mondiale; il montre alors une sagesse et des capacités de direction bien au-dessus de ce que l'on attendrait normalement de lui, ce que tous peuvent observer. Quand la crise est passée et que sa grande oeuvre est terminée, il semble retourner à son obscurité antérieure. De tels hommes sont *choisis* et aidés par l'un ou l'autre des grands Etres qui veillent sur cet univers pour soutenir l'humanité. Tant que dure la période d'adombrement, ils sont réellement des superhommes; mais quand la crise est terminée, cet adombrement doit cesser, car chaque homme a de droit le libre arbitre et ne peut être aidé que dans cette mesure et pas plus loin.

« Sur ces niveaux, certains hommes s'intéressent à la pénurie croissante de nourriture pour l'humanité, qui s'accroît de plusieurs millions chaque année. Les dévas aident à résoudre ces problèmes en suggérant de nouvelles méthodes de culture; leurs suggestions sont mises dans l'esprit de ceux qui, dans le monde, sont responsables de ces problèmes dans les régions où ils vivent. De nouvelles idées et de nouvelles méthodes apparaissent ainsi et sont ensuite progressivement adoptées par l'humanité. Vous pourriez assister à quelques-unes des réunions qui ont lieu dans ces sphères et expérimenter par vous-même si ce que je vous dis est vrai; mais il est peu probable que vous puissiez rester à de telles conférences jusqu'à ce que les conclusions en soient tirées, car elles durent souvent des semaines ou des mois - suivant votre conception du temps - et naturellement vous devriez retourner dans votre corps au bout de quelques heures passées loin de lui. De grands progrès sont souvent réalisés pendant de telles réunions et des suggestions sont faites aux gens vivant dans le monde, ce qui permet à l'humanité d'avancer dans tous les domaines.

« Vous vous êtes probablement demandé pourquoi le monde progresse beaucoup plus rapidement à tel siècle qu'à tel autre. Ce n'est pas seulement parce que les distances sont effacées par les voyages aériens et des instruments tels que la radio, mais aussi parce que l'humanité en général - lentement mais sûrement - cherche de plus en plus à résoudre les problèmes existants, et ce par des solutions bénéficiant à la masse. En d'autres termes, les hommes les plus évolués deviennent de plus en plus altruistes, ce qui prouve au moins qu'ils ont appris quelques-unes des leçons que les vies dans le monde physique sont censées nous apprendre.

« Il est difficile d'expliquer le travail du royaume dévique, car les méthodes qu'il utilise sont très différentes de celles auxquelles vous êtes habitué. Pour le comprendre, vous devez vous rappeler que les dévas contrôlent dans une large mesure ce domaine de la vie que nous appelons Nature; les mers, les vents, l'utilisation du soleil dans l'agriculture et des choses telles que les périodes de l'année favorables aux différentes semences, tout cela appartient au domaine des dévas. Ils se joignent aux discussions des membres de notre évolution quand leur connaissance spécifique et leur expérience peuvent être utiles. Ils transmettent habituellement leurs pensées par un processus mental et non par l'intermédiaire des mots - mais ils peuvent utiliser la parole quand c'est nécessaire. De temps en temps, vous entendez parler dans le monde d'une tornade, d'un cyclone ou d'un tremblement de terre laissant derrière lui de nombreuses pertes en vies humaines, des régions dévastées et des milliers de sans-abri. Vous vous êtes sans doute demandé pourquoi une Providence bienveillante permettait de telles tragédies, mais en avez-vous cherché les raisons possibles ? N'est-il pas exact qu'avant de telles dévastations, des hommes et des femmes ont vécu là dans des conditions engendrant le crime plutôt que le progrès ? Une tragédie comme celles dont je parle pourrait être un moyen facile d'éveiller un gouvernement paresseux à ses responsabilités; souvent un plan de reconstruction est tout d'un coup mis en route pour que les survivants puissent être hébergés dans des conditions nettement plus favorables qu'auparavant. Les dévas contrôlent ces cyclones et ces tremblements de terre; je sais par expérience personnelle que leur pitié pour une humanité qui, par son aveuglement, rend de tels désastres nécessaires, est en réalité très grande. Ils envoient un grand nombre d'entre eux à la rencontre de ces infortunés, qui perdent la vie à cause de ces désastres, lorsqu'ils passent du monde physique au monde astral, et ils font tout ce qui est en leur pouvoir pour les délivrer de leur peur et les aider à s'acclimater à leurs nouvelles conditions. Il en est de même lors des guerres mondiales, lorsque d'innombrables âmes sont chassées hors de leurs corps par les armes modernes. Le nombre d'assistants astraux appartenant à notre évolution est insuffisant par rapport à l'hécatombe qui accompagne la progression d'une armée rencontrant beaucoup d'opposition. Les membres de l'évolution dévique prennent alors place à côté des hommes et font leur possible pour aider tous ceux qui sont terrifiés au moment du passage. Il est donc vrai que les hommes et les anges (dévas) marchent parfois à l'unisson, chacun servant Dieu de tout son être.

« Maintenant, il me faut vous parler un peu de la vie sur la *septième* ou dernière sphère du monde astral. La première chose qui vous frappera, lorsque vous visiterez cette région, est l'absence complète de bâtiments. Il n'y a aucun signe d'habitation humaine, mais vous vous apercevrez que des résidents permanents vivent à ce niveau, bien qu'ils fassent tout leur possible pour décourager le contact quand d'autres êtres humains les approchent. De tels hommes estiment qu'ils ne peuvent progresser dans leur évolution que grâce à un isolement complet et une vie de silence. Dans le monde physique, ce sont des saints vivant en dehors de l'humanité, dans des lieux retirés au pied ou au sommet de montagnes solitaires où les autres hommes pénètrent rarement. Ils passent toute leur vie à méditer et à jeûner, menant ce que le monde appelle une vie ascétique. Ils restent les mêmes après la mort et, au bout d'un certain temps, parviennent à la septième sphère du monde astral, où ils continuent leur vie de méditation. Vous trouverez là des hommes qui, durant leur vie terrestre de moines ou de religieux, appartenaient à des fraternités leur imposant un silence absolu et une vie à l'écart des autres êtres humains. Ils ont été tellement habitués à vivre repliés sur eux-mêmes, à prier pendant de longues périodes pour aider l'humanité, qu'après la mort ils se consolent en poursuivant l'existence qu'ils ont menée pendant tant d'années sur terre. Au niveau astral, ils n'ont pas besoin de chercher une grotte ou de se construire une maison pour y vivre. Ni la nourriture ni le confort ne sont nécessaires à leur existence; ils vivent généralement en plein air, dans des bois et des lieux écartés, où ils ont de fortes chances d'être laissés seuls et de ne pas être inquiétés.

« Outre ces êtres humains vivant à ce niveau, vous trouverez d'innombrables membres hautement évolués du royaume des dévas qui continuent leur travail, mais n'ont aucun contact avec les membres de notre évolution.

« Vous trouverez aussi les êtres humains dont le séjour au niveau astral est terminé et qui doivent traverser cette septième sphère pour atteindre le monde mental, dans lequel il leur faut poursuivre leur voyage de retour vers la partie d'eux-mêmes la plus élevée, l'ego, dont la patrie est constituée par les plus hautes sphères du monde mental - appelées le niveau causal. Ces êtres humains sont habituellement accompagnés vers la septième sphère par des guides; ceux-ci sont des hommes comme eux, sauf que ce sont des âmes plus évoluées et plus vieilles. Leur travail est d'expliquer en détail ce qu'on appelle la "seconde mort". Le passage du monde astral au monde mental n'est absolument pas douleureux; c'est simplement l'abandon d'une autre enveloppe. Les guides font en sorte de chasser toutes les peurs pouvant apparaître dans l'esprit de ces gens. Bien que nous ayons tous déjà fait ce même voyage de nombreuses fois, après chaque incarnation physique, nous ne nous souvenons pas de ces voyages passés, parce qu'à chaque nouvelle incarnation physique, nous avons des corps mental, astral et physique entièrement nouveaux, ne portant pas en eux le souvenir détaillé des vies passées. Le passage du monde astral au monde mental échappe au contrôle de l'individu moyen qui, quand l'heure arrive, est obligé d'abandonner son corps astral pour la simple raison qu'il n'a plus d'autre expérience à faire au niveau astral; il doit passer dans le monde mental afin de consolider le travail mental qu'il a accompli durant sa vie physique et l'ajouter au réservoir de connaissances, contenu au sein de l'atome permanent et représentant toutes ses vies passées. Ayant reçu toute l'information nécessaire qui peut lui être donnée à propos de son passage, l'homme s'endort progressivement et se réveille presque aussitôt dans le monde mental, après avoir, durant ce bref sommeil, abandonné son corps astral pour toujours. Des amis l'accueillent dans le monde mental, comme lors de son passage du monde physique au monde astral. Il commence une vie entièrement nouvelle, généralement beaucoup plus courte que la vie dans le monde astral dans le cas d'un homme moyen, plus longue pour les hommes évolués.

« Le corps astral abandonné par l'individu passé de l'autre côté met quelque temps à se désintégrer et retourne à la masse générale de la matière astrale. Durant la période de désintégration, il conserve une ressemblance avec l'individu qui l'occupait auparavant. Il vous faut comprendre que ce n'est qu'une coquille vide; mais, possédant les caractéristiques de la matière astrale, il peut se déplacer et, pour les personnes inexpérimentées, garder un semblant de vie. J'ai vu des gens qui, ayant visité la septième sphère durant leur existence sur le plan physique, étaient déconcertés de s'apercevoir qu'ils étaient incapables d'entrer en conversation avec certaines de ces coquilles qu'ils voyaient flotter de-ci de-là. Une coquille n'est pas un corps dans le sens où le corps physique après la mort est un corps parce que, bien que n'ayant aucun lien avec l'homme réel - l'ego qui l'a abandonné - elle renferme toujours un peu de vie. Jusqu'à ce que la désintégration soit terminée, la coquille se considère comme un homme, car elle est un fragment, une ombre de l'homme qui est parti. Dans les séances spirites, l'on voit parfois des manifestations diverses quand les participants, au lieu d'entrer en contact avec l'homme lui-même, ne contactent que la coquille - ce qui peut arriver lorsque l'homme est mort depuis longtemps. L'ami d'un participant semble revenir leur parler, mais il ne paraît pas en possession de ses facultés intellectuelles habituelles, comme s'il était diminué. C'est impossible; un homme ne décline pas, mais progresse après la mort. Chaque fois que l'on a affaire à un tel cas, on peut donc être sûr que ce n'est pas l'homme réel, mais seulement ce fragment, cette coquille qu'il a laissée derrière lui. Bien qu'une coquille soit inanimée, il est tout à fait possible que d'autres créatures y entrent, la prennent comme corps temporaire et jouent le rôle de l'homme d'origine. C'est ce que font souvent des êtres humains astraux aimant les mauvaises plaisanteries et des esprits de la nature facétieux; ils peuvent reprendre l'une de ces coquilles, la mettre comme l'on mettrait un pardessus et s'en déguiser. L'homme déguisé dans sa coquille donnera très probablement des "preuves" de son identité, car tout ce qui est entré dans le cerveau de l'occupant originel durant sa vie est passé dans son double astral et y reste à disposition de toute entité occupant ce corps. Dans de nombreux cas, un investigateur suffisamment clairvoyant pour voir ce qui est derrière la coquille peut s'apecevoir de la supercherie, mais tous ceux qui s'adonnent à de telles investigations doivent faire très attention, car même cette coquille dont l'homme a disparu peut être activée dans l'aura du médium. Vous risquez d'entrer en contact avec des coquilles dans l'avenir; ce dont vous pouvez être tout à fait sûr, c'est qu'elles ne sont pas du tout dangereuses et qu'elles ne peuvent vous faire aucun mal.

« Ce sera là la conclusion de mon exposé pour aujourd'hui. Vous vous êtes sans aucun doute aperçu qu'elle complète mon très bref survol de la vie dans les différentes sphères du monde voisin. Je voudrais que vous me prépariez une liste de questions auxquelles je répondrai demain matin. Ensuite, quand vous aurez eu plusieurs jours pour faire des expériences par vous-même, je reviendrai vous voir et vous parlerai un peu de la vie dans le monde mental. Je ne pourrai pas vous donner autant de détails sur ce monde que sur le monde astral, parce qu'il est beaucoup plus difficile de trouver des analogies aux phénomènes du monde mental et de les comparer à des phénomènes similaires du monde physique. La vie y est très différente d'ici, car tout doit être fait avec la *pensée*. Ici vous avez des tables, des chaises et des bâtiments. Dans le monde astral, les pensées sont des tables, des chaises et des bâtiments - en fait il n'y a rien d'autre que des pensées - vous comprendrez bien ma difficulté. Je vous emmènerai probablement faire une courte visite sur le plan mental, en espérant que vous serez capable de vous rappeler un peu ce que vous y *sentirez* plutôt que ce que vous *verrez*, mais je vous en parlerai davantage plus tard.

« Je reviendrai demain à l'heure habituelle et j'espère que votre liste de questions sera prête. »

# Chapitre IX

J'ai passé une nuit excellente; je me suis réveillé ce matin à l'heure habituelle très reposé, mais sans le moindre souvenir de ce qui a eu lieu durant la nuit. Ma liste de questions est prête; j'espère qu'Acharya ne la trouvera pas trop longue.

J'étais en train de la relire quand la porte s'ouvrit. Acharya me salua en disant : « Ne vous excusez pas pour le nombre de vos questions; je vous ai découragé d'en poser jusqu'ici parce que je savais que beaucoup de choses s'éclaireraient grâce à vos expériences personnelles au niveau astral; en outre, de trop nombreuses interruptions n'aident ni celui qui parle ni celui qui écoute. Je vais faire de mon mieux pour répondre à vos questions dans un langage qui puisse résoudre vos difficultés. »

Question - « Dans vos causeries, vous n'avez jamais mentionné le Ciel conventionnel, auquel la masse des chrétiens apprend à aspirer. Un tel lieu existe-t-il réellement ou n'existe-t-il que dans l'imagination des prêtres et des ministres de la religion, qui insistent sur son existence ?

Acharya - « Il n'existe pas de lieu tel que le Paradis, mais il existe un état de conscience souvent nommé paradis par ceux qui vivent dans ces conditions. Certains disent que cet état de conscience se trouve dans les stades supérieurs du monde astral, tandis que d'autres affirment qu'il se trouve seulement dans le monde mental. Certains disent qu'il y a une différence entre ce qu'on appelle Paradis et ce qu'on appelle Ciel. Vous vous en souvenez, le Christ, parlant au voleur repenti, aurait dit : "Aujourd'hui tu seras avec moi au Paradis." Le Paradis était le nom donné par les Grecs aux régions supérieures du plan astral; ils enseignaient que l'homme, durant son voyage de retour vers la patrie de l'âme ou ego, atteignait le Ciel dans le monde mental, après avoir quitté le monde astral. Sur ces niveaux supérieurs, certains individus s'entourent de formes-pensées de Séraphins et de Chérubins, en accord avec les anciennes écritures hébraïques. Cela est parfaitement réel pour eux et ne dérange personne; s'ils sont satisfaits de penser ainsi, pourquoi donc les ennuyer ? Beaucoup créent des formes-pensées de Dieu ou de saint Pierre et rien de ce que vous pouvez leur dire ne les convaincra qu'ils vivent dans l'illusion. Un jour viendra où ils auront davantage développé leur intellect; ils commenceront alors à s'efforcer de vérifier les faits pour les distinguer de l'illusion.

« Je remarque que, bien que vous posiez une question sur le Ciel conventionnel, vous n'avez pas mentionné l'enfer traditionnel. Celui-ci, bien sûr, n'existe pas davantage que le Ciel, mais on ne trouve généralement pas dans le monde astral de gens créant les formes-pensées d'un enfer conventionnel et vivant dans de telles conditions, car personne n'est critique envers lui-même au point d'être entièrement certain que l'enfer est l'endroit qui lui convient. La plupart de ceux qui s'entourent des formes-pensées de leur représentation du Ciel ne sont que trop heureux de vivre dans de telles circonstances, car ils ont l'impression qu'ils n'ont pas gagné le droit d'y être ou qu'ils ont eu beaucoup de chance de se retrouver dans un lieu pour lequel ils n'étaient pas tout à fait sûrs d'être qualifiés. Un paradis conventionnel créé par les êtres humains vivant au niveau mental est complètement différent - bien qu'il serve le même but pour les gens concernés. »

Question - « Vous avez dit dans votre troisième causerie que vous expliqueriez la différence entre la vie d'un animal et celle d'un être humain dans le monde astral. Quelle est cette différence ? »

Acharya - « Il y a une différence considérable entre la vie d'un animal dans le monde astral et celle d'un être humain. Le premier habite rarement les sphères supérieures à la troisième, car la vie qu'un homme y mène a peu d'intérêt pour un animal et il est exceptionnel qu'un être humain y emmène son animal favori quand il y accède. Un animal fait toujours un court séjour au niveau astral après chaque vie physique, mais ce séjour ne dure généralement pas plus que quinze ans. Quand le temps est venu pour l'âme-groupe dont l'animal fait partie de se réincarner dans un nouveau corps animal, les entités animales qui ont vécu des existences séparées au niveau astral sont attirées de nouveau dans l'âme-groupe et leurs identités séparées disparaissent aussitôt. Quand ses différentes parties reviennent vers elle, l'âme-groupe est colorée par leurs expériences et la force de vie qui la constitue se subdivise de nouveau; chaque partie va habiter une nouvelle entité animale et fait d'autres expériences dans ce nouveau corps. Comme je vous l'ai déjà expliqué, ce phénomène continue jusqu'à ce que l'âme-groupe soit prête à s'individualiser en un être humain.

« Ces quelques années qu'un animal passe dans le monde astral sont toujours heureuses - même dans les très rares cas où un chien meurt de chagrin parce que son maître l'a donné ou l'a laissé à des étrangers quand il était obligé de partir pour un long voyage; un tel animal trouve rapidement un autre foyer. Dans le monde astral, vous ne voyez jamais un chien réclamer de la nourriture, tandis que vous vous êtes aperçu par vous-même que de nombreux êtres humains continuent à manger et à boire après la mort, simplement parce qu'ils en ont l'habitude. Un chien ou un chat ne mange que lorsqu'il a faim, rarement par gourmandise. Au niveau astral, ils n'ont pas faim et ne réclament donc jamais de nourriture. Un chien de chasse a, durant sa vie, été entraîné à chasser; il continue à le faire après la mort. Son instinct est de chercher sa proie et le fait de chercher est une pensée; une proie apparaît donc immédiatement et le chien la poursuit aussitôt. Qu'il l'attrape ou non n'a pas grande importance, car la proie - qui est seulement une forme-pensée - ne peut être tuée dans le sens ordinaire du mot; mais le chien a le plaisir de chasser et sa vie continue à être heureuse.

« Un cheval qui, durant sa vie, a été la monture favorite d'un amoureux des chevaux, trouve vite un autre propriétaire ayant un amour semblable; la même routine continue, procurant les mêmes avantages et le même plaisir au cheval qu'au cavalier. Dans certains cas, après la mort d'un animal favori, son propriétaire dans le monde pense fortement à lui durant son sommeil nocturne. L'animal sent "l'appel" et parvient parfois à entrer en contact avec son dernier propriétaire et à passer quelques heures en sa compagnie. Mais ce n'est pas souhaitable, car le cheval ou le chien ressent la peine de son maître quand celui-ci doit retourner à son corps physique une fois la période de sommeil terminée. Il vaut donc mieux qu'ils puissent s'attacher à de nouveaux maîtres ou maîtresses.

« Dans certains cas, l'affection entre un individu et ses animaux domestiques est tellement forte que l'âme-groupe dont l'animal fait partie est à sa manière liée à l'individu. Ce phénomène ne survient que vers la fin de l'évolution de l'âme-groupe, quand elle est divisée en deux parties seulement et qu'elle attend le moment de son individualisation en tant qu'être humain. Comme l'individu a beaucoup fait pour elle en l'aidant à éradiquer le dernier vestige de la peur chez les animaux qui lui étaient attachés, l'âme-groupe toute entière - deux chiens ou deux chats par exemple - passe deux ou trois vies consécutives dans sa maison. Le temps pendant lequel l'individualisation peut avoir lieu est ainsi souvent considérablement raccourci. J'aimerais vous raconter d'authentiques exemples de ce phénomène, mais mon temps est limité.

« La période qu'un animal passe dans le monde astral est trop courte pour que les conditions qui y règnent influencent profondément l'évolution de l'âme-groupe; quand cette période est terminée, les animaux disparaissent des maisons auxquelles ils se sont attachés pour retourner à leur âme-groupe et se réincarner dans le monde physique, où une autre expérience est acquise. »

Question - « Pourquoi Charles ne nous a-t-il pas contactés lors du second voyage astral ? Ne s'intéresse-t-il plus à moi à cause de sa nouvelle vie, si différente et tellement plus passionnante que la vie physique, ou ne peut-il pas nous rejoindre sans votre assistance ? »

Acharya - « Je suis très content que vous ayez soulevé cette question; il me faudra beaucoup de temps pour vous expliquer ce que vous voulez savoir, mais sachez que les possibilités de déplacement au niveau astral sont différentes pour les visiteurs et les résidents permanents. Tant que la vie physique continue, le corps astral est un corps auxiliaire, que vous utilisez durant vos heures de sommeil en vue d'activités dans le monde astral. Ce corps, composé de matière astrale, contient des particules apparentées aux différentes sphères du monde astral qui, aussi longtemps que vous avez un corps physique, sont mélangées les unes aux autres. Vous pouvez monter ou descendre dans n'importe quelle sphère du monde astral rien que par le pouvoir de votre volonté et, selon la sphère dans laquelle vous allez, ces particules de votre corps astral deviennent actives et rendent de tels voyages possibles. Précisons encore que lorsque vous séjournez sur la première sphère, ce sont les particules apparentées à cette sphère qui sont actives; mais quand vous passez de la première sphère à la quatrième, par exemple, ce sont les particules de cette quatrième sphère qui deviennent actives, tandis que celles apparentées aux autres sphères restent inactives aussi longtemps que vos activités se déroulent au niveau de la quatrième sphère.

« Ce processus se poursuit tant que vous avez un corps physique, mais quand vous abandonnez celui-ci au moment de la mort, le corps astral - qui auparavant était une masse tournoyante de particules toutes mélangées - se réarrange et prend une forme complètement différente. Pour bien comprendre ceci, essayez de vous représenter le corps astral, après la mort, ovoïde comme une orange, avec un centre et sept peaux séparées, distinctes, entourant ce centre. Le centre représente l'atome permanent relié aux différentes sphères du monde astral et du monde mental. Les sept peaux sont constituées par la matière apparentée aux sept sphères existant au niveau astral, que vous connaissez déjà un peu. Au moment de la mort, le corps astral réarrange la matière dont il est composé de telle sorte que la peau extérieure ou plus dense soit constituée d'atomes semblables à ceux dont vous avez besoin pour fonctionner sur la première sphère, ou sphère la plus dense de ce monde. Lorsque, au bout d'un certain temps, vous quittez la première sphère et passez à la seconde, vous abandonnez cette peau extérieure; ce sont les atomes apparentés à la seconde sphère qui maintenant deviennent actifs et se retrouvent à l'extérieur de votre corps. Le même processus a lieu lorsque vous passez aux niveaux supérieurs. Lors du passage, la peau extérieure tombe et laisse apparaître la peau située en-dessous d'elle, qui à son tour devient active et vous permet d'être pleinement conscient dans la nouvelle sphère dans laquelle vous vous trouvez. Si maintenant un résident permanent souhaite redescendre d'une sphère à une autre, disons de la quatrième à la première, il doit rappeler les atomes contenus au coeur de l'orange - l'atome permanent - pour effectuer le changement. Il doit fournir un effort de volonté beaucoup plus grand qu'un visiteur temporaire, car il lui faut enrouler autour de son corps astral une nouvelle peau apparentée à la matière astrale de la sphère dans laquelle il souhaite fonctionner.

« Charles ne nous a pas accompagnés lors de notre second voyage astral parce que je ne l'avais pas invité; il ne savait donc pas que nous envisagions de le faire. Ce que vous ne pouvez pas savoir, c'est que, si nous avions emmené Charles pour ce voyage, j'aurais dû lui expliquer en détail le mécanisme lui permettant de revenir dans la première sphère, dans laquelle il vit encore. Ce n'est pas parce qu'il trouve la vie au premier niveau tellement pleine que vous ne l'avez pas vu ces derniers jours, mais simplement parce que l'individu moyen vivant dans le monde astral ne cherche pas à entrer en contact avec les gens vivant dans notre monde comme vous souhaitiez entrer en contact avec Charles après sa mort. Vous demandez si Charles peut se joindre à nous sans aide - il le pourrait certainement s'il pensait à nous assez fort pour nous faire part de ce désir. S'il le souhaitait, il pourrait par exemple, toutes les nuits, attendre dans votre chambre le moment où vous sortez de votre corps physique, puis vous faire connaître son désir de vous accompagner partout où vous allez. Il n'a pas montré un tel désir et vous n'avez donc plus eu de contact avec lui. Au cas où vous vous feriez du souci, laissez-moi vous dire que Charles, pour l'instant, est occupé par une attirance momentanée pour un membre du sexe opposé, qui est mort récemment; il est très heureux de lui montrer tout ce qui l'entoure et de lui faire voir qu'il sait actuellement beaucoup plus de choses qu'elle. Je suggère de le laisser seul pour le moment, car je pense que vous vous retrouverez plus tard pour votre bénéfice mutuel. »

Question - « Vous n'avez pas dit pourquoi certaines personnes naissent estropiées, d'autres aveugles et d'autres encore sourdes et muettes. Y a-t-il une raison ? »

Acharya - « Il y a évidemment une raison et mes quelques remarques à propos de la loi du karma, ou de cause à effet, devraient constituer une réponse suffisante. Il est essentiel que vous imprimiez très clairement dans votre esprit que toutes les tragédies sont entièrement produites par les individus concernés, par leurs actions dans des vies passées, et ne sont pas dues à un méchant Créateur aimant voir souffrir les êtres humains. Un enfant naît parfois estropié parce que, dans une vie passée, il a causé une souffrance extrême à un autre être humain ou à un animal. Un homme peut, dans une rage d'ivrogne, battre un enfant cruellement au point de provoquer par ses coups une difformité physique que la science médicale est incapable de guérir; en conséquence, cet homme naîtra sans aucun doute estropié dans une prochaine vie et sera ainsi obligé de subir le même type de souffrance. Les gens naissent parfois sourds et muets parce que, dans une vie antérieure, ils ont eu le malheur d'être les parents d'un enfant sourd et muet; au lieu de lui créer une vie familiale heureuse, ils ont montré leur déception d'avoir un enfant anormal et l'on fait payer à la pauvre créature, incapable de se défendre, ce qui lui a rendu la vie plus dure que nécessaire. Même des êtres évolués, qui savent pourquoi des enfants naissent estropiés ou anormaux, n'arrivent parfois pas à comprendre que le fait d'avoir un enfant anormal est une excellente occasion pour eux de créer du bon karma, s'ils le traitent avec beaucoup de sympathie et de compréhension. Vous pouvez rétorquer que la justice d'aujourd'hui est très différente de celle du passé, mais les actions irréfléchies de nos vies passées doivent être payées, même si, lors de ces incarnations passées, l'homme était moins sensible à la douleur et plus habitué à des traitements très durs qu'il ne l'est aujourd'hui. N'oubliez pas que c'est l'*intention* qui détermine la quantité de souffrances.

« La cruauté émotionnelle et mentale a des consé-quences karmiques similaires. On voit très souvent une veuve mettre des obstacles au mariage de son fils, pour la simple raison qu'elle souhaite égoïstement le garder dans son cercle familial. La mère dit que le mariage entraînerait des perturbations dans la maison familiale ou diminuerait son revenu, ou bien qu'elle est trop fragile pour être lais-sée seule; le jeune homme, par sens du devoir, renonce donc à l'éventualité de faire un mariage heureux et con-sacre sa vie, de façon désintéressée, à s'occuper de la mère égoïste. Il ne se rend pas toujours compte que sa mère est égoïste - bien que ce soit évident pour tous. Le résultat karmique d'un tel égoïsme est que l'on ne peut que considérer comme juste que, dans une vie future, cette femme tombe amoureuse d'un homme qui meurt ou est tué avant que le mariage ne puisse avoir lieu. Au bout de plusieurs années, remise de cette perte, cette même femme s'aperçoit qu'un autre homme est tombé amoureux d'elle. Il ne semble pas y avoir de raison pour que les choses ne se passent pas bien cette fois-ci, mais le Destin risque d'intervenir de nouveau dans le jeu de la vie : l'un des deux peut développer une maladie incurable rendant ce mariage impossible. Comme les gens ne connaissent pas la raison de tels événements, ils ont tendance à penser que la personne concernée est le jouet d'un méchant Créateur - mais ce n'est pas le cas, car vous ne pouvez en aucune façon souffrir sans avoir vous-même produit la cause de cette souffrance. »

Question - « Pourquoi certaines personnes naissent-elles sous "une bonne étoile", avec beaucoup d'argent, une bonne santé et tous les avantages, tandis que d'autres naissent dans des taudis, sans atouts naturels, et souvent avec des maladies héritées de leurs parents ? »

Acharya - « Chaque homme prépare lui-même, lors de l'incarnation antérieure, l'environnement dans lequel il naît, en accord avec la loi du karma. Quand un homme naît sous ce que vous appelez une "bonne étoile", avec beaucoup d'argent et une santé parfaite, le monde y voit naturellement une bénédiction de la divine providence - mais cette chance d'une vie facile n'est accordée qu'à celui qui la mérite. On considère que l'homme qui naît avec beaucoup de limitations et peut-être des maladies héréditaires n'a pas de chance, mais je peux vous assurer que lui aussi a mérité ce qu'il reçoit. Pour trouver un exemple d'homme ayant gagné le droit de naître avec une "cuillère d'argent dans la bouche", vous n'avez qu'à regarder parmi les pauvres de ce monde. Combien de fois avez-vous vu la générosité déployée par un individu qui n'est pas riche en biens de ce monde, mais qui cependant fait son possible pour aider ceux qui sont encore moins fortunés que lui ? Une telle personne n'est que trop souvent abusée par des gens sans scrupules. Les actes de générosité qu'accomplissent ces gens font qu'ils gagnent le droit de naître dans des circonstances très différentes dans le futur; ils gâchent très rarement les chances que procure une grande fortune, car ils continuent à aider leurs frères comme dans le passé, avec bénéfice pour eux-mêmes et pour le monde. S'il gâche ces chances, l'homme crée du mauvais karma au lieu du bon et il aurait mieux valu pour lui qu'il soit né dans des circonstances moins favorables du point de vue terrestre.

« Ce n'est pas nécessairement un grand malheur pour un homme de naître dans d'humbles circonstances. Il a ainsi l'opportunité de dépasser les limitations de son environnement par ses propres efforts. Très souvent, un tel individu surmonte les obstacles de sa naissance et s'en sort avec succès, devenant même meneur de sa génération. Cela demande du courage; cependant, ses efforts amélioreront son caractère et lui permettront de créer beaucoup de bon karma dans cette incarnation. Ses efforts et son refus de se laisser décourager par ces limitations naturelles feront habituellement en sorte que, dans la vie suivante, son environnement sera beaucoup plus favorable. »

Question - « Pouvez-vous expliquer pourquoi certaines races naissent avec la peau colorée et d'autres avec la peau blanche ? Un homme avec une peau blanche est-il toujours plus évolué qu'un homme à la peau colorée ? Est-ce une bonne chose pour les différentes races de se marier entre elles ? Un homme blanc peut-il renaître dans une race de couleur une fois qu'il a habité dans un corps blanc ? »

Acharya - « D'un point de vue spirituel, il n'y pas de raison de supposer qu'avoir une peau blanche est nécessairement mieux qu'avoir une peau colorée. La couleur de la peau ne dénote pas le niveau d'évolution d'un homme, elle est généralement due au climat dominant dans le pays où il naît. On décide habituellement pour un individu de la nation dans laquelle il va naître, bien qu'un certain choix soit donné à l'ego. Avant que son retour dans la vie physique ne commence, on montre à l'ego les traits de caractère dont il manque; comme chaque nation a des caractéristiques propres, exprimées par pratiquement tous ses membres, un ego naît en général dans une famille appartenant à une nation dont les vertus et caractéristiques prédominantes sont celles dont il manque, afin qu'elles soient incorporées à sa future structure.

« Il y a plusieurs milliers d'années, les parties de cette planète les plus habitées par l'homme étaient les pays où vous trouvez maintenant les peuples indigènes aux peaux colorées. Bien que l'Australie soit aujourd'hui un pays habité par l'homme blanc, les aborigènes étaient noirs. En Afrique du Sud, les occupants étaient à l'origine des peuples à la peau noire; bien qu'un grand nombre de ceux-ci soient encore vivants, elle est aujourd'hui contrôlée par l'homme blanc. Chacun d'entre nous, dans ses premières incarnations, a occupé des corps à la peau sombre. La civilisation progressant, les pays qui constituent maintenant l'Occident furent habités; pour qu'ils se développent aussi vite que possible, les hommes parfaits qui supervisent la montée et la chute des nations s'arrangèrent pour que quelques-uns des ego les plus avancés dans le monde naissent comme enfants des premiers pionniers qui habitèrent les pays occidentaux. Et comme le climat de ces pays était généralement beaucoup plus froid que celui des contrées orientales, le soleil avait moins d'effet sur la peau de ces individus, ce qui eut pour résultat l'apparition des races blanches.

Aujourd'hui, le progrès vient principalement des nations occidentales; il est donc souhaitable que les hommes les plus expérimentés dans le monde, les vieilles âmes, naissent dans des corps occidentaux. La Grande-Bretagne a été la nation dirigeante durant le siècle passé et même davantage et a pour cette raison reçu son quota d'ego avancés, mais maintenant l'Amérique reprend la responsabilité de cette position difficile. Ce n'est certainement pas le hasard qui décide si un homme naît anglais, américain, allemand ou chinois.

« Il doit vous paraître évident que *tous* les hommes à la peau blanche ne sont pas plus évolués que *tous* les hommes à la peau colorée. Chaque nation dans le monde a besoin d'un certain nombre d'ego expérimentés et évolués pour la diriger et l'aider à progresser dans son évolution; un certain nombre de vieilles âmes naissent donc toujours dans chaque nation. Mais je ne veux pas dire par là que de vieilles âmes naissent dans des corps d'aborigènes d'Australie; ce serait impossible parce qu'ils ne constituent pas une nation, mais une race en train de mourir. Les seules entités qui habitent ces corps sont celles qui étaient membres de cette race à l'origine, mais qui n'ont pas avancé aussi rapidement ou progressé aussi loin que les autres membres originels passés, eux, depuis longtemps dans d'autres races.

« Faites la comparaison avec l'Inde : vous trouvez dans ce pays des millions d'êtres non évolués, mais aussi un grand nombre d'intellectuels avancés et de nombreux esprits extrêmement spirituels. Les Indiens ont toujours accordé beaucoup d'importance au développement spirituel. Croyez-moi, l'Inde a une culture ancienne et elle jouera également un grand rôle dans l'évolution du monde pour les siècles à venir. Il est visiblement nécessaire pour elle qu'il y naisse des ego capables de guider la destinée de ses innombrables millions d'habitants, afin que, dans l'avenir, elle puisse jouer le rôle qui lui revient.

« Il est difficile de décider si des individus de races différentes doivent se marier entre eux. Il peut arriver que des individus nés dans des nations différentes aient été liés dans dés vies passées, par le mariage par exemple. Quand, membres de nations différentes, ils se rencontrent dans cette vie, l'attraction qui les poussait l'un vers l'autre dans le passé peut être toujours aussi forte qu'auparavant. Dans quelques cas, il peut être intéressant pour eux de se marier à nouveau; ce n'est que l'investigation des expériences passées des deux individus qui pourrait donner une opinion valable. Cependant, je trouve qu'il n'est généralement pas du tout souhaitable pour un homme blanc d'épouser une femme de couleur, ou inversement, car les habitudes et la culture des différentes races ne se fondent pas bien; par conséquent un tel mariage ne tourne pas à l'avantage des deux personnes. Des enfants métis peuvent être mis au monde et il est évident pour tout le monde que ceux-ci souffrent des circonstances malencontreuses de leur naissance.

« Un homme naissant dans un corps blanc ne revient pas nécessairement sur terre dans la population blanche pour son incarnation suivante. Ceci est encore une question de karma et dépend de nombreuses conditions, si bien qu'on ne peut donner aucune réponse générale à une telle question. Dans le cas d'un homme blanc qui, par sentiment de supériorité, exploiterait d'autres membres de la race humaine pour la simple raison qu'ils ont une peau colorée, la loi de cause à effet entrerait en vigueur. Il serait probablement obligé de naître dans une race de couleur pour sa prochaine incarnation, afin qu'il puisse apprendre les leçons sur la tolérance et la compréhension qui lui avaient si visiblement manqué dans son existence précédente. »

Question - « Vous n'avez jamais dit ce qui arrive à un homme qui se suicide. S'agit-il d'un grand crime ? »

Acharya - « S'ôter la vie n'est pas seulement un crime; c'est un acte extrêmement stupide. Vous ne résolvez pas vos difficultés en les fuyant, vous repoussez simplement leur solution à une vie future. Un homme peut dire que les circonstances qu'il avait à affronter sont les causes de son suicide, alors que ces circonstances sont justement celles qu'il avait jugées nécessaires pour son progrès et son évolution; il doit donc y être confronté tôt ou tard. Un enfant faisant l'école buissonnière sera retenu dans la classe inférieure pour un autre trimestre, jusqu'à ce qu'il ait compris que, pour pouvoir passer dans une classe supérieure, il doit obtenir un nombre minimum de points dans tous les sujets; de même, quand l'homme qui s'est suicidé reviendra dans le monde pour sa prochaine vie, un ensemble de circonstances se manifestera, constituant exactement le même obstacle et les mêmes difficultés que celles qu'il a fuies. Il doit alors les affronter et les surmonter, car s'il les fuit encore une fois, il ne fait que retarder sa propre évolution; jusqu'à ce qu'il ait affronté et surmonté ces obstacles et donc appris les leçons qu'ils étaient censés lui apprendre, il ne peut avancer sur son chemin vers la perfection. Des remords extrêmes suivent généralement un acte suicidaire et, très peu de temps après leur arrivée dans le monde astral, la majorité des suicidés donneraient n'importe quoi pour annuler leur acte. Malheureusement, ils ne peuvent revenir en arrière, mais doivent attendre jusqu'à ce que le temps de leur prochaine incarnation arrive et on leur fait bien comprendre qu'ils auront à affronter de nouveau les mêmes difficultés dans leur prochaine vie.

« L'homme souffre tellement de remords - il donnerait n'importe quoi pour retourner dans son corps physique, même si cela signifiait en affronter les conséquences - qu'il refuse souvent de faire l'effort de volonté nécessaire pour se débarrasser de son véhicule éthérique qui, vous vous en souvenez, s'enroule autour du corps astral au moment de la mort. A cause de ce véhicule éthérique collant, il est ce qu'on appelle "lié à la terre" aussi longtemps qu'il s'obstine et refuse de s'en débarrasser. S'étant suicidé, il ne reçoit pas la même aide compatissante de la part des assistants astraux qui, comme vous l'avez vu, est donnée de manière désintéressée à tous ceux qui passent dans le monde voisin de la façon normale; il doit donc *rester* "lié à la terre" par ignorance, étant incapable de fonctionner correctement aussi bien dans le monde physique que dans le monde astral, et il ressent l'extrême solitude de cet état. Après une période qui lui paraît une éternité, il attire à lui, grâce à un changement d'état d'esprit, une main secourable; après quoi il peut commencer sa vie dans les conditions astrales.

« Les conditions extrêmement désagréables qui règnent dans ce "no man's land" rendent parfois l'homme tellement amer envers son Créateur et l'humanité en général qu'il erre jusqu'à l'endroit où il s'est ôté la vie, essayant d'influencer les autres pour qu'ils fassent comme lui. La raison en est l'affreuse solitude de sa condition présente; il sent que s'il peut persuader d'autres personnes de faire ce qu'il a fait, il ne sera plus complètement seul dans son malheur. A de très rares occasions, ses efforts aboutissent et le résultat karmique d'un tel acte est une grande souffrance dans la vie à venir. Le suicide n'est *jamais* un soulagement, c'est seulement un ajournement; les circonstances dans le monde ne sont jamais mauvaises au point qu'un homme doive recourir à de telles méthodes pour y échapper. »

Question - « S'il y a un dieu ou une déité qui contrôle nos vies, pourquoi permet-il les guerres, alors que la majorité de l'humanité désire la paix ? »

Acharya - « Pourquoi suggérez-vous que les guerres sont faites, ou permises, par un Créateur ? Les guerres sont totalement le résultat des actions de l'homme et de ses tendances agressives. Il y aura des guerres aussi longtemps qu'il y aura des nations séparées dans le monde et que certaines nations souhaiteront en diriger et exploiter d'autres. Il existe un karma national comme il existe un karma individuel; les groupes de gens qui se sont réunis en une nation et ont interféré avec la vie d'une autre nation doivent toujours subir les conséquences de leurs actions, qu'elles soient bonnes ou mauvaises. Dans de nombreux cas, une nation dira qu'elle faisait une conquête pour le bien du peuple, mais l'histoire a dans l'ensemble prouvé qu'une nation conquise ne se calme jamais tout à fait sous le talon d'un conquérant et qu'elle ne peut évoluer aussi rapidement que si elle était laissée seule à travailler à son propre salut.

« Les guerres engendrent les guerres et il en sera ainsi jusqu'à ce que l'humanité prenne conscience comme d'une chose qui va de soi que tous les membres de la race humaine sont membres de la même famille humaine, qui devrait être traitée avec compassion et compréhension et aidée. Un jour, il n'y aura plus de nations séparées car tous les hommes vivront ensemble en harmonie, chaque groupe échangeant avec les autres les choses que la partie du monde dans laquelle ils vivent peut produire le plus facilement, ainsi que les articles manufacturés que l'expérience leur a permis de perfectionner. Les différentes nations deviendront alors de simples états dans une nation mondiale et des hommes sages, issus de chaque groupe, gouverneront et légiféreront pour le bien de tous. Il est tout à fait vrai que la majorité des hommes désirent la paix, mais malheureusement ce sont généralement ceux qui sont au pouvoir dans le moment qui décident de la paix ou la guerre. La responsabilité d'une nation ou d'un groupe d'hommes dans le déclenchement d'une guerre comme celle que nous traversons actuellement est très grande et il est rare, si tant est que ce soit possible, qu'une telle guerre puisse être justifiée, quels que soient les arguments avancés pour s'efforcer de prouver qu'il n'y avait pas d'autre issue. Le monde se rendra bientôt compte que même les nations qui gagnent les guerres modernes finissent par perdre et qu'après une guerre les conditions qui règnent dans le monde sont si difficiles que tous les avantages qu'elles semblent gagner pèsent moins que les problèmes d'après-guerre auxquels elles sont confrontées. Ne pensez jamais que les guerres sont désirées par les puissances qui contrôlent la Création. Ces hommes parfaits font tout ce qui est en leur pouvoir pour conduire l'humanité sur les chemins de la paix et du progrès, mais leurs efforts sont limités, parce que l'homme a été doté du libre arbitre. C'est un héritage propre aux membres du royaume humain. »

Question - « Quand des gens sont très évolués, parviennent-ils automatiquement à la continuité de conscience qui les rend capables de se souvenir de ce qu'ils font hors de leur corps pendant le sommeil ? »

Acharya - « Ma réponse dépend de ce que vous appelez un homme évolué. L'homme moyen s'incarne entre cinq et six cents fois dans différents corps, durant la période qui s'écoule entre sa première et sa dernière vie en tant qu'être humain - celle-ci survient lorsqu'il a passé la cinquième initiation et est devenu un adepte. Bien qu'à peu près six cents vies soient généralement nécessaires pour apprendre toutes les leçons que le monde a à enseigner, ce n'est que durant les cinquante dernières vies environ que l'homme se développe sur le plan occulte et apprend à utiliser les facultés latentes chez tous les hommes, telles qu'intuition, clairvoyance et faculté de sortir consciemment de son corps chaque fois que nécessaire. De façon générale, vous pouvez être sûr qu'un homme évolué a développé ces facultés. Mais il est possible que l'on donne à un être moins évolué l'occasion de se développer dans ce domaine et votre propre cas peut servir à illustrer ce point. Vous avez probablement plus de cinquante incarnations devant vous avant d'atteindre le stade d'homme parfait, mais, parce que votre besoin était grand, vous avez reçu des cours spéciaux; en retour, j'espère que vous montrerez votre gratitude en transmettant cette connaissance à ceux qui ont moins de chance que vous. Si vous continuez à travailler comme vous le faites maintenant, vous vous apercevrez que votre souvenir de ce qui vous arrive lorsque vous êtes hors de votre corps deviendra de plus en plus net et votre connaissance de la vie au-delà de la tombe vous permettra de progresser beaucoup plus vite que ce n'est le cas habituellement. En même temps, cela vous apportera beaucoup de paix et de satisfaction d'esprit. N'imaginez pas que puisque vous avez été capable de développer cette faculté, vous êtes différent ou supérieur à beaucoup d'autres qui auraient probablement bien accueilli une occasion semblable à la vôtre. L'orgueil est toujours un danger, car c'est souvent à cause de lui que l'on retire l'aide à un individu, ce qui a pour résultat de le faire retomber dans la Dépouille du Désespoir. »

Question - « Naissons-nous autant de fois homme et femme, ou n'est-ce qu'une question de hasard ? »

Acharya - « Votre dernière question est facile. Non, le sexe n'est pas qu'une question de hasard et nous ne naissons pas un même nombre de fois homme et femme. Certaines caractéristiques ne peuvent être développées que dans des corps femelles et d'autres que dans des corps mâles. Au moment où nous atteindrons la perfection, nous aurons développé un minimum de toutes les vertus qui s'additionnent pour constituer l'idéal de l'homme parfait et beaucoup plus qu'un minimum pour certaines d'entre elles. Un homme qui se développe à travers l'action a naturellement un caractère différent d'un homme qui se développe en menant une vie sainte et en méditant longuement pour s'efforcer d'aider ses frères. Tous les types d'êtres parfaits sont nécessaires et multiples sont les moyens que nous employons pour accomplir notre destinée. Si un individu manque de courage et n'est pas capable de prendre des décisions et de diriger avec foi ses frères, cela signifie probablement qu'il devra renaître dans un corps mâle pour deux ou trois vies consécutives, de façon à avoir l'ample opportunité de se développer comme il en a besoin. Si, d'un autre côté, un individu manque d'instinct maternel (ou même parental) et est donc incapable de ce dévouement altruiste et de cette capacité à aimer quelqu'un, même quand son amour est méprisé, cela signifie certainement qu'une vie ou deux dans un corps femelle seraient souhaitables pour qu'il apprenne ces leçons. Théoriquement, on devrait habiter le même nombre de corps mâles et femelles sur notre nombre total de vies, mais en pratique ce n'est pas le cas, car certaines personnes se développent plus facilement dans un type de corps que dans un autre. En fin de compte, quand un homme atteint la perfection, il devrait avoir toutes les qualités propres aux deux sexes correctement développées. Quand vous aurez l'occasion de rencontrer l'un de ces hommes parfaits, vous vous rendrez compte que ce que je vous ai dit est tout à fait vrai. »

Acharya ajouta encore : « Ceci m'amène à la fin de vos questions. Une fois que vous aurez transcrit vos notes sténographiques et que vous les aurez lues, j'espère que vous jugerez que les réponses que je vous ai données clarifient les points que vous avez soulevés. Si j'étais vous, je me coucherais tôt - vous devez être fatigué - et je ne me soucierais pas de me concentrer avant de dormir pour me souvenir demain matin de ce que j'aurai fait cette nuit. Je ne vous rendrai plus visite avant au moins une semaine; vous aurez donc quantité d'occasions d'expérimenter par vous-même. Comme je vous l'ai dit hier, si vous rencontrez la moindre difficulté, je serai auprès de vous pour vous aider. La paix soit avec vous, mon fils. Je vous laisse maintenant. »

Je pourrais vous décrire longuement les nombreux incidents qui eurent lieu durant la semaine suivante, mais je vais plutôt en résumer les événements marquants.

Dès la première nuit, je parvins à me rendre au pavillon de Daphné, où je la trouvai en train de recevoir des amis. Elle me les présenta et j'eus avec plusieurs d'entre eux une conversation intéressante sur les événements actuels du monde - sujets sur lesquels je les trouvai très bien informés. Ils me montrèrent plusieurs films décrivant les jardins entourant les pavillons de cette vallée, qui étaient encore beaucoup plus beaux que tous ceux que j'avais vus jusque-là. Quand le film montra des jardins non aménagés, je vis danser, dans et autour des images, des esprits de la nature, des petits êtres qui ne devaient pas mesurer plus de dix à quinze centimètres de haut à en juger par comparaison avec les fleurs que je connaissais. Quand ils se posaient sur une fleur, la tige avait un léger tremblement comme si c'était un grand papillon ou un bourdon. Ce sont de parfaites répliques des fées décrites dans les livres appréciés des enfants de tous les âges - avec une différence importante, l'absence complète d'ailes, ce qui est compréhensible, car il est logique que celles-ci soient tout à fait inutiles au niveau où vivent ces esprits de la nature.

La seconde nuit, je sortis de mon corps avec l'intention de me rendre une fois de plus dans la troisième sphère, mais, quand je me retrouvai en train de flotter au-dessus du lit dans lequel mon corps était couché, la première chose que j'entendis fut la voix de Charles me parlant dans son jargon caractéristique de l'armée. Il disait : « Il est temps que tu viennes me chercher. Je suis venu ici au moins trois fois depuis la nuit où toi et ton ami indien vous êtes rendus à Londres avec moi; chaque fois ton corps était là, mais tu étais parti. Je ne savais pas de quel côté tu avais pris le large et ne pouvais donc pas te suivre. Cette fois-ci, j'ai décidé de venir tôt pour être sûr de t'attraper. » « Mon cher Charles, dis-je, je ne savais pas que tu m'avais cherché, car j'ai été extrêmement occupé et très intéressé par tout ce que j'ai vu. » « Que dirais-tu d'aller dans ta petite pièce de la tourelle qui était, je m'en souviens, l'une de tes préférées, dit Charles, nous pourrions y bavarder longuement, comme au bon vieux temps ? » « Bonne idée, vieux frère, allons-y. » Nous montâmes donc dans mon antre, où nous parlâmes des jours anciens et où je lui racontai presque tout ce qui m'était arrivé jusque-là.

Charles me dit : « Je suis drôlement content que tu aies eu la chance de rencontrer Acharya, car je me faisais du souci après ma mort en voyant combien tu étais déprimé et malheureux. Je faisais mon possible pour te parler, mais je n'arrivais pas à me faire entendre - nous avions été de joliment bons camarades dans le passé, même si je t'ai toujours considéré comme plus vieux que moi de plusieurs stupides années. J'ai apprécié tout ce que tu faisais pour moi depuis le jour où tu as commencé à m'apprendre à jouer au football et où tu m'as donné ma première leçon sur la façon de tenir une batte. Comme la vie est drôle ! Mon idée était de prendre du bon temps et de tirer le meilleur que je pouvais de la vie, puis, plus tard peut-être, d'épouser quelque jolie fille et d'avoir une famille. Quand j'ai rencontré Acharya pour la première fois, il m'a appris qu'un homme ne change pas après sa mort et que ce sont les conditions dans lesquelles il vit qui sont différentes; j'ai trouvé cela tout à fait vrai. »

« Oui, répondis-je, j'ai appris par Acharya que tu n'étais pas vraiment malheureux. Il m'a dit que tu avais une relation avec une jeune fille ayant récemment quitté le monde. Est-ce vrai ? »

Mon frère rougit-il ou me l'imaginai-je ? « Oui, c'est vrai, dit-il, le temps passe plus vite en compagnie d'une amie. Mais je crains de devenir orgueilleux, car elle me met sur un piédestal du fait que j'en sais un peu plus qu'elle. Elle n'a pas eu de bon temps dans le monde, je suppose donc qu'elle trouve passionnant pour l'instant de se promener, de voir des spectacles et d'aller dans les restaurants. »

« Charles, dis-je, je voudrais te demander quelque chose. Y a-t-il des relations sexuelles à ton niveau, une fois que vous avez abandonné le corps physique ? » Cette fois je suis tout à fait sûr qu'il rougit, mais il continua : « Eh bien, oui, il y en a, d'une certaine façon, et je pense que la plupart des gens s'y adonnent, mais ce n'est pas tout à fait pareil que sur le plan physique. On mène les choses de la même manière... J'aurais été très embarrassé pour parler de mes affaires amoureuses intimes si tu m'avais posé cette même question avant ma mort, mais à présent c'est à peine si je suis gêné. »

« Je ne te demande pas de parler de toi personnellement, dis-je, je cherche seulement à recevoir autant d'information que possible sur les différences de conditions entre les mondes physique et astral et entre les différents niveaux de ce dernier. Je t'ai raconté mes retrouvailles avec Daphné sur l'un des niveaux supérieurs, où elle étudie la musique. J'étais très amoureux de Daphné quand elle était en vie et je l'aurais demandée en mariage dès que j'aurais été capable d'entretenir une femme. Bien que nous n'ayions jamais fait l'expérience des liens conjugaux, je sens que l'association platonique que nous allons poursuivre sur ces niveaux supérieurs ne durera pas seulement le temps de notre existence astrale, mais qu'elle nous sera très bénéfique dans notre prochaine incarnation. Que dirais-tu de m'accompagner une nuit pour que je te présente à Daphné ? » « Oui, j'aimerais bien », dit Charles. Je lui suggérai de le faire jeudi soir, il fut d'accord.

Il me raconta qu'il était récemment entré en contact avec notre père, mort quelques années auparavant. D'après sa description, je déduisis que notre père vivait sur la seconde sphère. Charles raconta qu'il l'avait trouvé entouré de buissons de roses - c'est ainsi que je l'avais connu quand j'étais petit garçon - et ajouta que la dernière fois qu'il l'avait vu, il était désespéré parce qu'un chien qui s'était spontanément attaché à lui avait soudain disparu et qu'il était sûr de l'avoir perdu. J'expliquai à Charles ce qui s'était réellement passé, mais il ne s'y intéressa guère. Nous continuâmes à parler jusqu'à ce qu'une sensation particulière d'agitation m'envahisse. J'eus juste le temps de dire à Charles de ne pas oublier le rendez-vous de jeudi quand je me réveillai dans mon lit sans aucun souvenir de la manière dont je m'y étais rendu.

Ce fut mercredi soir que j'eus l'expérience la plus perturbante - un cauchemar auquel participait Daphné. Elle et moi étions apparemment dans une sombre grotte. Pour une certaine raison, nous ne pouvions pas échapper à une créature répugnante ressemblant à un gorille qui, assise sur le sol près de nous, regardait fixement Daphné qui l'attirait de toute évidence. Je sais que dans mon rêve je voulais protéger Daphné, mais le gorille était si grand et si fort que je savais n'avoir aucune chance contre lui. Il semblait hautement amusé par les efforts que nous faisions pour nous échapper; il émettait des hurlements sauvages et un rire rauque tandis que nous courions de-ci de-là autour de la grotte, essayant de trouver une issue. Dans mon rêve, mon front ruisselait de sueur et j'essayais de penser à Acharya dans l'espoir qu'il viendrait nous aider - mais rien ne se passa et nous semblions être abandonnés à notre destin. Au bout d'un moment, le gorille se mit debout et avança vers Daphné; il l'attrapa de ses horribles long bras velus et commença à la traîner à l'autre bout de la grotte. Daphné criait et résistait de son mieux; désespéré, je me précipitai sur l'horrible créature et, bien que sans armes, je tentai de mettre mes mains autour de sa gorge dans l'idée de détourner son attention sur moi.

Maintenant encore, je sens l'haleine fétide de la brute, car au milieu du combat, je me réveillai dans mon lit, trempé de sueur et les draps tout entortillés autour de moi. Je n'avais pas la moindre idée de ce que tout cela signifiait. J'en parlerai avec Daphné dès que possible dans l'espoir qu'elle saura quelque chose à ce sujet.

Ce fut dans la nuit de jeudi que je commençai ma carrière d'assistant astral. C'était cette nuit-là que j'avais prévu d'emmener Charles sur la troisième sphère. Il était en retard; quand il arriva, il était très agité parce que, dit-il, un de ses camarades, Bill Fletcher, venait de s'écraser et de se tuer lors d'un raid au-dessus de Londres. Il me demanda de venir avec lui pour l'aider; nous nous mîmes donc aussitôt en route pour Londres. Charles savait où trouver Bill et notre aide fut bien accueillie par trois assistants astraux inexpérimentés, mais impatients d'agir. Après environ deux heures de dur travail de notre part à tous, Bill fut persuadé de faire l'effort de volonté nécessaire pour se libérer de son corps éthérique et devint immédiatement quelqu'un de tout à fait différent. Charles et moi le prîmes en charge; nous l'accompagnâmes chez lui où nous fîmes notre possible pour préparer sa jeune femme aux nouvelles qu'elle allait recevoir le lendemain matin.

Comme Charles décida ensuite de rester avec Bill, disant qu'il ne savait que trop ce que le pauvre diable endurait, je retournai sur les lieux où le raid s'était déroulé pour voir si je pouvais encore être utile à quelque chose. Une ambulance passa près de moi et je décidai de la suivre. Elle fut conduite vers l'un des grands hôpitaux londoniens et un brancard, sur lequel était allongée une jeune fille, fut précautionneusement transporté à l'intérieur du bâtiment. La jeune fille, dans son corps astral, marchait, très agitée, à côté du brancard. Après examen, on transporta son corps dans l'une des salles, déjà pleine de victimes récentes. Simplement, sans précipitation et avec une efficacité que j'admirai beaucoup, on le mit dans un lit et on se prépara à lui faire une transfusion de sang. La jeune fille essayait frénétiquement de communiquer avec les médecins et les infirmières s'occupant de son corps inconscient, mais au bout d'un petit moment elle écouta ce que j'avais à dire. Je lui affirmai que tout irait très bien, car intuitivement je savais que c'était vrai. Je lui dis que je pouvais l'aider si elle se calmait et regardait les soins, tout en employant le pouvoir de sa volonté pour soutenir les efforts des médecins et des infirmières. Je ne sais pas maintenant pourquoi je lui suggérai cela. Je ne savais pas du tout si cela l'aiderait ou non, mais il me vint à l'esprit de le dire et c'est ce que je fis.

Je voyais très clairement qu'une fine ligne de matière éthérique reliait son corps astral à la forme physique couchée sur le lit d'hôpital, je savais donc qu'elle n'était pas morte - et étais sûr qu'elle ne mourrait pas. Je restai à parler avec elle toute la nuit; apprenant que la maison dans laquelle elle vivait se trouvait juste à côté d'une autre maison qui avait été touchée et qu'elle s'inquiétait du sort de sa vieille mère, je lui transmis des bribes de la connaissance qui m'avait récemment été donnée.

D'autres assistants astraux allaient et venaient dans la salle; l'un d'entre eux, que je n'avais pas vu auparavant et qui me dit s'appeler Jim, me félicita de mes efforts, disant qu'il souhaitait qu'il y eût davantage de gens ayant les connaissances nécessaires pour pouvoir les aider dans de telles urgences.

Je fis une expérience tellement unique durant la nuit de vendredi qu'il me faut décrire en détail les activités de cette nuit-là. Je trouvai Daphné dans sa pièce à l'Académie. L'une des premières choses que je lui demandai fut son rôle dans mon cauchemar - mais elle m'assura qu'elle n'y avait pas participé. Nous décidâmes d'essayer d'aller dans la sphère suivante - la quatrième - mais nous fûmes confrontés à un problème : aucun de nous n'y avait de repère à visualiser. Nous nous assîmes dehors et nous nous concentrâmes; j'essayai de me représenter un hôpital mental, comme ceux dont Acharya avait parlé, mais rien ne se passa. Je souhaitai qu'Acharya vienne nous aider et créai sans doute une forme-pensée de lui parce que, après l'échec de notre essai suivant, j'entendis un gloussement derrière moi - il était là. Il dit qu'il allait nous aider et nous donner dans chaque sphère des repères que nous devions mémoriser. Nous nous prîmes les mains; quand j'ouvris les yeux, je vis une scène qui ne peut être décrite correctement, car c'était la plus belle des vallées. Elle était en partie boisée, avec un sol couvert d'une épaisse bruyère de différentes couleurs que l'on voit à la perfection en Afrique du Sud, mais douce au toucher; mélées à elle, des fleurs sauvages s'épanouissaient à profusion. Je vis côte à côte des primevères, des jacinthes, des jonquilles, des myosotis, des tulipes, des roses sauvages et les plus éclatants coquelicots que l'on puisse imaginer; je suis sûr qu'aucune variété de fleurs sauvages ne manquait, car le sol, de près comme de loin, était un véritable tapis de couleurs d'une beauté à couper le souffle. « J'ai pensé que ce repère vous plairait, dit Acharya, car on l'appelle "le Vallon des Fées". Il pourrait être défini comme berceau du royaume des dévas, car c'est la vallée où les membres de cette évolution retournent une fois qu'ils ont fini le travail qui leur est confié. Je vous suggère d'explorer la vallée à la prochaine occasion - tranquillement et discrètement, car les dévas ont leurs méthodes propres pour éloigner les philistins parmi les hommes. Ils construisent un épais mur de matière astrale qui interdit à tout être humain de voir au-delà, même s'il sait que ce lieu existe. De tels murs ont le même but à ce niveau que des murs de briques dans le monde physique. »

Une fois de plus nous nous prîmes les mains et voulûmes nous rendre au niveau supérieur - le cinquième. Lorsque j'ouvris les yeux, le décor me sembla surnaturel : nous nous trouvions dans un espace découvert comme un désert, en-dehors du fait qu'il y avait de l'herbe au lieu de sable. Au loin se dressait une immense cité, avec de nombreuses flèches et tours, entourée d'un énorme mur. Au-dessus de la cité brillait quelque chose ressemblant à un soleil, inondant tous les bâtiments d'une lueur qui les faisait briller comme de l'or. "Ceci, mes amis, est la Cité Dorée, dit notre guide, et je vous conseille de la visiter et de l'étudier. Vous y trouverez tout ce que l'on a jamais pensé ou imaginé se trouver dans le Ciel orthodoxe, dont parlent tant les prêtres et les ministres attachés à la foi chrétienne. La cité toute entière est une immense forme-pensée et vous y trouverez des formes-pensées de Dieu le Père, du Christ et des douze apôtres, ainsi que de tous les saints figurant dans l'enseignement de l'Eglise. »

A nouveau nous nous prîmes les mains et, par notre volonté, nous nous dirigeâmes vers le sixième niveau.

Une seconde après, nous nous trouvions sur la berge d'un lac entouré par une haute muraille rocheuse. Au loin sur notre gauche, on voyait une très petite ouverture - je me demandai ce que c'était. "Faites-vous une image claire de ce décor, nous conseilla Acharya. Ce lac est principalement utilisé par les membres de la race humaine qui désirent avoir le silence absolu pour travailler. Il y a dans le monde une secte qui évolue uniquement par des exercices de méditation. Durant leur vie, on leur apprend qu'il existe un lieu appelé Ciel. Les petits bateaux que vous voyez sont utilisés par les hommes qui viennent ici; lorsqu'ils sont sur l'eau, ils ne peuvent pas se dépasser mutuellement. Ce phénomène est dû à certains courants d'eau qui les entraînent et leur font faire le tour du lac; il leur faut vingt-quatre heures (en temps terrestre) pour revenir à leur point de départ et il faut exactement le même temps à ces gens pour effectuer leurs exercices de méditation. J'ai vu que vous remarquiez la petite ouverture sur la gauche; elle conduit à un lac semblable mais plus petit, également entouré de hautes falaises. Ce lac fut produit par un individu qui séjourna là. Un jour, il fut interrompu dans sa méditation par d'autres êtres humains utilisant le lac en même temps que lui. La forme-pensée qu'il créa fut si forte qu'elle produisit un lac pour lui tout seul. Ici, je vous parle d'une voix à peine plus forte qu'un murmure. Si j'avais parlé de ma voix habituelle, vous l'auriez entendue résonner autour du lac comme le tonnerre. Les gens du lieu connaissent ce trait inhabituel et font bien attention à ne jamais produire un son. A cause de cette particularité, le lac est appelé "les Eaux du perpétuel Silence". Maintenant je dois vous laisser. Vous n'aurez aucune difficulté à revenir sans mon aide. »

Comme il l'avait supposé, Daphné et moi n'eûmes aucune peine à revenir sur nos pas, mais lorque nous atteignîmes la quatrième sphère et revîmes le Vallon des Fées, nous décidâmes d'y rester un petit moment. Nous remarquâmes qu'il y avait dans la vallée des signes de grande activité, comme si une cérémonie allait avoir lieu. Des milliers d'habitants semblaient se rassembler. Nous nous assîmes pour regarder; notre présence fut remarquée par quelques "officiels" et lorque l'un d'entre eux se dirigea vers nous, nous nous attendions à ce qu'il nous demande de partir - surtout qu'Acharya nous avait prévenus que les membres de notre évolution n'étaient pas toujours les bienvenus en ce lieu. L'homme qui, lentement et solennellement, flottait dans notre direction avait une très belle tête d'intellectuel et une dignité spirituelle qui nous fit nous mettre debout instinctivement lorsqu'il arriva près de nous. Son costume nous paraissait étrange, il ressemblait à celui d'un mandarin chinois. Les couleurs du long manteau étaient magnifiques, tandis que la broderie représentait clairement de nombreuses fleurs sauvages poussant dans la vallée. L'expression de son visage ne semblant pas augurer de difficultés pour nous, nous lui rendîmes son sourire, espérant que notre attitude le rassurerait. Ce qui suivit fut un peu fantastique : ce fut une conversation qui se déroula sans un seul mot prononcé; les questions et les réponses s'enchaînaient, beaucoup plus rapidement que cela n'aurait été possible si nous nous étions exprimés par des mots.

Je sentis qu'il me demandait s'il pouvait faire quelque chose pour nous. Je lui dis, en laissant simplement ma pensée s'exprimer dans mon esprit, que Daphné était une habitante permanente du monde astral, tandis que je vivais encore dans un corps physique dans le monde et étais là pendant que mon corps dormait. Il sembla comprendre parfaitement et dit qu'il avait reçu l'ordre de son "chef" de nous amener à lui. Nous lui fîmes comprendre que nous serions très heureux de l'accompagner et nous nous dirigeâmes aussitôt vers l'arène centrale. En approchant, je vis que les gens étaient debout ou assis en un large cercle ouvert. Des fleurs sauvages avaient été tressées pour retenir la foule et je ne pouvais cesser de comparer la beauté de cette "palissade" avec celles que l'on voit dans le monde. Juste à l'intérieur du cercle, une estrade avait été érigée, faite entièrement de mottes de mousse verte, avec des piliers à chaque coin, formés de fleurs entrelacées, de toutes tailles et couleurs; même le dais au-dessus de l'estrade était fait de fougères très délicates, ressemblant un peu à nos capillaires. L'ensemble formait un très beau tableau. Sur l'estrade, la mousse avait été disposée de manière à former de nombreux sièges aux dossiers galbés, qui semblaient si confortables que l'on avait envie de s'y asseoir. Sur le devant se trouvaient deux grands sièges ressemblant à des trônes et qui, bien qu'également composés de mousse, étaient davantage ornés que les autres.

Tandis que nous attendions l'apparition du "chef", notre guide nous fit comprendre de prendre place. Il nous dit que la foule était rassemblée pour assister à une cérémonie de graduation. Il expliqua que, lorsque le temps était venu pour un groupe d'esprits de la nature de passer à la prochaine étape de leur évolution - qui était de devenir des dévas - ils devaient faire la preuve de leur compétence à l'une de ces réunions. S'ils satisfaisaient le "concile des examinateurs", ils étaient transformés en dévas, avec davantage de responsabilités. Les ego les plus jeunes évoluaient selon trois lignes de travail : 1) la ligne du Pouvoir, utilisant la Musique et la Couleur; 2) la guidance du Règne Végétal, qui devait ses changements et sa progression aux expérimentations faites au niveau astral par des membres de l'évolution dévique, et 3) le travail en relation avec le Règne Humain. Il expliqua que les esprits de la nature se mêlaient très fréquemment aux êtres humains, en particulier aux enfants. Ils jouaient souvent avec ceux qui passaient dans le monde astral dans leur jeune âge et leur apprenaient à utiliser la matière astrale plastique, par exemple pour vivre réellement leurs contes de fées, pour changer à volonté de façon à représenter n'importe quel personnage de fiction aussi longtemps qu'ils en avaient envie. Il insista sur le fait que cette sphère du monde astral est au royaume des dévas ce que le monde physique est au royaume humain. Entre les vies, les oiseaux retournent à cette quatrième sphère, de même que les animaux habitent les sixième et septième sphères quand ils attendent leur retour dans le monde. Les oiseaux, les poissons, les papillons et de nombreuses autres créatures ailées, se transforment en esprits de la nature et font partie de l'évolution dévique. Ils n'appartiennent pas à notre évolution humaine.

A ce moment, un groupe émergea d'un taillis voisin. Si j'avais imaginé que le conte de fées du "Tapis volant" puisse devenir réalité, c'était sûrement ainsi ! Le groupe consistait en deux personnages centraux assis jambes croisées sur ce qui ne pouvait qu'être appelé tapis de cérémonie, flottant à environ un mètre au-dessus du sol. A l'avant, à chaque coin, de nombreux oiseaux de toutes les couleurs imaginables tenaient des fleurs dans leur becs; ils volaient devant, tirant apparemment le tapis, tandis que les autres dévas participant à la procession flottaient majestueusement de chaque côté. D'autres petits oiseaux volaient à l'avant et à l'arrière; ils laissaient tomber des pétales de roses sur le chemin de la procession : chacun descendait sur le sol, ramassait avec son bec des pétales dans les buissons de roses qui poussaient partout et aussitôt revenait à sa place en tête de la procession, d'où il lâchait les pétales. Tandis que le cortège poursuivait lentement son chemin, l'air était empli des chants sortant de la gorge de milliers d'oiseaux de tous types. La procession atteignit sa destination et les deux personnages centraux furent escortés jusqu'aux trônes spéciaux qui leur étaient préparés sur l'estrade. Le premier des deux personnages était le "chef" et le second le Grand Prêtre, à en juger d'après les tenues de cérémonie qu'ils portaient. Comme les autres officiels prenaient place sur l'estrade, notre guide nous présenta, Daphné et moi, au chef, qui nous signifia de nous asseoir également sur la plateforme. Daphné se vit offrir un siège à sa droite et moi un siège immédiatement à la gauche du Grand Prêtre. Avant que la cérémonie proprement dite ne commence, un grand orchestre, composé entièrement de dévas, joua un morceau de musique très gai et mélodieux. Ensuite le silence revint; même les myriades d'oiseaux ne proféraient plus le moindre son.

Puis un héraut s'avança dans le cercle intérieur et, avec une petite trompette en argent, annonça la première partie de la cérémonie. Un petit groupe d'esprits de la nature entra dans l'arène. Bien qu'aucun mot ne fût prononcé, l'examinateur principal lui transmit une question. Celle-ci concernait l'expression de sons, qui devaient représenter une rivière au cours lent, traversant paresseusement une région boisée avec de grands arbres sur les deux rives. Le groupe produisit aussitôt des instruments à vent et une curieuse guitare. Ils commencèrent à jouer et je vis la forme-pensée prendre place lentement, montrant exactement ce qu'ils s'efforçaient d'illustrer grâce au son. Puis il y eut immédiatement un autre ordre, qui fut de créer une musique exprimant les éléments. Aussitôt les instruments changèrent; le groupe introduisit plusieurs tambours, un lot de cymbales et deux autres grands instruments à vent tout à fait étranges, ressemblant à des hautbois. Ils jouèrent de nouveau et il n'était pas difficile de comprendre, même sans regarder la forme-pensée si nette devant eux, que le thème joué était une tempête en mer. On pouvait presque entendre le grincement des haubans et des drisses tendus à l'extrême par la force du coup de vent; le tonnerre et les éclairs étaient aussi présents. Lorsque ce groupe eut fini, la foule se leva comme un seul corps, tendant les mains vers le ciel, au lieu d'applaudir et de pousser des vivats comme nous le ferions. Ce fut tout ce que l'on demanda au premier groupe; je suis sûr que ses membres ont réussi leur examen.

Le second groupe fut introduit dans le cercle par le héraut - ils n'étaient que cinq. On leur demanda de montrer le résultat de certaines greffes, en relation aussi bien avec les fleurs que les arbustes et différentes sortes de fruits. Les réponses apparaissaient immédiatement comme des tableaux faits de formes-pensées montrant très clairement les changements de taille et de couleur. On leur demanda également quels types de fleurs pouvaient être cultivés ensemble dans une plate-bande et quelles espèces entraînaient la mort pour une ou plusieurs espèces. Puis il y eut des questions concernant la rotation des cultures et leur raison. Ce second groupe sembla également satisfaire tant les examinateurs que la foule.

La trompette d'argent résonna encore et le troisième groupe, constitué de très petits esprits de la nature, entra dans le cercle. Les examinateurs créèrent les formes-pensées de trois enfants humains, des enfants anglais typiques aux cheveux blonds, d'environ cinq ou sept ans, qui parlaient de *Cendrillon*, le conte de fées, et furent aussitôt rejoints par les esprits de la nature. Ceux-ci entrèrent dans le jeu. Ils discutèrent comme pour savoir qui allait jouer le premier rôle; quand ce fut décidé, je remarquai qu'ils prenaient les rôles que les enfants répugnent en général à jouer - ils devinrent les vilaines sœurs et la marâtre, laissant les rôles de Cendrillon, de la Fée Marraine et du Prince aux enfants. Une courte version de la pièce fut jouée; les scènes de métamorphose du carrosse des fées et des vêtements de Cendrillon étaient beaucoup plus réalistes que toutes celles produites dans les conditions du plan physique. J'imagine que le désintéressement montré par les petits esprits de la nature était l'élément décisif pour la réussite ou l'échec à l'examen.

Après un court laps de temps, tous les membres des trois groupes qui avaient passé les épreuves, accompagnés d'une musique ravissante, furent rappelés dans l'arène. Le héraut annonça leur entrée avec sa trompette d'argent. Les examinateurs se groupèrent autour du chef et du grand prêtre, puis se rapprochèrent comme pour discuter de ce qu'ils avaient vu; au bout d'un moment, l'examinateur chef, debout devant le chef, obtint son accord pour que les esprits de la nature soient promus au rang de dévas.

Puis le grand prêtre se leva, s'inclina devant le chef et, solennellement, entra dans l'arène où se tenaient les esprits de la nature. Pour la première fois, des mots furent employés. Le grand prêtre, levant les mains au-dessus de sa tête, entonna une invocation dans la langue inconnue que j'avais entendue dans la clairière, sur la troisième sphère. Puis le héraut lui tendit une grande épée, dont la lame brilla dans la claire lumière astrale. La levant vers le ciel, il prononça encore quelques paroles et lentement s'avança vers le premier des esprits de la nature, qui formaient une longue ligne devant lui. Il plaça l'épée sur la tête du premier et dit deux mots qui semblaient signifier "que Dieu soit avec toi" (bien que je ne sache pas pourquoi j'ai pensé cela) et l'esprit de la nature, qui ressemblait à un petit vieux, se transforma en jeune fille. Il se passa la même chose pour tous les gradués. Certains esprits de la nature mâles devinrent des dévas mâles, tandis que d'autres changeaient de sexe. Tous les corps nouvellement créés avaient une apparence jeune.

J'allais remercier le chef pour la merveilleuse occasion qu'il nous avait offerte, quand, sans aucun avertissement, je sentis mon corps m'appeler et me retrouvai réveillé dans mon lit à Colombo.

La nuit suivante, celle du samedi, en sortant de mon corps, je trouvai Jim, l'assistant astral que j'avais rencontré à l'hôpital londonien, qui m'attendait. Il était venu me demander de l'aide. Il me dit qu'il avait été très impressionné par la manière dont j'avais traité le cas de la jeune fille - dont le nom était Marie - durant la nuit de jeudi et avait senti que je pouvais encore l'aider. La jeune fille avait appris d'un visiteur irréfléchi que sa mère avait été tuée pendant le raid et était si bouleversée que l'on ne pouvait rien tirer d'elle. Comme elle avait une jeune soeur de sept ans, nommée Irène, ce serait une tragédie si elle mourait aussi. Je fus très heureux d'avoir cette occasion de mettre en pratique ce que je venais d'apprendre. Lorsque nous entrâmes dans la salle, je vis le corps de Marie, tenaillé par la fièvre, s'agiter sur le lit, tandis que la jeune fille arpentait la salle, s'arrachant - métaphoriquement - les cheveux. Elle salua mon arrivée et, comme je lui parlais pour l'apaiser, elle se calma. Je fis une forme-pensée d'un canapé confortable sur lequel nous nous assîmes; j'en profitai pour l'aider en lui transmettant ce que je pouvais des connaissances qui m'avait été données par Acharya. J'amenai la conversation sur Irène et lui montrai combien elle souffrirait si sa mère et sa soeur mouraient toutes les deux. Je lui assurai - avec une autorité que je ne possédais pas - qu'elle pouvait vivre si elle faisait un effort et que si elle décidait de le faire, elle pourrait toujours contacter sa mère pendant son sommeil. Elle me demanda si je l'aiderais. Je le lui promis et pris donc une responsabilité de ma propre initiative. Je lui dis que je reviendrais la nuit suivante.

Durant la nuit de dimanche, Marie m'attendait; elle était tout à fait calme. Je suggérai de chercher sa mère. Je lui montrai combien il était facile de voyager dans les conditions astrales et bientôt cette façon de se déplacer l'intéressa et l'intrigua. Elle m'emmena vers l'immeuble où elles vivaient. Nous trouvâmes Irène dans l'appartement d'un voisin; sa mère était assise à son chevet, s'efforçant de consoler l'enfant en pleurs qui ne pouvait pas la voir. Au début, la mère pensa que Marie était morte aussi, mais lorsqu'elle comprit que ce n'était pas le cas et qu'elle pourrait s'occuper d'Irène, elle se calma. Je les laissai bavarder toutes les trois et, après avoir convenu de les retrouver plus tard, je retournai à l'hôpital. Je regardai travailler Jim et ses collègues et pris note de leurs méthodes. Après l'arrivée de Marie, sa mère et Irène, je passai le reste de ma nuit à essayer de les aider de la manière dont Acharya m'avait aidé. La mère n'était pas une personne très évoluée - j'avais appris d'un assistant astral qu'il avait fallu deux jours pour la convaincre de faire l'effort de volonté nécessaire pour se libérer de son corps éthérique. Elle sembla au moins saisir que le lien avec sa famille n'était pas brisé et qu'elle la reverrait durant la nuit, ce qui la rendit beaucoup plus heureuse. J'imagine qu'elle se contentera longtemps des conditions de la première sphère. Mon dernier acte avant de retourner dans mon corps fut d'utiliser le pouvoir de volonté que je possède pour imprimer dans l'esprit d'Irène qu'à son réveil, elle devait se rappeler quelque chose qui lui avait été dit durant son sommeil.

# Chapitre X

Acharya arriva sur le coup de onze heures, comme je m'y attendais. Tout d'abord, il me demanda de lui donner le compte rendu des expériences que j'avais faites durant la semaine écoulée. Il le lut très attentivement avant de commencer à parler. Son expression montrait son appréciation croissante de mes efforts au fur et à mesure de sa lecture; je ne fus donc pas du tout surpris par ses paroles.

« Je vous félicite vraiment pour tout ce que vous avez accompli durant ces sept dernières nuits. Le fait de vous laisser travailler seul à ce stade précoce de votre entraînement présentait un risque, mais les résultats ont prouvé que je ne me trompais pas en pensant que vous étiez prêt à prendre une petite responsabilité, même si votre cours a duré relativement peu de temps. Je suis réellement heureux d'avoir été choisi comme instrument pour alléger votre détresse, qui était particulièrement frappante quand nous nous sommes rencontrés pour la première fois.

« Parmi vos expériences de la nuit de lundi, très peu de choses demandent un commentaire. Les habitants permanents du monde astral utilisent souvent un film en couleurs pour montrer les lieux qu'ils souhaitent faire connaître à leurs amis, ce qui leur évite d'en encombrer inutilement leur mémoire. Utiliser le double astral d'un film photographique est une méthode encore plus simple; si l'opérateur a emporté avec lui la connaissance technique, les résultats sont identiques à ce qu'on obtiendrait dans le monde.

« Je suis content que vous vous soyez rendu compte que Charles ne voudra probablement pas quitter de si tôt la partie du plan astral dans laquelle il vit actuellement.

« Puis il y a votre expérience de la nuit de mercredi, dont les seuls souvenirs ont pris la forme d'un cauchemard. Vous avez déjà demandé à Daphné si elle se rappelait avoir participé à votre rêve et elle vous a assuré que non - dans la mesure où elle en était consciente; vous pouvez être certain que cette affirmation est juste car, durant sa vie dans le monde astral, il n'y a pas de moment où elle perd la conscience et où elle ne serait donc pas sûre de ce qu'elle aurait fait. Pour comprendre mon explication de cet événement, je voudrais que vous reveniez à l'un de mes exposés antérieurs. Je vous disais que les hommes parfaits ou Maîtres donnaient des instructions aux élèves dans certaines circonstances. J'esquisserai un bref schéma du travail de ces élèves, dont il y a deux catégories, les uns appelés Stagiaires et les autres Acceptés. La seule différence entre les deux est qu'une fois qu'un élève a été accepté par un Maître, il est, de fait, engagé dans l'équipe permanente et employé pour ce travail non seulement dans sa vie présente, mais aussi après sa mort et dans ses vies futures. Un élève stagiaire est mis à l'épreuve et ce n'est qu'après avoir servi en tant que tel, pendant plusieurs vies peut-être, qu'il est mis en contact beaucoup plus étroit avec le Maître qui se trouve avec les élèves acceptés. Aucune contrainte n'est jamais exercée, car même les Maîtres n'ont pas autorité pour interférer avec le libre arbitre qui est donné à chaque homme au moment de son individualisation. Mais avant qu'un être humain puisse être employé pour le travail occulte auprès de ces grands Etres, il doit montrer qu'il a déraciné complètement la *peur* de sa constitution et prouver qu'il est toujours prêt à se *sacrifier* dans l'intérêt du travail. L'étudiant doit passer cinq tests astraux - il s'en souvient généralement sous forme de rêves ou de cauchemars. On m'a chargé de vous dire que votre détermination à surmonter les difficultés liées à la compréhension du plan astral a été remarquée par l'un de ces Maîtres et il est possible qu'à un moment ou un autre, il vous soit donné l'occasion de servir la Fraternité Blanche, à laquelle il appartient - ceci signifie que vous serez probablement pris comme élève stagiaire. Le rêve que vous avez fait dans la nuit de mercredi était en réalité un test astral - que vous avez pleinement réussi. Il avait pour but de montrer que, bien que visiblement effrayé par la créature ressemblant à un gorille - qui était en réalité une forme-pensée créée par le Maître en question - vous étiez prêt à vous oublier vous-même et, si nécessaire, à faire le sacrifice suprême afin de protéger ce qui n'était qu'une forme-pensée de Daphné, mais qui était une réalité intense pour vous. Si vous aviez refusé de faire un effort pour la sauver, vous seriez retourné à votre corps un peu plus vite que vous ne l'avez fait, avec le même souvenir de cauchemar; mais dans ce cas vous auriez échoué et montré au Maître, qui vous regardait à ce moment-là, que vous étiez inapte et insuffisamment avancé dans votre évolution pour le but qu'il avait dans l'esprit. Dans les prochaines années, vous vous souviendrez probablement d'autres rêves, qui seront d'autres tests astraux; vous devrez tous les passer avant d'être qualifié pour le travail qui vous est destiné. Votre personnalité connaît très peu de choses sur ce sujet, mais votre moi réel, l'ego, sait parfaitement bien ce qui se passe; il est plein de zèle, je le sais, de se montrer à la hauteur et d'être employé pour aider l'humanité.

« Vu l'intérêt que vous avez témoigné à mes cours, je vais vous donner, sommairement, une idée de ce que vous aurez à accomplir avant de pouvoir vous qualifier pour ce travail. Vous devez savoir vous déplacer rapidement et efficacement sue les différents plans du monde astral. Vous devez tout connaître sur les entités astrales inférieures, y compris celles qui ont des corps éthériques - comme les élémentaux que vous avez vus au fond de la mer - et vous devez avoir suffisamment d'entraînement pour que le pouvoir hypnotique des yeux de ces créatures n'ait aucun effet sur vous. Il y a une épreuve du feu, sous la forme d'un violent incendie de forêt, que vous devez traverser sans peur et sans courir, ce qui paraît facile mais ne l'est pas du tout le moment venu. La chaleur redoutable, que vous ressentez dans votre corps astral tout comme vous ressentiriez un feu physique, risque de vous terrifier et vous faire penser que vous serez détruit si vous tentez de traverser. Une fois que vous avez pris conscience qu'étant dans votre corps astral, vous ne pouvez être atteint, vous traversez calmement le feu et l'épreuve est passée. Il y a une épreuve de l'eau qui vous apprend à voyager sous la mer; vous seriez surpris par le nombre d'élèves qui échouent. Ils succombent à une impression de suffocation, entièrement créée par leur imagination, mais qui néanmoins engendre la peur; celle-ci les ramène à leur corps physique et ils se réveillent en croyant avoir fait un cauchemar. Vous devez satisfaire le Maître qui s'intéresse à vous en vous montrant capable de distinguer un habitant permanent du monde astral d'un individu qui y séjourne durant son sommeil. Vous devez prouver que vous avez développé une compréhension et une sympathie qui vous permettent de travailler en liaison avec les membres de l'évolution dévique - la coopération avec eux est souvent nécessaire dans ce travail. Vous devez être capable de faire la différence entre la forme-pensée d'une personne et la personne elle-même, car si un Maître vous envoyait porter un message à quelqu'un vivant dans une sphère du monde astral différente de celle où il fonctionne, vous pourriez être accosté par une entité opposée à ce Maître; cette entité pourrait prendre, pour vous tromper, l'apparence de l'individu que vous cherchez (une forme-pensée faite à sa ressemblance) et vous risqueriez de lui donner le message en pensant qu'elle est la personne réelle; ceci peut avoir de sérieuses répercussions sur le travail que le Maître est en train de faire. De telles usurpations d'identité sont communes dans le monde astral et vous devez être entraîné à utiliser certains signes de pouvoir vous permettant de déterminer sûrement si la personne concernée est la bonne ou non. Vous avez certainement entendu parler des vampires. Ils existent, mais heureusement ils sont rares. Ils vivent dans des conditions semblables à celles des suicidés; comme eux ils sont liés à la terre. Vous devez savoir non seulement comment les aider, mais aussi comment les libérer du lien qui les entrave. Je pense vous en avoir suffisamment dit pour vous montrer que vous avez encore beaucoup à apprendre.

« J'en arrive maintenant à votre aventure de la nuit de vendredi, lorsque vous avez eu des difficultés à passer aux niveaux supérieurs sans y avoir de points de repère sur lesquels vous concentrer. J'étais en contact avec vous mentalement, car je me doutais que vous feriez une tentative durant l'une des nuits où je vous avais laissé libre de faire vos expériences seul. Comme vous vous en êtes rendu compte, il est très simple d'aller dans n'importe quelle partie du monde astral, à condition d'y avoir un repère. Je ne pense pas qu'il me faudra de nouveau vous venir en aide dans l'avenir. Je ne vous ai pas donné de point de repère dans la septième sphère, car peu de choses vous y intéresseraient et il n'est pas souhaitable pour l'instant que vous entriez inutilement en contact avec les coquilles qui s'y trouvent.

« Vous avez vraiment eu beaucoup de chance de pouvoir assister à la cérémonie de graduation (comme vous l'appelez), au cours de laquelle certains esprits de la nature ont été transformés en jeunes membres du royaume dévique. Les esprits de la nature appartiennent bien sûr à l'évolution des dévas, bien qu'il y ait une formidable différence entre un esprit de la nature et un déva. Je ne peux pas vous donner d'exemple comparable dans votre évolution. Très peu de gens, qu'ils vivent dans le monde astral ou le monde physique, ont eu le privilège de voir ce que vous avez vu l'autre nuit; je suis très heureux que, lors de votre voyage de retour des sphères supérieures, vous vous soyez arrêté un court instant sur la quatrième sphère.

« Je n'avais nullement l'intention de vous donner l'occasion de mettre en pratique, durant vos expériences des nuits de samedi et dimanche, certains enseignements que j'ai eu l'honneur de vous transmettre; c'est pourquoi je peux dire sans hésitation que votre travail était non seulement très valable, mais également très bien fait. En vous proposant de transmettre quelques-unes de vos connaissances à Marie, la jeune fille, vous avez bien sûr pris certaines responsabilités; il est donc plus que probable que l'assistant astral que vous désignez sous le nom de Jim vous redemandera de l'aider chaque fois que son organisation sera débordée; cela vous donnera de belles occasions de servir, ce qui crée toujours du bon karma, et en outre vous vous apercevrez que ce travail multipliera par mille l'intérêt et la compréhension que vous portez à vos frères humains. La technique que vous avez employée pour Marie et sa famille était correcte à tous points de vue. Vous ne devez pas être déçu si Marie ne réagit pas à vos cours et ne se révèle pas une élève aussi compétente que vous car, comme je vous l'ai déjà dit plusieurs fois, c'est l'intention qui compte et non le résultat. Vos efforts pour que la petite Irène se souvienne à son réveil de ce que vous lui avez dit durant son sommeil ont parfaitement abouti; aujourd'hui elle réagit tout à fait différemment à la perte qu'elle a subie. Je vous laisse le soin de décider quand il sera nécessaire de rendre de nouveau visite à la famille, car celle-ci est maintenant sous votre responsabilité et ne sera suivie par d'autres que si vous négligez de lui donner l'assistance que, de votre propre chef, vous lui avez promise.

« Je vais maintenant vous parler du monde mental. Je vous ai dit qu'après un certain temps, il devenait nécessaire pour chacun de nous d'abandonner son corps astral et de quitter le monde astral pour le monde mental. Ce temps varie en fonction de notre stade d'évolution : un homme ayant déjà vécu cinquante vies environ passera plus de temps dans le monde astral et moins dans le monde mental qu'un homme ayant déjà vécu cinq cents vies dans des corps et des environnements où il a pu avoir des préoccupations intellectuelles. Dans l'une de mes causeries, j'ai comparé les corps dans lesquels nous fonctionnons à un homme portant des sous-vêtements, un costume et un pardessus. La mort au niveau physique correspond à l'abandon du pardessus (le corps physique), au niveau astral elle correspond à l'abandon du costume (le corps astral), ce qui laisse l'homme vêtu de ses sous-vêtements (le corps mental) : c'est avec ce véhicule qu'il entre dans le monde mental.

« Comme je vous l'ai dit, le corps mental est le premier corps que l'ego enroule autour de lui dans sa descente depuis le niveau causal. Il est fait de matière encore plus fine que le corps astral. En réalité, il correspond à la forme-pensée d'un individu. Comme vous n'arrivez pas encore à imaginer cette forme de ruban, de nuage, qui semble manquer de toute densité, je vous donnerai simplement une comparaison physique du corps mental d'un être humain non évolué - ayant vécu par exemple cinquante incarnations - avec celui d'un être humain évolué - ayant vécu environ cinq cents incarnations. Je les comparerai à un panier d'osier vu à deux stades différents de sa fabrication, le stade initial et l'objet terminé. Dans les premiers stades, vous voyez le panier prendre forme, mais il ne comporte que quelques brins d'osier fixés à la base. Puis tous les trous sont remplis et l'objet terminé est constitué de plusieurs centaines de brins d'osier séparés et distincts les uns des autres, mais semblant à première vue être un tout composite. Chacun de ces brins représente un domaine particulier du développement mental, plus ou moins bien maîtrisé par l'individu.

« Lorsqu'une personne a terminé sa vie dans le monde astral, elle passe dans la septième sphère de ce monde; quand il est temps pour elle de quitter celle-ci, elle devient somnolente, perd conscience et se réveille presque immédiatement dans le monde mental. Quand, après sa mort physique, un homme retrouve sa pleine conscience dans le monde astral, sa première impression est un sentiment de bien-être et de santé éclatante. Lorsque, après sa mort astrale, il retrouve sa pleine conscience dans le monde mental, sa première impression est une profonde béatitude et un sentiment de paix avec l'humanité. Dans les premiers stades, il peut même ne pas se rendre compte qu'il est passé dans le plan mental, car il se sent tellement satisfait et heureux qu'il veut d'abord être laissé seul. Puis il prend conscience des modifications de son environnement et, une fois de plus, il doit être informé, par ceux qui attendent pour l'accueillir, de la différence entre les conditions dans lesquelles il doit vivre maintenant et celles du monde qu'il vient de quitter.

« Le monde mental est le monde de la pensée. Les pensées y sont les seules réalités; ce sont des objets, tout comme les tables et les chaises sont des objets, mais - de même que le corps mental est constitué d'un matériau plus fin que le corps physique - elles sont constituées de matière plus fine. Si nous pouvions emporter un peu de notre matière astrale ou physique dans le monde de la pensée - ce qui est tout à fait impossible - elle n'existerait pour personne. Elle serait plus ou moins semblable aux formes-pensées dans le monde physique, qui nous entourent en permanence mais que nous ne pouvons pas voir - bien qu'elles influencent nos esprits. Ma plus grande difficulté pour vous expliquer à quoi ressemblent les conditions dans le monde mental est qu'il n'existe pas de mots nous permettant de décrire en détail des conditions de conscience totalement étrangères à la compréhension du plan physique. Au niveau mental, vous ne voyez pas les autres gens comme des individus, ni comme des doubles astraux de formes physiques, mais comme des formes-pensées de l'individu concerné correspondant à son développement mental.

« Un homme fonctionnant au niveau mental peut être comparé à un appareil de radio, qui reçoit et émet. Le nombre de longueurs d'ondes qu'il peut utiliser pour la réception et l'émission dépend entièrement du nombre de domaines avec lesquels il est familier. Il peut recevoir sur son poste les pensées des autres à condition de pouvoir s'accorder à cette longueur d'ondes particulière - en d'autres termes, s'il a quelque connaissance du domaine qu'aborde la pensée; il peut tenir une conversation sur ce sujet, parce qu'il est capable de répondre aux formes-pensées en transmettant ses propres pensées, qui seront ensuite reprises par toutes les autres personnes ayant des connaissances et des intérêts du même ordre.

« Au niveau astral, vous voyez les géants intellectuels créer de la musique et des tableaux merveilleux et enseigner dans le domaine des arts et des sciences. Quand ils passent du monde astral au monde mental, ils continuent à aider ceux qui suivent le même chemin qu'eux; mais au niveau mental, leurs cours prennent la forme de conférences techniques et théoriques constituées d'un flot de pensées perpétuel. Celles-ci peuvent être reprises par tous ceux qui sont intéressés par le même sujet. Vous ne pouvez saisir de ces pensées que ce que vous êtes capable de comprendre grâce à vos activités intellectuelles passées. Vous n'enregistrez pas et ne relevez pas les pensées qui sont au-delà de votre entendement, car votre poste récepteur est limité à celui-ci; si vous n'avez jamais étudié des domaines tels que les mathématiques ou la chimie, vous ne pourrez pas répondre aux pensées les concernant qui, émises par les gens versés dans ces sciences, vous entoureront. Au niveau mental, la vie est beaucoup plus intéressante pour un intellectuel que pour un homme à l'intelligence limitée. Prenez le cas d'une personne qui, durant sa vie, a étudié un certain domaine; elle entre là en contact avec d'autres intellectuels qui étaient des maîtres dans ce domaine, rien qu'en percevant et voyant les formes-pensées qu'ils expriment. N'étant plus limitée par un cerveau inadéquat, elle comprend très clairement non seulement ce qu'elle comprenait au niveau physique, mais aussi tout ce dont, dans sa vie physique, elle saisissait seulement le principe mais non la totalité.

« Un homme continue son développement mental pendant un temps considérable, non seulement à sa grande satisfaction, mais aussi pour son grand bénéfice dans des vies futures car, par et à cause ce travail, il gagne le droit d'avoir dans sa prochaine incarnation un cerveau pouvant comprendre parfaitement la connaissance qu'il a acquise durant son séjour dans le monde mental. Si je vous dis qu'on sait que des hommes à l'intelligence hautement développée ont vécu deux ou trois mille ans au niveau mental, vous admettrez peut-être que dé telles personnes ne peuvent pas être considérées comme stupides. D'un autre côté, le temps qu'un être non évolué passe à ce niveau est habituellement très court, car il a peu de connaissances à consolider et sa vie n'est pas aussi agréable ou intéressante que celle de ses frères plus intellectuels. Comme il ne se rend pas compte de ses limitations, il ne souffre donc pas, même s'il a l'intelligence la plus limitée que vous puissiez imaginer. Quand les ego ayant vécu dans la Cité Dorée passent dans le monde mental, ils ont encore dans l'esprit une pensée essentielle, c'est leur idée de *Ciel*. Leurs enseignants religieux leur ont appris qu'une fois qu'ils sont "reçus au Ciel", c'est pour toujours. Ils sont tout à fait certains d'y avoir été reçus, car ils ont vécu dans des conditions qui, pour eux, correspondent aux promesses de la béatitude éternelle qu'ils ont recherchée. Ils s'attendent à rester en permanence dans un monde paradisiaque et, par la force de cette croyance, créent l'illusion du Ciel à la manière dont ils l'ont toujours imaginé et ils y vivent, échangeant leurs pensées avec les pensées émises par ceux qui vivent dans la même illusion. Toute leur vie mentale est vécue au sein d'une gigantesque forme-pensée. Bien qu'ils soient parfaitement heureux, ils ne bénéficient pas des conditions du monde mental autant que ceux qui utilisent ce monde non seulement pour consolider leurs activités mentales, mais encore pour enrichir la connaissance intellectuelle qu'ils possédaient avant d'atteindre cette sphère de conscience. Les gens vivant dans leur idée de Ciel rayonnent de bonheur et sont parfaitement satisfaits; qui dira donc qu'ils s'en sortent plus mal que ceux qui suivent d'autres chemins ?

« Dans le monde mental existent sept sphères de conscience correspondant à celles du niveau astral, mais il n'y a aucune difficulté à passer d'une sphère à une autre - que vous montiez ou descendiez. En pratique, cependant, vous vous apercevrez que les habitants permanents se déplacent très peu. L'homme moyen trouve son foyer naturel, c'est-à-dire la sphère qui lui convient le mieux et dans laquelle il sera le plus heureux, dans l'une des quatre premières sphères. Seuls les individus éminemment intellectuels dépassent la quatrième sphère. En général, un homme passant du monde astral au monde mental, aidé par les assistants qui l'accueillent, trouve immédiatement son chemin vers la sphère de conscience qui correspond à son développement mental et y reste jusqu'à ce que le temps vienne pour lui d'abandonner son corps mental et de passer une courte période au niveau causal, qui est le foyer permanent de l'ego.

« Avant de vous en dire plus, je propose de vous emmener mercredi jusqu'à la deuxième sphère du monde mental, afin que vous saisissiez plus clairement ce que je suis en train d'essayer de vous expliquer. Non seulement vous comprendrez mes difficultés présentes, mais vous vous apercevrez probablement que si vous essayez de raconter ce que vous avez fait et vu durant ce voyage, vous ne trouverez pas de mots adéquats. Je vous rendrai visite à nouveau vendredi matin, ce qui vous laissera trois nuits pendant lesquelles vous pourrez continuer vos expériences dans le monde astral, bien que je vous conseille très vivement de ne rien prévoir de particulier ce soir, mais plutôt d'accorder un répit à votre cerveau. Réservez-moi mercredi soir. » Puis Acharya quitta la pièce et je restai assis à mon bureau, étourdi par toutes ces nouvelles informations.

La première nuit, je dormis paisiblement et me réveillai reposé - sans aucun souvenir de ce qui s'était passé durant mon sommeil.

La nuit suivante, je réussis très facilement à rejoindre Daphné. Elle n'avait pas eu de difficulté pour retourner à son pavillon depuis le Vallon des Fées - on pouvait donc présumer qu'elle avait une force de volonté suffisante pour pouvoir se déplacer librement de sphère en sphère. Elle me raconta qu'après mon départ avait eu lieu une démonstration de danse d'une incroyable beauté, à laquelle avaient participé les dévas, les esprits de la nature et même les oiseaux. Lorsqu'elle avait fait ses adieux au chef, il lui avait dit que nous pouvions revenir dans la vallée à n'importe quel moment et que nous y serions toujours bienvenus.

Je lui demandai si elle avait envie de voir la Cité Dorée de plus près. Comme cette idée l'enchantait, nous nous prîmes aussitôt les mains et atteignîmes très rapidement notre repère dans la cinquième sphère - après nous être arrêtés en passant au Vallon des Fées. Les lourdes portes qui s'avérèrent faites d'or étaient closes, mais non fermées à clé; un vieux monsieur qui aurait pu passer pour le mythique saint Pierre nous les ouvrit et nous demanda le but de notre visite. Nous expliquâmes qui nous étions, disant que la curiosité était notre motif principal. Il ne parut pas s'en soucier et nous proposa un guide pour nous faire visiter.

Les rues semblaient pavées d'or pur et les nombreux arbres qui les bordaient étaient chargés de pierres précieuses. Ces formes-pensées de diamants, d'émeraudes, de rubis, de perles, etc., étaient très belles, mais l'ensemble ressemblait à une immense rangée d'arbres de Noël. Je remarquai qu'il y avait au moins une église par rue; le guide nous emmena dans ce qu'il présenta comme l'une des plus petites églises catholiques romaines. Le sanctuaire était un très belle pièce d'architecture; l'autel principal semblait sculpté dans une perle gigantesque. Le musicien qui jouait de l'orgue n'était pas un quelconque interprète de cet art. Le guide nous invita ensuite à visiter des églises d'autres confessions. Je demandai si les différentes confessions restaient distinctes les unes des autres. Il me dit que, dans le monde du Ciel, les différentes sectes menaient des vies séparées et pratiquaient selon leur enseignement propre, mais qu'il n'y avait jamais de dysharmonie, car chacun comprenait que la vérité sur laquelle reposaient les doctrines était la même et que seules les formes d'expression différaient. En réponse à l'une de mes questions, il dit que Dieu régnait au plus haut et venait de temps en temps rendre visite à la Cité Dorée; les habitants ordinaires ne Le voyaient pas, mais entendaient

Sa voix comme si elle venait du nuage qui L'entourait. Il dit aussi que le Christ et ses douze apôtres parcouraient toujours les rues, enseignant et prêchant pour la multitude. Je lui demandai s'il ne voulait pas dire plutôt onze apôtres, car Judas n'était sûrement pas admis dans le monde du Ciel. Mais il m'assura que Judas avait payé les conséquences de son crime en souffrant de remords terribles et en se créant un véritable enfer; sa repentance avait donc été prise en compte et il avait été autorisé à rejoindre les autres disciples. Nous visitâmes un amphithéâtre où étaient rassemblées trois mille personnes en robes blanches, qui écoutaient chanter un choeur accompagné de harpes et d'un orgue au son argentin; ils ressemblaient aux anges des Ecritures, mais nous n'en vîmes aucun assis sur un nuage à jouer de la harpe.

Nous revînmes au pavillon de Daphné où nous discutâmes de ce que nous avions vécu, puis je rencontrai quelques-uns de ses amis.

Le mercredi soir, alors que j'attendais Acharya, il arriva dans ma chambre sur le coup de dix heures. Il me salua d'un : « Si vous êtes prêt, nous partons », et nous décollâmes.

Nous empruntâmes le même itinéraire que précédemment : le village sur la seconde sphère, l'Académie sur la troisième, le Vallon des Fées sur la quatrième, la Cité Dorée sur la cinquième et le lac sur la sixième. A ce niveau, j'eus le temps de voir deux petits bateaux naviguer, l'un sur la rive opposée et l'autre près de l'ouverture menant au petit lac. Je dus regarder un bon moment avant de percevoir le moindre mouvement, tant ils se déplaçaient lentement. C'était vraiment un lieu idéal pour un homme recherchant la solitude. Comme je n'avais pas encore visité la septième sphère et que je n'avais pas de repère sur lequel me concentrer, Acharya me dit de tenir sa main. Quand notre environnement redevint clair, je vis que nous étions au point culminant d'une chaîne de montagnes; Acharya dit qu'on appelait cet endroit "la Vue du Monde" - de là, les gens jetaient sur le monde environnant un regard qui devait leur rester jusqu'à leur prochaine incarnation.

Bien que la région fût boisée et très fleurie, il n'y avait nulle part de bâtiments et les alentours revêtaient un aspect désolé. Acharya me dit que de nombreux ascètes et saints passaient une grande partie de leur vie dans ces conditions; je fus content de ne pas être tenté par la voie du mysticisme. Je remarquai deux personnes, ressemblant à un homme et une femme, qui flottaient tranquillement le long d'une vallée. Comme je demandai à Acharya qui ils étaient, il répondit : « Allons voir. » Nous flottâmes dans leur direction. Quand nous arrivâmes près d'eux, ils ne ralentirent pas leur progression, qui était un peu plus rapide qu'une simple marche, et ne répondirent pas quand Acharya leur adressa la parole. Je posai également une question à la femme; elle se tourna vers moi, mais son regard me traversa sans qu'elle ne dise un mot; ses yeux avaient une expression vide et son visage ne montrait aucune vie. Ils semblaient tourner en rond. Mon guide me dit que c'était des coquilles vides laissées par deux individus passés dans le monde mental.

Acharya expliqua que pour voyager dans le monde mental, nous devions abandonner nos véhicules astraux. Pour être sûrs qu'ils étaient bien surveillés et que des entités astrales n'entreraient pas en leur possession, il proposa de les confier à deux de ses amis en qui il pouvait avoir confiance. Il se concentra profondément et, au bout d'une minute environ, me dit qu'ils étaient en route. Presque aussitôt, nous vîmes deux Européens d'allure très intellectuelle et spirituelle flotter vers nous. Une fois les salutations échangées, Acharya leur dit ce que nous attendions d'eux. Puis il me demanda de me coucher sur le dos avec les mains croisées derrière la tête; il prit la même position, mais laissa sa main droite reposer sur mon front. Il me dit de me détendre et de m'efforcer de faire le vide dans mon esprit.

Comme Acharya l'avait prédit, il m'est pratiquement impossible de trouver les mots pour décrire le monde mental. Deux ou trois minutes semblaient s'être écoulées entre le moment où il m'avait dit de me détendre et celui où je me rendis compte qu'il me parlait, bien qu'il n'utilisât aucun mot ni n'émît aucun son. J'ouvris les yeux et m'aperçus qu'il régnait un calme surprenant; nous semblions suspendus dans l'espace, mais nous étions entourés de toutes sortes d'objets flous, qui pouvaient être ou ne pas être des bâtiments, des paysages ou des gens. Certains de ces objets étaient colorés, mais aucun n'était très distinct; tous, même les formes qui auraient pu être des hommes, semblaient se modifier sans cesse. Je ne les voyais pas réellement avec mes yeux, mais les sentais d'une manière totalement différente de tout ce que j'avais expérimenté jusque-là. Je pouvais voir les formes-pensées qui flottaient derrière moi aussi bien que celles qui étaient devant moi; je n'avais donc pas besoin de me tourner et d'être en face d'une scène pour la voir. Tout était tellement surnaturel que j'aurais peut-être été un peu effrayé si je n'avais pas été en si excellente compagnie. A ce moment-là, Acharya m'envoya des pensées, que je reçus tout aussi clairement que s'il avait parlé; et il était évident qu'il recevait mes réponses aussitôt que je les avais formulées dans mon esprit. Il me dit que nous étions dans la sphère inférieure du monde mental et qu'elle était habitée principalement par des entités ayant un développement mental très bas. Il me fit remarquer les formes-pensées de plusieurs individus qui vivaient à ce niveau. C'était de petites créatures apparemment sans aucune consistance, dont beaucoup pouvaient difficilement être appelées formes concrètes, car elles n'étaient guère plus que de la fumée ou des nuages semblant prendre forme humaine, mais ne gardant pas longtemps les mêmes contours par manque de densité. En regardant la fumée venant d'un feu, j'ai vu apparaître des formes semblables, qui presque instantanément s'évanouissaient dans la cheminée. Dans ces conditions du plan mental, Acharya paraissait beaucoup plus grand que dans les mondes astral ou physique, ainsi que plus nettement délimité et plus consistant que toutes les autres entités dont les formes traversaient mon champ de vision. Dans cet environnement, son aspect me permettait de comprendre pourquoi il avait comparé le corps mental d'un homme peu évolué à un panier d'osier en cours de fabrication et celui d'un homme plus évolué au même une fois terminé.

Acharya me dit de venir près de lui; il plaça sa main sur mon épaule - je ne sentis aucun contact - et dit que nous allions passer dans la deuxième sphère. Sans la sensation de mouvement que j'avais connue auparavant, le décor changea, comme sur un écran de cinéma. Notre nouvel environnement n'était pas différent de celui que venions de quitter, mais les formes qui flottaient autour de nous avaient des contours plus nets.

Acharya me dit de choisir un sujet dont j'aimerais discuter avec l'un des habitants permanents et d'émettre dans l'éther des formes-pensées demandant à un individu intéressé par ce sujet d'entrer en contact avec moi. Sans trop réfléchir, je choisis la comparaison des différentes religions. Immédiatement, par l'intermédiaire de formes-pensées, la réponse vint sous forme de question : à quelle religion j'appartenais. Je renvoyai la pensée que j'étais catholique romain, mais pas strict. La pensée qui revint fut que toutes les religions avaient leur utilité, en ce qu'elles permettaient aux gens qui ne pouvaient être autonomes d'avoir quelque chose sur quoi s'appuyer et que, généralement, elles leur servaient de guide dans les décisions qu'ils avaient à prendre durant leur vie. Elle dit que chaque religion avait été créée dans un but spécifique, mais que toutes comportaient fondamentalement les mêmes vérités.

La pensée affirma que la clé de la religion chrétienne était *l'amour* et que selon sa philosophie, l'homme ne pouvait évoluer qu'en aimant ses semblables et en étant *tolérant* pour les opinions et les actes des autres. La religion initiée par le Seigneur Bouddha était une philosophie tout aussi fine que celle prêchée par le Christ - la dominante du bouddhisme était la *sagesse* et, selon son enseignement, la chose la plus importante dans la vie était d'agir en fonction de la *loi du karma*, qui dit que les hommes souffrent ou reçoivent des bénéfices en fonction de leurs actes, pensées ou paroles. La tendance de cette religion était d'éliminer l'émotion. La grande religion connue sous le nom d'hindouisme, qui fut revivifiée par Shri Krishna, il y avait de cela presque deux mille ans, avait pour dominante la *propreté* et la *conduite pondérée* - ses membres orthodoxes pratiquaient des ablutions particulières à des intervalles bien déterminés. L'islam, fondé par Mahomet, avait comme tonalité fondamentale le *courage* - ses disciples ne manquaient certainement pas de cette vertu. Le zoroastrisme, la religion des Perses, avait progressivement évolué à travers les nombreuses incarnations de Zoroastre. Le feu, son symbole sacré, ayant toujours été considéré comme purificateur, la dominante de cette religion était la *pureté*. Certains de ses membres étaient même allés si loin qu'ils disaient que le feu ne devait pas être désacralisé pour allumer une cigarette ou une pipe. La pensée critiquait le prosélytisme sous toutes ses formes et m'exhortait à ne jamais essayer de changer la foi d'un homme, à moins d'être parfaitement sûr que celui-ci cherchait quelque chose de nouveau et ne s'intéressait plus à la religion dans laquelle il était né. Elle disait qu'elle ne comprenait pas les athées, car personne ne pouvait être sûr qu'il n'y avait ni vies passées ni vies futures; mais elle sympathisait avec les agnostiques qui étaient des gens honnêtes, prêts à se laisser convaincre si l'on trouvait des arguments qui les satisfassent. Malheureusement, ils ne comprenaient pas qu'il était impossible de prouver par des expériences du plan physique l'essentiel des doctrines religieuses, qui concernait les conditions non physiques.

J'aurais aimé poursuivre sur d'autres sujets, mais mon guide me dit de clore la discussion, car cela suffisait pour une nuit et c'était probablement plus que ce que je ne pourrais retenir dans ma conscience physique.

Je demandai s'il y avait de la musique à ce niveau. En guise de réponse, Acharya me demanda quelle était ma symphonie favorite. Je lui parlai de la symphonie avec chœur de Beethoven, la *Neuvième*. Il me dit alors : « Faites une forme-pensée du mouvement que vous préférez et vous aurez probablement une surprise. » Je pensai naturellement au merveilleux mouvement choral et, à l'instant même, j'entendis la musique que j'aimais tant, comme si elle venait de partout autour de nous. J'écoutai, fasciné, jusqu'à ce que cela se termine avec les notes finales de cette oeuvre magnifique. Je crois que je n'oublierai jamais ces moments - l'exécution était, à tous points de vue, plus belle que tout ce que l'on pouvait imaginer dans les conditions du monde; la pureté des voix et la perfection du jeu était au-delà de tout ce que j'aurais jamais cru possible.

Acharya me dit qu'il ne servait à rien d'essayer de me souvenir d'un quelconque repère car, à mon stade actuel de développement, il m'était totalement impossible de visiter de nouveau le monde mental. Nous entreprîmes notre voyage de retour de la manière dont nous étions venus et, au bout d'un moment, j'eus l'impression de me réveiller dans mon corps astral, toujours couché dans la position où je l'avais laissé, entouré des deux aides astraux "de garde". Tous deux sourirent en voyant mon expression consternée; j'étais encore extrêmement déconcerté par ce que j'avais vu. Ils prirent congé de nous en s'inclinant poliment et s'éloignèrent. Peu après, je me réveillai dans ma chambre et m'aperçus qu'il était trois heures et quart du matin. Je me levai et notai ce qui était encore clair dans mon esprit.

La nuit suivante, avant d'aller me coucher, je décidai d'aller voir comment Marie progressait, mais lorsque je sortis de mon corps, je trouvai Charles dans ma chambre. Comme il n'avait pas de projet particulier, je lui demandai s'il voulait m'accompagner dans la salle de l'hôpital londonien - pensant que l'expérience lui serait profitable. Il acquiesça et nous partîmes. Lorsque nous atteignîmes la salle, nous nous aperçûmes que Marie était réveillée. Je suggérai à Charles d'aller dans la troisième sphère rendre visite à Daphné jusqu'à ce que Marie sorte de son corps - cette proposition ne l'intéressant pas du tout, nous errâmes dans les salles jusqu'au moment où, à notre visite suivante, nous trouvâmes Marie endormie et détachée de son corps.

Elle me dit que tout allait beaucoup mieux pour elle depuis la dernière fois qu'elle m'avait vu et qu'Irène s'était mieux souvenu qu'elle de ce que j'avais dit alors. Marie passait ses nuits dans son ancienne maison avec sa mère et sa soeur, mais ne se rappelait pas bien ce qui se passait. Je lui donnai autant de conseils que je le pus, en me basant sur mon propre cas. Je lui dis qu'elle devait penser fortement à moi chaque fois qu'elle souhaiterait mon aide dans l'avenir et que je m'efforcerais de répondre.

Le seul commentaire de Charles sur l'événement fut que Marie était une fort jolie fille ! Il suggéra, pour le reste de la nuit, de m'emmener faire "un petit tour de vol"; il avait toujours cherché à me démontrer que, dans un domaine au moins, il avait plus d'expérience que moi. J'acceptai; il produisit une forme-pensée d'un avion de type Pussmoth à deux places, dans lequel il me pilota au-dessus de l'Australie, tout en m'expliquant les mécanismes de l'avion. Tandis que nous étions encore au-dessus de ce continent, je sentis l'appel désormais familier et, quittant l'avion en plein vol, je me retrouvai dans mon corps à Colombo.

# *Chapitre XI*

Acharya arriva dix minutes plus tôt que d'habitude, tandis que je finissais encore mon petit déjeuner. Il m'avait fallu un temps considérable pour taper le récit détaillé de ce qui s'était passé durant la semaine et je n'avais pas osé me raser ni prendre un bain avant d'avoir fini ce travail, de peur que mes souvenirs des activités de la nuit ne s'estompent et que j'en perde une partie. Il ne sembla pas se soucier du fait que je n'étais pas tout à fait prêt; il s'excusa d'être en avance, s'assit sur le tapis à sa place habituelle et me demanda s'il pouvait parcourir les notes que j'avais prises. Je lui tendis les pages dactylographiées contenant le détail des expériences que j'avais faites depuis sa visite du lundi passé et lui demandai s'il voulait les voir, ajoutant que j'étais tout à fait certain qu'il était au courant.

Il répondit : « Oui, je suis resté en contact avec vous, car j'ai eu la permission de me relier à vous mentalement durant la période pendant laquelle je suis responsable de votre formation. Ce lien entre votre corps mental et le mien sera ensuite immédiatement brisé, car nous n'avons pas l'autorisation de voir dans l'esprit des autres, excepté dans des circonstances très spéciales comme celles de notre association durant les deux semaines passées.

« Chaque homme est responsable de ses actes vis-à-vis de lui-même et de son Créateur et, comme vous le savez, il est récompensé ou doit souffrir en fonction des pensées exprimées et des actes accomplis. J'ai demandé à parcourir vos notes parce que je veux savoir dans quelle mesure vous vous souvenez de ce que vous avez fait - cela, je ne le sais pas sans lire votre rapport. »

Il lut attentivement jusqu'à la fin et continua : « Votre rapport concernant la nuit de jeudi est très bon, car vous vous êtes souvenu de presque tout ce qui s'est passé durant votre visite à la Cité Dorée. Vous avez cependant omis un sujet important, quoique vous ayez mentionné que votre guide vous a emmené en-dehors de la cité et signalé un rassemblement d'individus qui écoutaient les formes-pensées créées par eux et représentant le Christ en train de leur parler. Daphné et vous avez écouté pendant un moment ce qui était dit. Vous avez fait remarquer à votre guide que tout ce que le Christ disait se trouvait déjà dans les différents évangiles du Nouveau Testament. En lui-même, ce détail aurait déjà dû suffire à vous prouver que ce n'était pas le grand Etre, connu sur terre comme Christ, qui parlait, mais que, simplement, ce que disait ce fondateur de la foi chrétienne appartenait aux pensées et à l'esprit de ses plus fidèles disciples. Je suis sûr que si le Christ lui-même avait parlé - il vit toujours et contrôle encore le développement de cette planète - l'impression produite par ses paroles n'aurait pas été si facilement effacée de votre mémoire. Parlez à Daphné de cet incident la prochaine fois que vous la verrez. Elle s'en souviendra certainement.

« Je suis satisfait par votre description de votre expérience durant la nuit de mercredi, car elle est meilleure que ce que j'attendais. Je vous avais prévenu des difficultés que vous éprouveriez à trouver les mots adéquats pour exprimer les activités mentales, mais je pense que tous ceux qui liront vos rapports auront une idée de ce que vous avez tenté de décrire. Je suis content que vous ayez saisi l'essentiel de ce que j'ai essayé de vous expliquer lors de ma dernière causerie.

« Vos pérégrinations de la nuit dernière ne nécessitent pas beaucoup de commentaires de ma part. Elles ont cependant leur valeur, car vous comprenez maintenant que vous devez considérer le point de vue des autres et vous y adapter, dans le plan astral comme sur le plan physique. Je suis tout à fait certain que Marie, votre protégée, vous appellera à nouveau dans un proche avenir et je sais que vous vous efforcerez de l'assister dans les nombreux problèmes auxquels elle sera confrontée. Ce sera une excellente expérience pour vous.

« Aujourd'hui, dans ma dernière causerie, je vous parlerai d'abord de la "troisième mort" et de ce qui arrive à l'ego une fois qu'il a abandonné son dernier véhicule de conscience, que nous appelons le corps mental, et qu'il vit pendant un temps vêtu du seul véhicule permanent qu'il possède - le *corps causal*. Je voudrais que vous écoutiez très attentivement, car de nombreux étudiants semblent trouver cette information difficile à saisir.

« La troisième mort est très semblable au passage du monde astral au monde mental : l'homme perd progressivement conscience et, ayant glissé hors du corps mental, s'aperçoit qu'il est dans son corps causal. Le corps causal est nommé ainsi parce qu'il fonctionne seulement sur ce qui est appelé le niveau causal, formé par les sixième et septième sphères du monde mental. Il est considéré comme le véhicule permanent de l'homme, parce que celui-ci l'a depuis qu'il s'est individualisé au sortir du règne animal et qu'il est devenu une entité humaine séparée.

« L'ego a comme foyer naturel le niveau causal, où il demeure durant les périodes que nous appelons incarnations, alors qu'*une partie de lui-même se manifeste* à des niveaux inférieurs de conscience et acquiert l'expérience nécessaire pour le libérer de l'obligation de renaître encore et encore dans différents corps physiques.

« Le corps causal se modifie, à chaque vie, uniquement par addition de l'expérience que l'homme a accumulée durant sa dernière incarnation : pour cette raison, nous l'appelons parfois *"réservoir de connaissances"*. Un homme évolué peut puiser à volonté dans ce réservoir et faire descendre dans le niveau physique les expériences de ses vies passées : cela lui évite d'avoir à réapprendre certaines choses chaque fois qu'il a un nouveau cerveau physique car, par lui-même, celui-ci n'a pas la mémoire des expériences passées. Un homme évolué a donc ainsi un grand avantage sur ses frères moins évolués - mais chacun de nous sera un jour dans cette situation quand il atteindra ces stades de développement. Pour nous, la leçon la plus importante à apprendre est que nous ne pouvons progresser que par nos propres efforts.

« On accorderait davantage d'attention à ces sujets s'ils étaient mieux compris et plus largement enseignés par ceux qui se considèrent comme les aides de l'humanité. Peu d'entre nous sont capables de comprendre que la *personnalité* existant au niveau physique n'est rien d'autre qu'une *minuscule partie de l'homme réel* - l'ego; pourtant cet ego, ou *individualité*, adombre et guide cette personnalité vers le meilleur de ses capacités, à l'intérieur des limites permises par le libre arbitre, qui est garanti à tous les hommes quand ils ont atteint le niveau de l'entité humaine.

« Au niveau causal, passé, présent et futur ne font qu'un. Laissez-moi vous donner un exemple tiré du plan physique pour illustrer cette idée. Imaginez une rivière faisant des tours et des détours toutes les quelques centaines de mètres. Un homme debout sur le pont d'un bateau peut seulement voir la portion de rivière sur laquelle l'embarcation progresse. Ce qui s'étend au-delà de la courbe située derrière lui et qu'il a déjà traversé, ainsi que le cours de la rivière au-delà de la courbe et vers lequel le bateau se dirige, est hors de sa vue. Imaginons un autre homme faisant le même trajet en hélicoptère : il embrasse d'un seul coup d'oeil tout le cours de la rivière, ce qui est derrière le bateau et ce qui est devant lui étant également visible. Cet homme voit le paysage traversé par le bateau tout aussi nettement que celui qui se dévoile dans le moment présent aux yeux des passagers ou ce qu'ils découvriront dans un futur proche. Pour lui, il n'y a ni passé ni futur; tout est dans le présent. L'homme non évolué ressemble aux passagers du bateau et l'homme évolué à celui de l'hélicoptère.

« Au niveau causal, l'ego se voit présenter un enregistrement complet de sa vie passée en une série de tableaux, un peu comme les épisodes d'un film fixe d'enseignement. Ces tableaux lui montrent exactement où il a failli dans sa vie passée et où il a excellé. Ils lui montrent aussi ce que sa prochaine vie *a l'intention* de faire pour lui et quels changements il doit accomplir dans son caractère avant de pouvoir progresser encore. L'homme non évolué voit tout cela mais, à cause de son intelligence limitée, il n'en saisit pas la signification comme le fait une personne intellectuelle. Il est comparable au passager du bateau. De son côté, l'homme évolué, comme le passager de l'hélicoptère, voit immédiatement *pourquoi* il a fait des erreurs dans sa vie passée; il ne voit pas seulement les résultats de ses erreurs. Il décide qu'il n'échouera pas de la même manière dans sa prochaine vie. Les leçons qu'il a apprises à partir de ces tableaux de sa vie passée sont donc incorporées à la structure de son atome permanent - ce réservoir de connaissances qui contient l'essence de toutes ses expériences passées - et quand, dans une vie future, le temps vient pour lui de prendre des décisions concernant des problèmes du même ordre, la voix de sa conscience, qui *est* l'avertissement que lui envoie l'ego depuis le plan où se trouve son réservoir de connaissances, lui assure qu'il ne commettra pas une seconde fois les mêmes erreurs. Il comprend pourquoi il est souhaitable pour lui de renaître dans un certain groupe de gens ou dans une certaine nation, cette naissance lui permettant d'obtenir l'environnement dont il a besoin; il ne manque donc jamais de coopérer quand sa future vie lui est montrée. Il sait très bien que la vie prévue pour lui est celle qui sera le mieux adaptée pour assurer sa plus grande progression. Une progression importante dans un temps le plus court possible est ce que désire tout ego.

« Bien que nous apprécions tous les moments que nous passons au niveau de l'ego, nous devons quitter ce niveau pour obéir aux lois de l'évolution. Nous souhaitons tous partir quand notre temps arrive, car nous sentons en nous le désir d'autres expressions et d'autres expériences; nous savons que nous ne pouvons progresser dans notre évolution qu'à travers d'innombrables vies dans le monde physique. Nous comprenons que nous ne pouvons pas répondre pleinement aux vibrations régnant au niveau causal avant d'avoir évolué jusqu'à un stade où nous n'avons plus besoin de renaître encore. Ce moment arrive lorsque nous avons appris toutes les leçons que peut nous apprendre la vie au niveau physique; alors notre attention est attirée vers d'autres sphères d'activités, bien au-delà des niveaux physique ou astral. Les ego ayant atteint ce stade d'humanité parfaite décident quelquefois, de leur propre volonté, de rester en contact avec les plans inférieurs de conscience, en raison de leur grand amour de la race humaine et de leur désir d'aider l'humanité dans son évolution. Il est heureux qu'il y ait de telles grandes âmes, car sans elles le progrès de l'humanité serait beaucoup plus lent qu'il ne l'est actuellement.

« Vous ne devriez plus avoir de difficultés à comprendre ma description de la descente vers la renaissance, si vous vous souvenez de l'analogie que j'ai déjà employée. L'ego nu doit s'habiller une fois de plus - en d'autres termes, se procurer trois nouveaux corps grâce auxquels il puisse fonctionner sur les plans de conscience correspondants. Le premier corps est constitué de matière mentale (ce sont ses sous-vêtements); pour le créer, il tourne son attention vers son atome permanent dans lequel, vous vous en souvenez, il a retenu des molécules correspondant à toutes les sphères qui existent au niveau mental. Prenant l'atome mental, il le vivifie et commence à attirer autour de lui d'autres atomes de la matière existant au niveau mental, de même qu'un cristal, plongé dans une solution, entraîne la formation d'autres cristaux autour de lui. La matière attirée autour de lui prend la forme de son dernier corps mental - celui qu'il a abandonné à la fin de son séjour au niveau mental - avec une seule petite différence : c'est un meilleur véhicule de conscience que ce dernier corps, parce qu'il renferme le résultat des efforts mentaux qu'ils a faits dans sa dernière incarnation. Il retourne dans cette nouvelle vie avec un corps mental contenant toute la connaissance qu'il a accumulée durant ses vies passées, mais n'ayant encore aucune connaissance sur les sujets qu'il a négligé d'étudier jusque-là. Ceci explique pourquoi, dans le monde, certains hommes sont si différents des autres; leur intellect est différent parce que la qualité de leur corps mental est différente. C'est pourquoi un homme possédant un intellect fin, acquis grâce aux expériences de nombreuses vies, ne devrait jamais profiter de celui qui a moins d'expérience que lui - sa tâche est d'aider et non de gêner ses plus jeunes frères.

« Après s'être créé un nouveau corps mental, il passe à l'étape suivante. Il tourne son attention vers l'atome astral et le vivifie. Il rassemble autour de lui de la matière astrale du même type que celle qui constituait son dernier corps astral au moment où il l'avait abandonné. Ceci signifie que tous les progrès émotionnels qu'il a accomplis dans sa dernière vie sont inclus dans le nouveau corps astral (correspondant à son costume) qui lui servira pour sa nouvelle existence. Ce nouveau corps renferme les résultats du travail qu'il a fait durant les années vécues dans les conditions du plan astral; par exemple, s'il a étudié la musique en profondeur, il aura l'intense désir, dans sa prochaine vie physique, de reprendre la musique, que ce soit comme profession ou comme loisir, et il développera aisément ses talents musicaux. Ce nouveau corps astral est beaucoup plus sensible que l'ancien, c'est-à-dire qu'il est davantage capable d'enregistrer des émotions que son prédécesseur.

« Ensuite il lui faut un corps physique (son pardessus), qui s'acquiert en naissant normalement au sein d'une famille dans le monde. Le corps physique n'est pas nécessairement meilleur que celui de l'incarnation précédente - cela dépend beaucoup des leçons qu'il doit apprendre dans sa nouvelle vie; de toute façon, le corps donné est celui qui est nécessaire à ce moment-là. La première décision à prendre concerne les changements de caractère à accomplir. La réponse à cette question décide de plusieurs éléments, dont le premier est la nation dans laquelle un ego veut naître - car chacune a des qualités prédominantes. Comme vous êtes anglais, je prendrai votre nation pour illustrer cette idée. La dévotion au devoir est sans doute la qualité la plus remarquable du caractère anglais. Si l'ego en train de s'incarner a, dans ses vies passées, refusé de faire face à des difficultés - il peut même avoir été lâche au point d'avoir commis un suicide - il manque évidemment des qualités qui font si fortement partie de la nation britannique; une vie en tant que membre de ce groupe de familles enrichira donc certainement son caractère de ce dont il a besoin à ce moment-là et, à la fin de cette vie, son caractère aura considérablement changé. Quand la décision concernant la nation dans laquelle l'ego va naître a été prise, il devient nécessaire d'y choisir une famille adéquate - c'est là un choix compliqué exigeant une grande attention aux détails et qui n'est jamais laissé au hasard. Bien que des douzaines de familles puissent peut-être lui procurer l'environnement dont il a besoin, il y en a parfois beaucoup qui ne peuvent pas entrer en considération pour lui, ses actes passés ayant été tels qu'il n'a pas mérité le privilège de naître dans des circonstances aussi désirables. Il faut lui choisir une famille à travers laquelle il entrera en contact avec certains liens personnels qu'il a créés dans le passé. Ces liens sont créés par l'amour, la haine, le mariage, le fait d'avoir des enfants, d'être le père d'un enfant illégitime, d'abandonner une femme en difficulté, etc.; tout karma ainsi constitué doit être travaillé. La question de l'hérédité est une autre décision à prendre : on regarde si l'ego mérite d'être en bonne santé ou doit souffrir de maladies; s'il doit être laid ou beau; quel est le type de cerveau qu'il mérite. On prend en considération le genre de parents, leurs relations conjugales; si l'ego doit naître chez une mère *voulant* un enfant, qui fera donc tout ce qui est en son pouvoir pour lui donner un départ convenable dans la vie; chez des parents qui le traiteront comme un ego distinct, considérant les aptitudes qui se révéleront quand il sera enfant, comme un désir ardent d'étudier la musique - qu'il peut avoir acquis durant son dernier séjour astral - ou bien chez des parents qui le frustreront en ne faisant pas attention à de tels besoins et interféreront avec ses faits et gestes même lorsqu'il sera adulte; chez des gens qui seront tolérants par rapport à la religion ou chez des gens qui ne le seront pas.

« Une fois ces arrangements faits et un moment astrologique adéquat choisi, l'enfant naît. C'est désormais la tâche de l'ego de dépasser tous les obstacles liés à sa naissance et à l'environnement auquel il est confronté; certains hommes qui ont fini dirigeants de nations sont nés dans des foyers pauvres et frustrants. Si un homme réussit à dépasser les obstacles placés sur son chemin, il sera certain d'être associé à une famille de haute moralité, dans des circonstances favorables, quand son cas sera de nouveau considéré pour une vie future dans le monde physique.

« Avant de conclure, je voudrais juste évoquer le sujet vital de l'éducation de l'enfant. D'après ce que je vous ai dit, vous pouvez comprendre qu'un ego peut être grandement aidé ou gêné dans son évolution par l'attitude que ses parents adoptent dans ce domaine. Il y a tellement peu de gens qui ont centré leur attention sur les besoins de l'enfant qu'il devient difficile de trouver des familles convenables pour la tâche qui consiste à guider des ego avancés dans leur voyage.

« Pour que vous compreniez l'extrême importance de l'éducation des enfants, je vais commencer par les points les plus marquants du développement humain.

« Le développement de l'homme est divisé en périodes de sept ans, chacune correspondant à l'émergence d'un nouveau pouvoir ou qualité. Ces étapes sont intimement associées aux activités de croissance des glandes à sécrétion interne du corps physique. Ce qui est appelé "naissance" n'est en fait que la naissance du corps physique visible, qui arrive à un haut niveau d'efficacité plus rapidement que les corps invisibles de l'ego. Le foetus physique est enclos dans l'utérus protecteur de la mère durant la gestation; de même, les véhicules subtils - les corps éthérique, astral et mental dont je me suis efforcé de vous donner un minimum de compréhension au cours de ces causeries - sont enclos dans les enveloppes protectrices des matériaux de l'éther, du désir et du mental au sein de la matrice de l'Univers, ou Nature, jusqu'au moment où ils sont suffisamment mûrs pour résister aux conditions du monde. Dans l'utérus, le développement physique ne peut être accéléré; de la même manière, on ne devrait faire aucune tentative pour hâter le développement des corps non physiques tant qu'ils sont protégés dans le sein de la Nature - on ne peut que laisser ce développement se faire sous la guidance de l'enfant. C'est pourquoi les parents doivent être préparés à être des guides, des conseillers et des amis pour leurs enfants jusqu'à ce que ceux-ci atteignent l'âge de vingt et un ans, époque à laquelle leurs corps mentaux sont en état de prendre le relais; puis, pour que l'enfant devienne un adulte ayant confiance en lui, *tout contrôle parental doit cesser*. A partir de ce moment-là, les parents devraient seulement donner des conseils si on les leur demande, à cause de leur plus grande expérience. Garder un adulte "suspendu à ses jupes" comme le font souvent des parents égoïstes sous un prétexte ou un autre porte tort aussi bien à l'enfant qu'aux parents.

« Les trois premières périodes de sept ans du développement humain sont marquées par la naissance, ou le parachèvement, du corps éthérique à l'âge de sept ans, moment de la seconde dentition, du corps astral ou corps du désir à quatorze ans, moment de la puberté, tandis que le corps mental qui complète l'homme n'arrive à sa pleine activité qu'à l'âge de vingt et un ans. Chez le nouveau-né, seules les qualités négatives de ces corps sont actives et, avant qu'il puisse faire le plein usage de ses différents véhicules, leurs qualités positives doivent mûrir. Durant les sept premières années de la vie, ce sont les forces liées au pôle négatif de l'éther qui sont actives. Les enfants de cet âge ont donc la clairvoyance des mêmes caractères négatifs que les médiums; c'est la raison pour laquelle il est tout à fait normal que de jeunes enfants aient des compagnons de jeu invisibles aux yeux des adultes. Plus tard, de la même façon, les forces travaillant au niveau du corps du désir ne donnent qu'une capacité passive de sentiment, jusqu'à ce que les qualités positives se développent; bien que les émotions soient librement manifestées, elles sont éphémères et ne durent jamais. La période allant de quatorze à vingt et un ans, où les désirs sont exubérants et incontrôlés, sont peut-être les années les plus difficiles pour les parents, qui doivent alors apprendre à pratiquer au plus point la tolérance et la compréhension. Les enfants sont extrêmement sensibles aux forces liées au pôle négatif du mental; c'est la raison pour laquelle ils sont tellement imitateurs et aptes à apprendre; ils doivent donc être traités avec compréhension jusqu'à ce que les qualités positives prennent le relais. A ce moment-là, l'ego est prêt à être autonome et impatient de l'être; il doit alors y être autorisé. Il fera des erreurs - nous en avons tous fait, c'est l'une des principales façons d'apprendre nos leçons.

« Au début de l'apparition de l'homme sur terre, il recevait peu d'assistance de la part de ses parents, qui n'avaient eux-mêmes pas suffisamment d'expérience dans l'évolution pour aider les autres; mais maintenant les conditions sont tellement différentes que le fait d'être parent devrait être considéré comme une science que tous devraient étudier. Les parents qui planifient les naissances et n'ont à s'occuper que de deux ou trois enfants, qui ont le temps d'étudier et sont prêts à le faire, peuvent acquérir la connaissance leur permettant de devenir de bons guides pour leurs enfants. Les parents doivent comprendre que les enfants ne sont pas des jouets qui leur sont donnés pour qu'ils en fassent ce qu'ils veulent, mais qu'ils sont leurs semblables, confiés à leurs soins et leur guidance par les Puissances Supérieures. Donner à ces êtres une guidance correcte est l'une des tâches les plus importantes que l'humanité est tenue d'accomplir; par la loi du karma, les parents seront tenus pour responsables de la manière dont ils s'acquittent de ce travail et leur propre avancement sur le chemin de l'évolution sera accéléré ou retardé en fonction de ce qu'ils feront.

« Toutes les filles normales aspirent au mariage, cherchent à avoir un foyer et des enfants; c'est une bonne chose, parce qu'il est d'une importance capitale qu'un petit enfant puisse être élevé dans une maison où il est aimé et *voulu*. Pour devenir des épouses efficaces qui réussissent leur tâche, les filles devraient, *avant le mariage*, s'intéresser à des sujets tels que le ménage et le travail domestique, la meilleure utilisation possible de l'argent, la sélection, la préparation et la cuisson d'aliments nutritifs; elles devraient comprendre l'importance d'un repos et d'un sommeil suffisants, des bénéfices à tirer de l'air frais et du soleil, ainsi que de la culture physique et mentale. Mais pour réussir en tant que mères, elles doivent faire des études encore plus approfondies, car il leur faut commencer par se plonger dans certains mystères de la nature. Dans ces études, elles ne devraient pas être seules, car les responsabilités familiales sont à partager également entre le père et la mère. Chacun a un rôle à jouer et une contribution à apporter dans l'éducation des enfants. Les parents ne peuvent être des parents avisés que s'ils ont au moins un peu étudié le développement humain et sont prêts à faire quelques sacrifices personnels. Pour accomplir correctement les tâches qui leur sont dévolues, ils doivent être prêts à enseigner par leur propre exemple, parce que rien au monde n'est aussi imitateur qu'un enfant - l'imitation est sa principale méthode de croissance - ils doivent donc s'habituer à ne jamais faire une chose qu'ils n'aimeraient pas voir copiée.

« Pour guider le développement émotionnel d'un enfant, il faudrait discuter librement à la maison, dès ses premières années, de deux sujets : l'un est le sexe et l'autre la religion. Dans leur préparation à la tâche de parents, ceux-ci auront étudié la biologie des règnes végétal, animal et humain et ne devraient donc pas avoir de difficultés pour parler à de jeunes enfants des principes de la reproduction dans les différents règnes, de manière adaptée à leur âge et à leur compréhension. Pour le très jeune enfant, ils peuvent inventer des contes de fées fascinants traitant du règne végétal. Ils peuvent lui montrer les fleurs à pistil, qu'ils compareront à des filles, et les fleurs à étamines, qu'ils compareront à des garçons, ainsi que le pollen dans les anthères des fleurs et les sacs de pollen sur les pattes des abeilles.

« De même, la religion peut être traitée d'une manière naturelle. On ne peut pas attendre d'un enfant qu'il comprenne les doctrines et les dogmes des différentes religions; cela peut attendre qu'il ait atteint l'âge de penser par lui-même. L'instruction religieuse applicable à l'ère dans laquelle nous vivons et à celle qui viendra bientôt doit être trouvée dans la vie et les enseignements du Christ durant son séjour terrestre dans le corps de Jésus, dans celui du Seigneur Bouddha et des autres fondateurs de religions. Même si nous ne connaissions et ne comprenions rien d'autre, nous aurions de splendides modèles auxquels nous conformer. C'est pourquoi l'enseignement religieux donné aux jeunes devrait être le récit des vies de ces enseignants - des vies qui étaient de sublimes leçons sur les possibilités humaines. Comme pour l'éducation sexuelle, il devrait être présenté sous une forme correspondant au stade de compréhension de l'enfant - et tiré de la Bible, d'histoires écrites dans un langage très simple et par-dessus tout, de l'exemple parental. Si les parents connaissaient et mettaient en pratique le Sermon sur la Montagne, leurs enfants montreraient des "schémas de réaction à la vie" qui leur serviraient de base solide pour comprendre l'Amour Universel et la Fraternité Universelle.

« Les parents qui auront acquis la tolérance et la compréhension en s'entraînant à voir par les yeux de leurs enfants, à aborder les choses de leur point de vue, à toucher avec leurs doigts, à questionner avec leur esprit, seront, quand leur tâche d'éducation sera terminée, les mieux armés pour se connaître eux-mêmes et aider leurs semblables avec tolérance et sagesse, ce qui devrait être leur tâche à cette étape de leur développement - une tâche qui à son tour pourra amener au grand jour les qualités positives de leur développement spirituel.

« Je n'ai pu vous donner qu'un très bref résumé de l'importance de la guidance et de l'exemple parentaux dans l'éducation de l'enfant - dans le temps dont je disposais, je ne pouvais approfondir davantage la question des méthodes à employer pour une telle éducation. Tout ce que je peux faire est de signaler que ce besoin n'a jamais été aussi grand ou aussi urgent qu'il ne l'est dans le monde d'aujourd'hui. Si les parents continuent à se dérober devant leurs responsabilités, s'ils ne sont pas prêts à sacrifier leurs "plaisirs" pour s'occuper de leurs tâches et s'il continue à y avoir autant de foyers brisés dans lesquels l'amour et la compréhension nécessaires ne sont plus présents, il faudra se poser la question de savoir si l'éducation des enfants - par groupes d'âges - en institutions, par des personnes entraînées et compréhensives, n'est peut-être pas la solution la plus sage au problème. Ceci semble être un domaine qui n'a pas encore été exploré. Naturellement, des arguments peuvent être avancés pour la défense des deux systèmes, mais si la décision est prise en faveur de l'éducation à la maison, il faudra prendre des mesures pour que les parents soient sages et instruits.

« Je suis satisfait que vous sachiez que nous ne sommes pas dans le monde par accident. Vous avez compris que d'innombrables vies au niveau physique sont nécessaires si nous voulons acquérir suffisamment d'expérience pour nous libérer de la nécessité des naissances et des morts continuelles. Vous avez vérifié par vous-même que la mort, redoutée par tant de gens dans le monde, est un simple passage d'un état de conscience à un autre et que ce passage ne devrait jamais être craint par qui que ce soit, même s'il est précédé par une certaine douleur physique. Vous êtes conscient que les inégalités de la vie ne sont pas causées par un Divin Créateur qui en favorise certains et pas d'autres, mais qu'elles sont dues aux différents stades où se trouvent les hommes, à un moment donné, dans leur voyage vers la perfection, ou qu'elles sont produites par des actes peu sages commis par ces individus dans leurs vies passées. Je suis sûr que vous comprenez maintenant qu'aucun travail accompli à ce niveau n'est jamais perdu car, à la fin de chaque incarnation, vous emportez votre récolte qui deviendra une partie de l'atome permanent, votre réservoir de connaissances.

« Lorsque je vous aurai quitté aujourd'hui, vous serez de nouveau le seul arbitre de votre destinée. J'espère que vous continuerez à entretenir le lien qui a été renoué entre Daphné et vous, car vous pouvez l'aider en beaucoup de choses et elle peut vous aider. Vous êtes destinés à travailler ensemble dans de futures vies et plus vous arriverez à vous comprendre maintenant, plus vous ferez de progrès quand le temps viendra pour vous de vivre ensemble dans les conditions du plan physique. Il est tout à fait possible qu'avant de passer dans l'autre monde, vous rencontriez une femme vivant à ce niveau-ci, vers laquelle vous vous sentiez attiré et que vous vouliez épouser. Si cela se produit, expliquez à Daphné ce que vous comptez faire, car la déception a des répercussions, même dans le cas où une personne vit dans le monde astral et l'autre dans le monde physique. La déception n'est jamais une bonne chose, car elle crée des difficultés qui peuvent nécessiter plusieurs vies pour être complètement éliminées.

« Je ne pense pas que que Charles vous causera davantage de soucis. Comme vous êtes un plus vieil ego que lui, il aura de la peine à vous suivre sur le chemin que vous imaginez le meilleur pour lui, mais vous pouvez toujours l'aider et vous vous lierez probablement à lui dans une vie future, car l'amour crée des liens très forts. N'oubliez pas les responsabilités dont vous vous êtes chargé avec Marie; je ne pense pas qu'elles puissent vous poser des problèmes, mais vous ne devez cependant pas les négliger, car vous les avez acceptées lorsqu'elles se sont présentées. L'assistant astral que vous appelez Jim peut vous être très utile et vous pouvez l'être pour lui, cultivez donc cette amitié chaque fois que l'occasion s'en présentera. Rappelez-vous que la connaissance qui vous a été donnée n'est pas seulement pour vous. Vous avez une responsabilité envers ceux qui ont moins de chance que vous et, sincèrement, j'ai confiance dans le fait que vous ne l'oublierez jamais. Toute vraie connaissance devrait être partagée, et non pas gardée pour l'unique bénéfice de son possesseur; je peux vous assurer que non seulement vous serez plus heureux en partageant votre connaissance, mais encore que les autres bénéficieront de votre assistance. Vous vous apercevrez peut-être que beaucoup de ceux à qui vous offrirez ce pain de la connaissance n'auront pas envie de le manger. Ces personnes ne sont pas encore prêtes, mais cela ne devrait pas vous empêcher de leur donner l'opportunité d'écouter ce que vous avez à dire.

« Il est temps pour moi de vous faire mes adieux. Cela ne signifie pas que nous ne nous rencontrerons jamais plus, car le lien qui a été créé entre nous durant ces dernières semaines aura inévitablement des conséquences. Une fois créé, il est rare qu'un lien soit entièrement brisé. Lorsque je vous aurai quitté, je ne saurai plus ce que vous ferez, comme il m'a été permis de le savoir durant cette courte période afin de vous aider grâce à mes cours, mais je ne doute pas que les progrès que vous avez faits se poursuivront. Si, dans l'avenir, vous jugez que vous avez besoin de moi à un moment ou à un autre, créez une très puissante forme-pensée de moi et envoyez votre désir de me contacter dans l'éther environnant. Je serai peut-être dans une situation ne me permettant pas de répondre immédiatement à votre appel, mais vous pouvez être certain que je l'aurai reçu et que je vous contacterai aussitôt que le travail que je serai en train de faire me le permettra. J'ai grandement apprécié la compréhension que vous avez manifestée dans les occasions où mes paroles pouvaient donner l'impression de vous critiquer, ainsi que d'autres personnes dans le monde. Croyez-moi, ce n'était pas mon intention.

« L'un des grands philosophes a dit : "Quand l'élève est prêt, le Maître arrive." Ceci est très vrai car, quelles que soient vos difficultés, vous n'êtes jamais entièrement seul. Les Maîtres n'abandonnent pas ceux qui travaillent pour eux. Vos efforts vous ont amené en contact avec quelques-uns des grands Etres qui s'efforcent de guider nos pas sur le chemin qui favorise le mieux notre progression. Votre réaction à leur aide vous a permis d'intensifier encore ce contact. Ils connaissent nos limitations et nos difficultés. Pour que cette assistance soit immédiatement à notre disposition, ils attendent seulement que notre désir leur permette de nous aider.

« Que la Paix avec et pour laquelle ils travaillent si patiemment soit avec vous et tous ceux qui cherchent à alléger le fardeau de l'humanité. Adieu, jusqu'à ce que nous nous retrouvions à l'heure de Dieu. »

# *Epilogue*

Un mois a passé depuis que j'ai fini de transcrire les notes que j'avais prises sur la dernière causerie d'Acharya et maintenant encore j'ai du mal à me pénétrer de l'idée qu'il ne me rendra plus visite. J'en étais arrivé à attendre ces rencontres quotidiennes comme je ne l'aurais pas cru possible deux mois auparavant. Je suis très heureux de m'apercevoir que chaque matin je me souviens d'une grande partie de ce que j'ai fait durant la nuit car, au début, je me demandais si ma capacité à rapporter des souvenirs disparaîtrait une fois que mon lien mental avec Acharya aurait été rompu. Il y a quelques nuits, rendant visite à Daphné, je lui posai la question concernant ce que j'avais oublié de notre visite à la Cité Dorée. Comme Acharya l'avait supposé à juste titre, elle se rappelait l'incident du Christ qui apparaissait pour s'adresser à la foule rassemblée aussi clairement que le reste de ce que nous avions fait cette nuit-là. J'ai donc décidé que, les nuits où je ferais des expériences avec Daphné, j'en parlerais avec elle par la suite. Plusieurs personnes vivant dans la même vallée qu'elle sont déjà devenus des amis; ils ne semblent rien avoir à objecter à ma venue épisodique, même si pour le moment je ne peux pas devenir un membre permanent de leur communauté.

Il y deux nuits, j'ai décidé de faire par moi-même une visite sur la sixième sphère, parce que je souhaitais depuis longtemps faire une promenade dans l'un des petits bateaux amarrés sur les berges du lac. A mon arrivée, je m'aperçus que deux n'étaient pas utilisés, le troisième étant occupé par un voyageur solitaire qui avait parcouru presque la moitié du circuit. Je pris l'un des bateaux restants et, une fois que je l'eus libéré de ses amarres, il se mit en route sans mon intervention, fit le tour du lac dans le sens inverse des aiguilles d'une montre et ne s'éloigna jamais plus de cinquante mètres de la rive, comme Acharya me l'avait dit. Je m'efforçai de méditer et m'aperçus que, bien que n'y étant jamais bien parvenu dans le monde, je trouvai cela beaucoup plus facile dans les conditions régnant à ce niveau du monde astral. J'essayai d'imprégner l'idée de Paix chez les hommes qui dirigeaient alors les destinées de leurs nations respectives - il me semblait tout aussi important de vouloir la paix pour nos ennemis que pour nous-mêmes. Je ne saurai sans doute jamais si mes efforts ont servi à quelque chose, mais au moins j'ai employé le pouvoir de la pensée, qui produit des résultats si surprenants à ces niveaux supérieurs. Au bout de huit heures environ, je sentis le besoin urgent de revenir et, apparemment sans aucune action de ma part, je fus obligé de quitter le bateau sur-le-champ et de retourner sur le plan physique. Depuis, je me suis demandé ce qui était arrivé au bateau, s'il continue à tourner autour du lac ou si le courant cesse d'avoir un effet sur lui une fois que le circuit est terminé.

J'ai vu Marie plusieurs fois au cours de ce dernier mois, car la prophétie d'Acharya selon laquelle elle me rappellerait dans un futur proche se réalisa quinze jours après la dernière fois où je l'avais vue à l'hôpital. Je fis de mon mieux pour lui donner les conseils dont elle avait besoin; heureusement, la petite Irène était présente à la plupart de nos discussions. Elle est beaucoup plus sensible que Marie; je pense donc qu'elle se souviendra probablement d'une grande partie de ce que j'ai dit et qu'elle sera capable de le répéter à Marie quand elle se réveillera le matin.

Je fus réquisitionné une nuit par Jim, qui me demanda de l'aider pour d'autres accidentés. Ce travail est le plus fascinant; j'avais cru que la façon de s'occuper d'hommes jeunes tirés brutalement hors de leurs corps serait toujours la même, mais je m'aperçois que la technique varie selon les individus. J'apprends progressivement ce qu'il faut faire et j'ai dit à Jim qu'il peut m'appeler chaque fois qu'ils sont à court de personnel. Je sens que c'est une autre manière de montrer ma reconnaissance pour l'aide qui m'a été donnée et je l'accueille comme j'accueille toute opportunité qui se présente.

Je n'ai plus revu Charles et n'ai aucun moyen d'entrer en contact avec lui en-dehors de lui envoyer un S.O.S. si nécessaire. Je présume qu'il poursuit sa vie normale dans le monde astral et j'espère sincèrement non seulement qu'il y sera heureux, mais que, le temps passant, je pourrai être de quelque utilité pour lui. Il est intéressant de noter que la cause de mon extrême souffrance, qui culmina dans la visite d'Acharya, me semble maintenant moins importante que les autres liens que j'ai créés. Cela montre comment la moindre connaissance peut complètement modifier un point de vue.

Cette double existence m'occupe et m'intéresse beaucoup. Quelquefois, j'ai l'impression que la vie que je mène en-dehors de mon corps est la vie réelle et que ma vie dans le monde n'est pas aussi importante. Je dois me garder de cette idée, sinon je vais devenir un rêveur et risque de perdre de vue qu'il est important d'apprendre les leçons que cette vie a à m'apprendre.

Il m'est totalement impossible d'exprimer ma gratitude aux grands Etres qui gouvernent cette planète. Le schéma de ce gouvernement, dans son ensemble, semble tellement logique que chacun de nos pas paraît être la conclusion naturelle de celui qui le précède et qu'il est difficile d'imaginer que les choses pourraient être autrement. Ce que je ne comprends pas, c'est pourquoi les informations qui m'ont été données ne sont pas plus connues dans le monde. J'aspire souvent à voir mon ami Acharya, mais j'ai combattu mon désir d'envoyer un appel. Quelle vie merveilleuse mène cet homme ! Je me demande parfois si je pourrai un jour être employé à des buts comparables; si mon désir devient un jour réalité, j'espère que je servirai mon Maître, quel qu'il puisse être, aussi fidèlement que le fait Acharya. Je n'ai pas oublié qu'il m'a dit de partager toute la connaissance que j'acquiers et de montrer ainsi que j'apprécie l'aide qui m'a été donnée. Je continuerai à noter mes expériences et, si je m'aperçois qu'elles peuvent avoir un intérêt pour les autres, j'envisagerai certainement de publier une suite.

Ma tâche - noter les étranges événements qui me sont arrivés durant les semaines passées - est maintenant accomplie. Que ceux qui liront ce livre les prennent pour vraies ou non, ce n'est pas mon affaire. Je suis satisfait d'avoir accompli mon devoir en les ayant consignés. Je suis sûr que ceux qui ont des oreilles pour entendre en tireront bénéfice.

N'oublions pas la promesse qui nous a été faite par le plus grand de tous les Maîtres lorsqu'il a dit : « *Veillez à ce que ceux qui veillent sur les destinées du monde ne dorment pas.* »

FIN

# LES EDITIONS VIVEZ SOLEIL

Nous sommes de plus en plus nombreux à désirer nous rapprocher de la nature, donner une part plus grande à la créativité personnelle et vivre pleinement dans un monde en changement constant. Pour cela, il nous faut découvrir les principes de santé et d'harmonie nous permettant d'améliorer notre relation avec nous-mêmes, nos proches et le monde dont nous faisons partie.

Les méthodes de santé sont actuellement multiples et variées. Qu'elles soient issues des traditions anciennes ou des études scientifiques modernes, il est important de percevoir leur complémentarité pour faire ensuite librement ses choix et agir en se prenant en charge.

Les EDITIONS VIVEZ SOLEIL présentent des chemins possibles, montrent des directions, en se situant au-delà des querelles d'école et en respectant les convictions et préférences de chacun. D'un livre à l'autre se multiplient les occasions de prise de conscience et de compréhension. Si les expériences proposées nous attirent, nous sommes invités à *vivre toujours plus au pays du bien-être :* favoriser notre santé et notre épanouissement, développer nos ressources personnelles et notre connaissance de nous-mêmes dans une approche globale tenant compte de toutes les dimensions de l'être humain : physique, émotionnelle, mentale et spirituelle.

Les livres signés « Docteur Soleil » sont le fruit du travail d'équipe de personnes de tous horizons pour réaliser des synthèses dans un langage simple et pédagogique. Ils s'appuient sur la documentation fournie par la FONDATION SOLEIL de Genève dans les domaines de la santé et du bien-être.

*Les livres, les cassettes audio et les cassettes vidéo que nous publions sont sélectionnés pour la qualité de leur information ou la beauté de leur message. Tous visent à nous permettre d'entrer dans une conscience de la vie plus large, plus joyeuse et plus libre.*

Demandez notre catalogue gratuit à :

EDITIONS VIVEZ SOLEIL    ou    EDITIONS VIVEZ SOLEIL
32, avenue Petit-Senn                L'Eculaz
CH-1225 Chêne-Bourg, Genève    F-74930 Reignier
Tél. (022) 49 24 70                     Tél. 50.43.47.92

## Nos publications
## dans la Collection
### DEVELOPPEMENT PERSONNEL

**\* Techniques de Visualisation Créatrice**
  **Utilisez votre imagination pour atteindre ces buts**
  Shakti Gawain

> *Un best-seller dont vous n'aurez qu'à vous féliciter de con-*
> *naître ces techniques d'une efficacité étonnante pour mieux vivre.*

**\* Transformez votre vie** - Louise Hay

> *Nous avons le pouvoir d'agir sur nos pensées et ainsi de*
> *transformer notre vie. Un livre qui tient ses promesses !*

**\* Vaincre par la Sophrologie** - Dr R. Abrezol

> *Améliorer vos performances et vos états de conscience par la*
> *sophrologie. Une technique qui garantit le succès.*

**\* Bonjour Bonheur** - Ken Keyes Jr

> *Créer un monde dans lequel le bonheur fleurit à chaque*
> *pas ! Douze étapes pour changer soi-même et les autres.*

**\* Le Guerrier pacifique** - Dan Millman
  **Victoire sur les peurs et les illusions**

> *Plébiscité par les jeunes, ce livre ne manque pas d'humour*
> *pour nous aiguiller sur le chemin de la Sagesse.*

**\* N'enseignez que l'Amour**
  Dr Gérald Jampolsky

> *Ce livre expose les principes de la guérison des attitudes, qui*
> *consiste à ne garder que les pensées d'amour, à ne plus nous*
> *percevoir séparés les uns des autres, à ne plus analyser, interpréter*
> *ni juger.*

**\* La Mort, un pont vers la vie**
Patricia Hayes, Marshall Smith
*La mort existe-elle ? La conscience et la vie continuent...Le célèbre médium A. Ford communique son expérience pleine de promesses, après son décès, grâce à l'écriture automatique.*

**\* Manuel de communication spirituelle**
Sanaya Roman, DuanePacker
**Comment devenir un channel**
*Toute personne qui le désire peut devenir un médium ( que l'on appelle aujourd'hui "channel" ). Elle trouvera dans ce livre des méthodes étonnamment simples pour apprendre à entendre ses guides et transmettre leurs messages.*

**\* Au cœur de la nature** - Michael J. Roads
*Quand la communication avec la nature devient fusion avec l'âme de l'humain, les formes de vie deviennent inséparables.*

**\* Le Trésor d'El Dorado** - Joseph Withfield
*Fascinant ! Des révélations cosmiques concernant la vie humaine dans notre système solaire et au-delà ouvrent toutes grandes les portes de la conscience spirituelle. Un vrai trésor !*

**\* La Quête Eternelle** - Joseph Withfield
*Parcourir les différentes civilisations, de la Lémunie à nos jours, grâce au voyage de deux âmes dans leurs différentes réincarnations, nous aide à éclairer nos concepts de la vie (naissance, mariage, mort, sexualité, etc... ) d'un jour nouveau.*

Plusieurs éditeurs œuvrant pour un idéal
convergent ont décidé d'unir leurs efforts,
remplaçant la compétition par la coopération. Nos
partenaires sont les Editions ARISTA, LE SOUFFLE
D'OR, L'OR DU TEMPS et LE HIERARCH, le Centre
ISTHEME / DIEM (cassettes) et LE CHANT DES
TOILES (cartes et posters).

**LES MESSAGERS DE L'ÉVEIL** mettent en commun leurs forces, tout
en préservant l'identité de chacun.

**LES EDITIONS VIVEZ SOLEIL** invitent leurs lecteurs à soutenir l'édifi-
cation de ce réseau de lumière en germination.

Nos lecteurs trouveront dorénavant nos ouvrages sous le nom
« Éditions Vivez Soleil ». Toutefois, certaines de nos anciennes
publications sont encore disponibles sous le nom « Éditions
Soleil ».

Achevé d'imprimer
sur les presses de la
S N I Jacques et Demontrond
25220 ZI Thise / Besançon
en septembre 1991

*Imprimé en France*